LES BOBOS

David Brooks a été correspondant en Europe du *Wall Street Journal*. Il est actuellement rédacteur en chef du *Weekly Standard* et éditorialiste sur la chaîne de télévision PBS.

DAVID BROOKS

Les Bobos

TRADUIT DE L'ANGLAIS (ÉTATS-UNIS)
PAR MARIANNE THIRIOUX ET AGATHE NABET

PRÉFACÉ POUR L'ÉDITION FRANÇAISE
PAR JEAN-FRANÇOIS BIZOT

FLORENT MASSOT

Titre original :
BOBOS IN PARADISE
Première publication : Simon & Schuster (US).

PRÉFACE

BOBO MAMAN BOBO !

On pourrait se dire : Alain Souchon a inventé le bobo. En pleine liberté hors pistes, il s'est vu un jour au bord de la dégringolade et il s'est dit « Allô maman bobo », ce qui fut un tube et son succès. Sans le savoir et sans en avoir déposé la marque, Souchon représentait bien, avant l'heure, un concept vivant que seule l'Amérique ose breveter : le bobo.

Le bourgeois-bohème. Un bohème qui a peur du bobo ? Un bourgeois qui cherche le bobo, jamais trop loin de la pharmacie de garde. Inutile de s'en moquer.

Le bobo, dans la cour de récréation, se récoltait comme une légion d'honneur chez les mistons (les petits loubards de François Truffaut). Ne dérapaient que ceux qui couraient. Ne se faisaient coller que les impertinents, les polissons et les inexpugnables flemmards qui refusaient les autoroutes de la formation.

Les bobos de l'époque menaient à la bohème, vie poétique sans RMI.

Bohème et Bourgeois étaient antithétiques.

Leur haine durait depuis que la bourgeoisie avait du pouvoir. Depuis l'après-Napoléon. Bourgeois, dandies industrieux copiant les aristocrates...

De nombreuses crises s'en suivent. Fils et Filles de rien, Filles de et Fils de rien, se rassemblaient en tribus adolescentes, et éphémères. Les Bouzingots avec

Théophile Gautier. Baudelaire, tribu punk et solitaire. Émile Henri et ses bombes artisanales qui déchiraient l'image propre de la Belle Époque ventripotente. Dada, contre Verdun.

Les Zazous trop oubliés, comme leur influence sur Saint-Germain-des-Prés, Gréco, donc les Stones ou Bob Dylan.

Avec leur brillantine arrogante et leur pantalon large, vu la force fashion qu'avait Paris à l'époque, il y eut double rebond sur la coiffure d'Elvis et le look funky black; comme s'en aperçut Greil Marcus, auteur de *Lipstick Traces,* éditions Allia. Un autre Américain...

Les cheminements obscurs de la différence sont devenus underground variés : cool, beat, hip, mots du jazz, devenus mots de l'Amérique, inventive pour fabriquer de l'identité mondiale (à force de bétonner une nation faite de déracinés).

La révolte sexy rock des années 60 fut la dernière révolte mondiale. Son ressac frappe encore à Jogjakarta, Téhéran ou Irkoutsk.

Les bourgeois tremblaient. Ceux qui ont vécu cette révolte le savent : le déchirement fut d'une violence inouïe. Il fallut vraiment des liens forts pour que certaines familles survivent. La guerre dura, jusqu'aux punks, son dernier avatar.

Son but était : évoluons.

L'évolution fut prise en main. On vit passer des yuppies en blue-jeans. Une génération Reagan. La revanche. L'Amérique du formatage. Elle fit long feu et crack! On vit alors apparaître le premier Bobo à vocation mondiale :

Bill Clinton, pécheur, déserteur, mauvais fumeur de pétard mais aussi jeune, microsoftien, paradoxal et moderne. Retraité du pouvoir mondial à moins de 55 ans. Ayant admirablement réussi à tromper l'Amérique puritaine. Puis à la mater. Super bobo.

La panoplie culture jeune? Clinton-Nike, Hilary-Ted Turner, Spielberg-Gap, Lucas-Apple. Nouveau concept de masse : recycler la réconciliation spectaculaire entre bourgeoisie et bohème. D'Hollywood à la Maison-Blanche, de la Firme à the Blair Witch project. McDo et Cool, Droits de l'homme et deals hard core.

Du ventre de cette bête-là, quel que soit son rouleau compresseur, quelques millions d'individus, qu'on pourrait qualifier de plus européens que nous, restent lucides, moqueurs et inventifs. Vance Packard avait génialement analysé dans les années 50, comment pub, marketing et gestion de l'opinion publique seraient la force de l'Amérique.

C'est de là-bas que se démultiplient, pour le meilleur et pour le pire, les concepts à consommer. Mais trop de Pamela Anderson ne doivent pas obscurcir la minorité d'Amérique « européenne ».

Bobo ? salut Souchon, t'avais raison.

Fallait bien qu'un Américain s'en mêle pour qu'on se gobe d'en discuter. Assez drôle. On parlait depuis longtemps des nouveaux bourgeois cool, de ces mentors du style, de ces révoltés milliardaires.

Il nous manquait le lancement d'un mot = bobo.

Ce qui nous mène au livre de David Brooks sur les bobos, nouvelle couche bourgeois-bohèmes « réconciliés » sur la mouche de laquelle il fallait bien coller un mot.

Avant même qu'on ait lu le livre, on avait compris la catégorie.

De quoi s'engueuler sur l'idée. Même sans avoir lu le livre.

Notre époque.

En bon branché, je l'ai à peine feuilleté avant de parler le bobo.

Pour parler librement des bobos.

Je vous quitte.

Je vais maintenant le lire. Comme vous.

Jean-François Bizot

À Jane

INTRODUCTION

Après avoir passé quatre ans et demi à l'étranger, je suis revenu aux États-Unis avec un regard neuf et fus confronté à d'étranges juxtapositions. Les banlieues chic jusqu'alors réservées aux WASP étaient d'un seul coup dotées de bars bohèmes où l'on buvait de petits cafés européens en écoutant de la musique alternative. Pendant ce temps, les quartiers bohèmes du centre-ville furent envahis par des lofts d'une valeur de plusieurs millions de dollars et par ces magasins de jardinage chics où vous pouvez acheter un déplantoir faux-authentique pour 35,99 dollars. D'un seul coup, les grosses entreprises, comme Microsoft et Gap, s'y sont mises elles aussi, et citent Gandhi et Jack Kerouac dans leurs publicités. Les signes extérieurs de richesse sont bouleversés. Les avocats branchés portent ces minuscules lunettes à la monture en acier car ressembler à Franz Kafka est visiblement plus prestigieux que ressembler à Paul Newman.

Ce qui m'a le plus frappé — et qui était le plus étrange — c'est que les anciennes classes sociales ne veulent plus rien dire. Tout au long du XXe siècle, le monde bourgeois capitaliste se distingue très nettement de la contre-culture bohème. Les bourgeois représentaient un monde conventionnel et pratique. Ils défendaient la tradition et la moralité des classes moyennes. Ils travaillaient dans de grosses entreprises, vivaient en banlieue et allaient à l'église. Pendant ce temps, les bohèmes étaient des esprits libres se moquant des conventions. Ils étaient artistes et intellectuels — les hippies et les beatniks. Dans l'ancienne structure, les bohèmes défendaient les valeurs radicales des années 60 et les bourgeois étaient les yuppies audacieux des années 80.

Mais je suis revenu dans une Amérique où bohèmes et bourgeois ne faisaient plus qu'un. Impossible dorénavant de distinguer un artiste sirotant un expresso d'un banquier avalant un cappuccino. Et cela n'a rien à voir avec un phénomène de mode. En étudiant les comportements des hommes envers le sexe, la moralité, les loisirs et le travail, il devenait de plus en plus difficile de différencier le renégat anti-establishment de l'employé dévoué pro-establishment. La plupart des gens, du moins parmi ceux qui ont suivi des études supérieures, adoptent manifestement des attitudes à la fois rebelles et arrivistes. Défiant les attentes, voire la logique, ils semblent avoir combiné la contre-culture des années 60 et la réussite des années 80 en un seul génie social.

Ce que j'observe est une conséquence culturelle de l'ère de l'information, ère dans laquelle les idées et le savoir sont au moins aussi indispensables à la prospérité économique que les ressources naturelles et le capital financier. Le monde intangible de l'information fusionne avec le monde matériel de l'argent et de nouvelles expressions combinant ces deux notions — « capital intellectuel » et « industrie de la culture » — sont à la mode. Ainsi, ceux qui réussissent à cette époque sont ceux qui savent transformer des idées et des émotions en produits. Ce sont ceux qui ont suivi des études supérieures et qui ont un pied dans le monde bohème de la créativité et un autre dans le royaume bourgeois de l'ambition et de la réussite matérielle. Les membres de la nouvelle élite de l'ère de l'information sont les bourgeois bohèmes. Ou, si l'on prend les deux premières lettres de chaque mot, les Bobos.

Ce sont ces Bobos qui définissent notre ère. Ce sont eux, le nouvel establishment. C'est leur culture hybride qui compose l'air que nous respirons tous. Leurs codes sociaux gouvernent aujourd'hui notre vie sociale. Leurs codes moraux structurent notre vie personnelle. Quand j'utilise le mot establishment, il semble sinistre et élitiste. Mais j'appartiens à cette catégorie. Nous ne sommes pas si mauvais que ça. Toutes les sociétés ont des élites et notre élite socioculturelle est bien plus éclairée que certaines élites d'antan qui reposaient sur le sang, la richesse ou la bravoure militaire. Où que nous nous installions, nous, élites socioculturelles, rendons la vie bien plus intéressante, plus variée et plus enrichissante.

Ce livre décrit l'idéologie, les mœurs et la moralité de cette élite. Après un chapitre retraçant les origines de l'élite socioculturelle riche, je décris ses habitudes de consommation, sa culture d'entreprise, puis sa vie intellectuelle, sociale et spirituelle. Enfin, pour terminer, j'essaie de comprendre quel chemin prend l'élite Bobo. Quel sera notre prochain centre d'intérêt ? Tout au long de ce livre, je reviens souvent sur le monde et les idées du milieu des années 50. Parce qu'elles furent la dernière décennie de l'ère industrielle et que le contraste entre la culture chic de cette époque et celle d'aujourd'hui est très fort et nous éclaire sur un tas de choses. La plupart des livres qui m'ont réellement aidé à comprendre l'élite socioculturelle actuelle ont été écrits entre 1955 et 1965, lorsque l'explosion des inscriptions à la faculté — indissociables de la plupart de ces tendances — venait juste de commencer. Des livres tels que *L'Homme de l'organisation, Déclin et survie des grandes villes américaines, L'Ère de l'opulence, The Status Seekers*, et *The Protestant Establishment* furent les premiers à exprimer le génie des nouvelles élites socioculturelles et tandis que la fièvre et les paroles creuses des années 60 se consument, les idées de ces intellectuels des années 50 continuent à résonner.

Enfin, un mot sur le ton de ce livre. Il contient peu

de statistiques. Peu de théorie. Max Weber peut dormir sur ses deux oreilles ! Je me suis contenté d'essayer de décrire comment vivent ces gens en utilisant une méthode qui pourrait être qualifiée de « sociologie comique ». L'idée est de décrire l'essence de ces modèles culturels, de définir l'atmosphère de ces époques, sans vouloir à tout prix faire preuve d'exactitude méticuleuse. De temps en temps, je me moque des mœurs sociales des Bobos dont je fais partie — parfois, je me dis que j'ai réussi grâce à l'autodérision — mais tout compte fait, je m'érige en défendeur de la culture Bobo. Quoi qu'il en soit, ce nouvel establishment risque de donner le ton pour un long moment. Autant, donc, essayer de le comprendre.

1

L'ASCENSION DE L'ÉLITE SOCIOCULTURELLE

Je ne suis pas sûr de vouloir être l'un de ces personnages qui figurent dans le carnet mondain du *New York Times* mais j'aimerais bien être le père de l'un d'entre eux. Imaginez la joie qu'a dû ressentir Stanley J. Kogan lorsque sa fille Jamie a été admise à Yale. Imaginez ensuite sa fierté lorsque Jamie a fait partie de Phi Beta Kappa et a été diplômée mention très bien. Stanley lui-même est loin d'être idiot : il est urologue en pédiatrie et donne des cours au Cornell Medical Center et au New York Medical College. Il a donc sûrement dû se réjouir lorsque sa fille a enfilé la toque et la toge.

Et les choses n'ont fait qu'aller de mieux en mieux. Jamie est entrée à la faculté de droit de Stanford les doigts dans le nez. Ensuite, elle a rencontré un homme, Thomas Arena, qui s'avère être exactement le type de gendre dont rêvent les urologues en pédiatrie. Il a préparé une licence à Princeton où il a lui aussi fait partie de Phi Beta Kappa et a été diplômé mention très bien. Et lui aussi a fréquenté la faculté de droit de Yale. Leurs diplômes en poche, ils ont tous les deux travaillé en tant qu'assistants juridiques au prestigieux Southern District de New York.

Ces deux C.V. impressionnants se marièrent à Manhattan et vu le nombre de leurs copains d'école à la cérémonie, la totalité des frais de scolarité devait être stupéfiante. Nous autres nous contenterons de lire le carnet mondain du *New York Times* pour en savoir plus. Chaque semaine, ce carnet mondain obsède des centaines de milliers de lecteurs du *Times*. Élitistes, cachottières et totalement honnêtes — sans jamais se laisser démonter — ces pages de « fusions et d'acquisitions » ont toujours porté un regard on ne peut plus vrai sur une grande partie de la classe dirigeante américaine. Et d'année en année, ces pages reflètent les changements intervenus dans le statut de cette élite.

Lorsque l'Amérique disposait d'une élite avec un pedigree, ces pages insistaient lourdement sur les naissances et les descendances nobles. Mais aujourd'hui, en Amérique, c'est la cordialité et le génie qui vous permettent de faire partie des élus. Et lorsque vous regardez le carnet mondain du *Times*, vous pouvez presque sentir la force qui se dégage de tous ces taux de réussite aux examens d'entrée à l'université. Dartmouth épouse Berkeley. MBA se marie avec Ph. D. Fulbright épouse Rhodes. Lazard Frères s'unit à CBS et mention très bien embrasse mention très bien — vous verrez rarement un très bien se contenter d'un assez bien — ce genre d'union serait bien trop tendue. Le *Times* insiste bien sur ces quatre éléments — diplômes universitaires, diplômes de troisième cycle, plan de carrière et profession des parents — car ce sont les signes distinctifs des Américains chics d'aujourd'hui.

Même si vous avez envie de les détester, il est difficile de ne pas ressentir une once d'assentiment à la vue de ces C.V. en or. Leurs visages sont rayonnants et pleins de confiance ; leurs dents rendent hommage à la magnificence de l'orthodontie américaine et comme le *Times* ne publiera que des photos sur lesquelles les sourcils des jeunes mariés sont au même niveau, les couples ont toujours l'air magnifiquement assortis.

Ces gamins ont passé leurs plus belles années, de seize à vingt-quatre ans, à vouloir plaire à leurs parents. D'autres, à cet âge-là, auraient pu se rebeller, se sentir aliénés ou tout simplement vouloir explorer leur nature la plus vile. Mais ceux qui font partie de ce carnet mondain ont su contrôler leurs pulsions hormonales et ont passé leur adolescence à impressionner leurs professeurs, à préparer la prochaine conférence, à passer leur temps libre à travailler et à faire tout ce que nous, en tant que société, souhaiterions que les adolescents fassent. Le responsable des admissions universitaires qui sommeille au plus profond de nous tous veut récompenser ces aimants à mentor en leur offrant des avenirs prometteurs ; et c'est ce qu'ont fait les véritables responsables en les acceptant dans des deuxièmes et troisièmes cycles prestigieux et en les balançant à toute vitesse dans le monde adulte.

La majorité écrasante de ces enfants est née dans des familles de la moyenne bourgeoisie. Dans 84 % de ces mariages, un des parents des futurs époux est cadre, professeur, avocat, ou exerce une profession libérale. Vous avez entendu parler des vieilles fortunes, maintenant, on parle de vieux cerveaux. Et ils ont tendance à se marier tard. L'âge moyen pour les femmes est de vingt-neuf ans ; pour les hommes, de trente-deux ans. Et deux grands sous-groupes se distinguent nettement : les nourriciers et les prédateurs. Les prédateurs sont des avocats, des opérateurs en bourse, des commerciaux — ceux qui parlent argent ou passent leur vie professionnelle à négocier, à rivaliser, à être sans concession et à rouler les autres. Les nourriciers sont en général des spécialistes de la culture. Ils deviennent universitaires, attachés de fondations, journalistes, militants, et artistes — des créatifs qui passent leur temps à collaborer ou à aider les autres. Près d'un mariage sur deux se fait entre deux prédateurs : un MBA de Duke qui travaille à la Nations Bank épouse une diplômée de la Michigan Law School qui travaille chez Winston & Strawn. Environ un mariage sur cinq du carnet mondain est un mariage entre nourriciers. Les autres mariages du carnet mondain sont des mariages mixtes dans lesquels un prédateur épouse un nourricier. Dans cette catégorie, le prédateur est en général le futur marié. Un consultant financier avec un MBA de Chicago peut très bien épouser une enseignante en cours élémentaire dans une école progressiste qui a obtenu une maîtrise en sciences sociales à Columbia.

Les membres de cette méritocratie consacrent un temps fou à leur carrière et tirent une grande satisfaction de leur réussite mais le *Times* vous informe qu'en fait, ils ne sont pas rongés par l'ambition. Chaque semaine, ce journal décrit en détail un mariage particulier et ce qui ressort de ces reportages, c'est que tous ces fantastiques exploits ne sont qu'un coup de chance extraordinaire. Ces personnes ne sont en fait que des esprits libres et courageux qui veulent uniquement s'amuser. Une rubrique hebdomadaire détaille avec amour chaque élément excentrique de la cérémonie de mariage : la future mariée emmène ses demoiselles d'honneur se saouler dans des bains publics russes, un couple engage un ancien membre du groupe Devo pour jouer l'indicatif de *Jeopardy* pendant la réception, un autre lit des poèmes à la cérémonie dans un ancien hôtel particulier. Inévitablement, l'article du *Times* est parsemé de commentaires d'amis qui décrivent les futurs mariés comme étant de charmants paradoxes. Ils disent d'eux qu'ils sont raisonnables et fous furieux, audacieux et traditionnels, extravagants et terre à terre, débraillés et élégants, sensés et spontanés.

Dans ces articles, les couples se confient peu sur leur propre histoire. Beaucoup se sont visiblement rencontrés alors qu'ils récupéraient après un marathon ou qu'ils cherchaient les restes de l'homme du pléistocène lors de fouilles archéologiques en Érythrée. En général, ils vivent une longue et tendre romance, avec des vacances qu'ils passent ensemble dans des endroits obscurs, mais culturels, tels que le Myanmar ou Minsk. Mais de nombreux couples se séparent quand l'un des partenaires panique à l'idée de perdre son indépendance. S'ensuit donc une période de solitude pendant laquelle l'un des deux a réussi la plus grosse fusion de l'histoire de Wall Street et le second s'est lancé dans la neurochirurgie après avoir abandonné ses études de sommelier. Mais ils finissent par se réconcilier — parfois lors de vacances à la plage dans une grande maison avec un tas de gens ayant les mêmes pommettes qu'eux. Et enfin, ils décident de partager un appartement. Nous ne connaissons rien de leur vie sexuelle car le *Times* n'a pas encore de rubrique « fornication » — « John Grind, avocat chez Skadden Arps, titulaire d'un doctorat de Northwestern, a commencé à copuler avec Sarah Smith, cardiologue à Sloan-Kettering, titulaire d'une licence de Emory ». Mais nous supposons que leurs relations intimes sont, comme il se doit, paradoxales : hard et soft, aventureuses et intimes. Parfois, nous lisons que ces couples modernes se demandent en mariage l'un l'autre simultanément mais, la plupart du temps, c'est le futur marié qui le fait à l'ancienne : souvent, semble-t-il, en faisant de la montgolfière au-dessus de la Napa Valley ou en laissant à la femme le soin de trouver une bague de fiançailles — un diamant — dans son masque de plongée alors qu'ils explorent des récifs de corail en voie de disparition vers les Seychelles.

La plupart de ces mariages sont des mariages trans-universités. La cérémonie doit donc être conçue de telle sorte qu'elle respectera la sensibilité de chacun. Innover discrètement, voilà la règle. Si vous faites partie d'une élite reposant sur la descendance, vous n'avez pas besoin de concevoir méticuleusement une cérémonie de mariage qui exprimera votre nature individuelle. Votre position sociale élevée est liée à celle de vos ancêtres, vous pouvez donc vous contenter de répéter la même cérémonie génération après génération. Mais si vous faites partie d'une élite reposant sur l'intelligence, comme l'élite d'aujourd'hui, vous devez apporter les preuves subtiles de votre propre identité, tant spirituelle qu'intellectuelle — condition préalable à votre intégration dans cette élite. Il vous faudra des invitations sur du papier fait main mais avec des caractères d'imprimerie traditionnels. Pour ce qui est de la musique, vous devrez mélanger les chansons de Patsy Cline au *Mendelssohn*. Il vous faudra une toge des années 50 mais si vous êtes aussi rétro, attendez-vous à des questions. Votre gâteau de mariage devra ressembler à une église baroque. Vous devrez vous offrir les uns aux autres des objets éloquents, comme une planche de snowboard sur laquelle sera gravée votre citation préférée de Schiller ou le petit canard en plastique de votre enfance qui ne vous a pas quitté pendant vos tout premiers jours de stage à la Cour Suprême. Difficile de vous donner des tuyaux sur le jour de vos noces qui devra être original sans être trop osé. Mais l'existence de l'élite socioculturelle n'est qu'autoréalisation. Pour les membres de cette catégorie sociale, la vie n'est qu'un long troisième cycle universitaire. Quand ils meurent, Dieu les attend aux portes du paradis, fait le total du nombre de domaines dans lesquels ils se sont exprimés librement, leur tend un diplôme divin et les laisse entrer.

Les années 50

Le carnet mondain du *Times* n'a pas toujours palpité au gré des exploits de ces C.V. en or. À la fin des années 50, il a diffusé une image plus calme et plus majestueuse de cette élite. Les articles de cette époque ne mettaient en avant ni des métiers ni des diplômes prestigieux. On ne parlait que de temps en temps de la profession du futur époux, mais pratiquement jamais de celle de la future mariée — et les rares fois où il en était question, c'était au passé, comme si son mariage allait, de toute évidence, mettre un terme à sa carrière. En revanche, le *Times* faisait état de l'ascendance et des relations. Les ascendants n'étaient jamais oubliés. Les garçons d'honneur et les demoiselles d'honneur non plus. L'article évoquait immanquablement les écoles privées chic, tout comme les universités prestigieuses. Le *Times* mettait aussi un point d'honneur à citer les clubs fréquentés par le fiancé, racontait également comment la future mariée avait fait son entrée dans le monde, quelles étaient ses origines et de quels clubs elle faisait partie. En clair, cette page du *Times* était une constellation d'institutions très select. Une grande partie de l'article était dédiée à la description de la toge et des compositions florales.

Les informations du carnet mondain de cette époque ne risquent pas de figurer dans celui d'aujourd'hui. « Elle descend de Richard Warren, qui arriva à Brookhaven en 1664. Son époux, descendant du docteur Benjamin Treadwell qui s'installa à Old Westbury en 1767, est un ancien élève de Gunnery School et de Colgate University où il a obtenu sa licence. » Ou : « Madame Williams est une ancienne élève de Ashley Hall et de Smith College. Membre provisoire de la Junior League de New York, elle entra dans le monde en 1952 au Debutante Cotillon et au Christmas Ball. » Même les légendes utilisées paraîtraient aberrantes aujourd'hui : « Madame Peter J. Belton, jadis Nancy Stevens ». (Aujourd'hui, le *Times* n'utiliserait le passé dans ses légendes que pour évoquer les personnes qui se seraient faites opérer pour changer de sexe.) L'article, plus discret, ne révélait pas les âges des fiancés mais ils étaient nettement plus jeunes : la majorité des futurs mariés allait encore à l'université. Un grand nombre d'entre eux avait fréquenté West Point ou Annapolis car, à cette époque, les écoles militaires étaient encore empêtrées dans l'establishment de l'East Coast et les jeunes hommes de cette élite faisaient encore leur service militaire. À la fin des années 50, le carnet mondain occupait une place prépondérante dans le journal. Un dimanche de juin, il pouvait s'étendre sur 28 pages et couvrir 158 mariages. Les cérémonies avaient plus de chances qu'aujourd'hui de se dérouler dans des banlieues ultra-traditionalistes, ou dans des villes plus snobs autour de Chicago, Atlanta, San Francisco. Naturellement, l'article était lui aussi très WASP. Près de la moitié des couples dont on parlait à la fin des années 50 se mariait dans une église épiscopale. Aujourd'hui, moins d'un mariage sur cinq du carnet mondain du *Times* est épiscopal alors que 40 % d'entre eux sont juifs et que les noms asiatiques pullulent. Il est difficile d'évaluer avec précision l'ascension des différents groupes religieux car dans les années 50, les mariages juifs faisaient l'objet d'une chronique à part, tous les lundis, mais une chose est claire : ces quarante dernières années ont vu le déclin des mariages épiscopaux et l'éclosion des mariages juifs.

Quand on regarde les visages et les descriptions des carnets mondains des années 50, on a l'impression de regarder un autre monde. Et pourtant, ce n'est pas si vieux que ça. La plupart des personnes figurant sur ces pages jaunies par le temps sont toujours vivantes et la majorité des futures épouses est encore relativement jeune et n'a pas encore été plaquée pour une femme trophée. Les articles de la fin des années 50 évoquent tout un milieu alors superpuissant mais aujourd'hui suranné : réseau de clubs réservés aux hommes, clubs privés, cabinets d'avocats ultra-conservateurs, sociétés de Wall Street aux boiseries de chêne et patriarches WASP.

L'héritage de la culture européenne était très fort. « Que John apprenne le grec » a dit d'une voix grinçante le père de McCloy sur son lit de mort. Les jeunes filles étaient encore sensibles aux rituels des Coming Out aristocratiques, que l'on évaluait à l'aide d'outils aujourd'hui oubliés. La période de Noël était la plus propice pour entrer dans le monde alors que Thanksgiving était la plus courte mais aussi la plus chic d'un point de vue social. Les confessions protestantes étaient en pleine expansion à cette époque.

Les trois quarts des élites d'affaires, politiques et militaires étaient protestantes, selon les études réalisées. On pouvait donc parler d'une classe dirigeante aristocratique dans les années 50 et au début des années 60, élite nationale purement masculine ayant fréquenté les prestigieuses écoles privées du nord-est, et qui, ensuite, s'est retrouvée catapultée dans les entreprises ultra-conservatrices de Wall Street avant de hanter les salles de conférence des cinq cents plus grosses sociétés et les couloirs de la Maison-Blanche à Washington. Les WASP ne dirigeaient pas totalement le pays, mais ils possédaient cette magie hypnotique du prestige. Comme l'a écrit Richard Rovere dans son célèbre essai de 1962, intitulé *The American Establishment,* « Il a un pouvoir quasiment incontesté, celui de décider ce qui est une opinion respectable ou non dans ce pays ». Si vous regardez les photos des magazines *Times* et *Newsweek* de cette époque, vous voyez des hommes blancs de soixante ans se succéder page après page. Entre autres choses, cette élite avait le pouvoir de rendre quasiment fous de ressentiment ces arrivistes ambitieux qui manquaient de savoir-vivre — Lyndon Johnson et Richard Nixon, par exemple.

En attendant, toutes les villes riches d'Amérique étaient pourvues de leur propre establishment qui singeait les mœurs et les attitudes de l'establishment national. Les citadins se retrouvaient dans des clubs locaux, échangeaient des blagues racistes et dînaient de côtelettes d'agneau recouvertes de sauces toutes prêtes — crème de champignon, crème d'asperge, crème de poireau — personne ne se souciait alors de son cholestérol car ce n'était pas encore passé de mode que de tomber malade et de mourir. Le sens esthétique des WASP était en général lamentable — Mencken disait que les élites protestantes étaient sexuellement attirées par les plus laids — et leurs conversations, au dire de tous, ne brillaient ni par leur esprit ni par leur intelligence. Ils torturaient leurs jeunes filles en leur permettant de prendre des cours d'équitation mais en les forçant ensuite à participer à des compétitions de dressage où elles maîtrisaient toutes les vertus caractéristiques de l'élite WASP et tellement peu représentatives de l'élite socioculturelle d'aujourd'hui : bonne position, mœurs distinguées, hygiène personnelle parfaite, discipline futile, aptitude à pouvoir rester assis sans bouger très longtemps.

Ce fut la dernière grande ère de beuveries socialement acceptables, ère dans laquelle ni la chasse au renard ni le polo ne semblaient encore vieillots. Mais les deux caractéristiques de ce monde qui nous frappent fortement aujourd'hui sont son élitisme très sûr de lui et sa ségrégation. Bien que cette élite était loin d'être aussi restrictive que les élites antérieures, l'establishment des années 50 reposait toujours sur un antisémitisme, un racisme, un sexisme et une centaine d'autres barrières silencieuses qui bloquaient l'entrée à ceux qui n'avaient pas le pedigree adéquat. Les gamins riches, juifs et protestants, qui jouaient ensemble depuis qu'ils étaient enfants, ont été obligés de subir un grand compartimentage à dix-sept ans, lorsque la société juive et la société « gentille » (païenne) se sont divisées en deux orbites complètement différentes, avec des bals de débutantes, des écoles de danse distinctes. Un cadre d'affaires protestant peut très bien passer la journée à collaborer étroitement avec son collègue juif au bureau, mais jamais il ne rêverait de lui proposer de faire partie du club dont il est membre. Lorsque le sénateur Barry Goldwater a voulu jouer au golf dans le très fermé Chevy Chase Club, il s'est entendu dire que ce club n'était pas ouvert à tous. « Je ne suis qu'à moitié juif, alors je peux bien faire neuf trous ? » aurait-il répondu.

L'élite WASP était aussi génialement anti-intellectuelle. Ses membres parlaient souvent des « intellos » ou des « intellectuels » avec un dédain empreint de politesse. Contrairement à la classe dirigeante d'aujourd'hui, leur attitude envers leur richesse était relativement simple. Ils savaient que c'était vulgaire d'être tape-à-l'œil, ils étaient plutôt économes mais manifestement, ne considéraient pas leur argent comme un affront aux principes d'égalité américains. Au contraire, la plupart des membres de cette élite considéraient que leur position sociale était toute naturelle, insinuant par là que le statut qu'ils avaient acquis appartenait tout simplement à l'ordre naturel et salutaire de l'univers. Il y aurait toujours une aristocratie et pour ceux qui sont nés aristocrates, la tâche à accomplir était d'accepter les devoirs allant de pair avec ces privilèges. Au mieux, ils vivaient selon le code aristocratique. Ils croyaient en des valeurs telles que le devoir, le service et l'honneur et ce n'était pas peu dire. Les meilleurs d'entre eux souscrivent encore au code de l'aristocratie naturelle que l'un de leurs héros, Edmund Burke, avait inclus dans *Appel des whigs modernes aux whigs anciens* [1]. La phrase de Burke mérite d'être citée dans son intégralité car elle reprend un ensemble d'idéaux qui mettent en valeur tous ceux de notre époque :

« Être élevé dans une famille estimée, ne voir, dès le berceau, rien de bas ni de sordide, avoir appris à se respecter; être accoutumé à vivre sous le regard sévère du public, faire de bonne heure attention à l'opinion, se tenir assez haut pour embrasser du regard ces combinaisons d'hommes et d'affaires qui, dans une grande société, sont si vastes, si nombreuses et si variées; avoir le loisir de lire, réfléchir et converser, être capable de s'attirer la faveur et l'attention des sages et des érudits partout où l'on peut les trouver, avoir l'habitude, dans les armées, du commandement et de l'obéissance, avoir appris à mépriser les dangers dans la carrière de l'honneur et du devoir, être formé au plus haut degré de vigi-

1. Éditions des Presses Universitaires de Rennes — Norbert Col, 1996.

lance, de prévoyance et de circonspection dans un état des choses où nulle faute ne reste impunie, et où la moindre erreur entraîne les plus graves conséquences ; savoir que vos concitoyens voient en vous celui qui les guide dans leurs affaires les plus importantes, et que vous servez de conciliateur entre Dieu et les hommes, donc qu'il vous faut observer une conduite prudente et réglée, être employé à administrer le droit et la justice, et se trouver ainsi au rang des premiers bienfaiteurs de l'humanité, professer les sciences les plus ardues et les arts nobles et libéraux ; vivre parmi de riches négociants dont le succès permet de présumer que leur intelligence est vigoureuse et pénétrante et qu'ils possèdent les vertus de diligence, d'ordre, de constance et de régularité, et enfin qu'ils ont toujours eu le souci de la justice commutative : voilà la situation de ceux qui forment ce que j'appellerai une aristocratie naturelle, sans laquelle il n'y a pas de nation. »

Certaines parties de ce code n'ont quasiment rien à voir avec notre propre code — l'accent mis sur les vertus militaires, l'idée d'après laquelle on est le guide de nos concitoyens, ou que l'on devrait agir comme conciliateur entre Dieu et l'homme. Et vu que pour pleurer le déclin des WASP, personne n'a aussi joliment écrit que Guiseppe Tomasi di Lampedusa pleurant le déclin de l'ancienne aristocratie sicilienne dans *Le Guépard*, ou aussi élégamment que Evelyn Waugh pleurant l'aristocratie britannique dans *Retour à Brideshead*, on peut toujours évoquer avec admiration l'élite protestante malgré le racisme, l'antisémitisme et la rigidité qui lui furent fatals.

Vu sous son meilleur jour, l'establishment WASP avait une éthique de service public qui reste inégalée. Ses membres ont beau avoir eu du mal avec l'ambition, ils avaient tout à fait conscience des obligations. Ils se souciaient des bonnes manières et du self-control, et en y repensant, ils semblent bien plus mûrs que nous, leurs successeurs, peut-être parce qu'ils faisaient davantage de sacrifices. De jeunes gens comme George Bush n'ont pas hésité à s'engager comme volontaires lors de la Seconde Guerre mondiale et un nombre impressionnant de jeunes hommes issus de familles WASP privilégiées sont morts pendant les guerres mondiales. Ils formaient une bande réservée, sans la rébellion et l'agitation caractéristiques des générations suivantes. Ils avaient un petit faible pour le narcissisme. « Tu parles beaucoup trop de toi, George ! » lança la mère de Bush à son fils en pleine campagne présidentielle en 1988. Ce qu'il ne faut pas oublier, naturellement, c'est qu'ils ont dirigé l'Amérique au cours de l'American Century, et qu'ils ont construit la plupart des institutions que les élites socioculturelles sont aujourd'hui ravies d'occuper.

Les années clés

Ces futures mariées épiscopales dont les ancêtres étaient d'anciens colons, aux souvenirs de cotillons et aux époux aristocrates, avaient beau avoir la vedette dans les carnets mondains de 1959, leur monde avait déjà été sérieusement ébranlé. Des décisions stupéfiantes avaient été prises, comme c'est le cas pour bon nombre de décisions capitales, par le comité des inscriptions en troisième cycle universitaire. Sans faire de manières ni consulter l'opinion publique, les responsables des inscriptions ont démoli l'establishment WASP. L'histoire de Harvard, racontée par Richard Herrmstein et Charles Murray dans le premier chapitre relativement controversé de *The Bell Curve*, personnifie cette légende. En 1952, la plupart des nouveaux élèves de Harvard provenaient des mêmes bastions WASP qui apparaissaient dans le carnet mondain du *Times*. Les deux tiers des candidats ont été admis. Ceux dont les pères avaient fréquenté Harvard ont eu un taux de réussite de 90 %.

La note moyenne de réussite à l'examen oral d'entrée à l'université chez les bizuths était de 583, bonne mais pas stratosphérique. La note moyenne à l'Ivy League avoisinait les 500 à la même époque.

Puis un changement s'amorça. En 1960, le taux moyen de réussite à l'examen oral d'entrée à l'université chez les bizuths à Harvard était de 678, et de 695 en maths. Voilà des taux stratosphériques. Le bizuth moyen de Harvard en 1952 se serait retrouvé dans les dix derniers pour cent d'une classe de bizuths de Harvard en 1960. De plus, la classe de 1960 provenait d'un pool socio-économique bien plus large. Des gamins intelligents de Queens, de l'Iowa ou de Californie, qui n'auraient jamais pensé s'inscrire à Harvard dix ans plus tôt, ont posé leur candidature et ont été admis. D'une école alimentant principalement l'élite sociale du nord-est, Harvard s'était transformée en une école super-puissante attirant les gamins les plus intelligents de tout le pays. Et cette transformation s'est répercutée dans quasiment toutes les écoles réservées à l'élite. À Princeton, par exemple, en 1962, seulement dix des soixante-deux membres de l'équipe de football avaient fréquenté des écoles privées. Trois décennies plus tôt, chaque membre de l'équipe de Princeton avait fréquenté une école privée.

Pourquoi ce changement ? Nicholas Lemann nous fournit quelques explications dans son livre *The Big Test*. C'est une histoire remarquable car, à bien des égards, l'élite WASP s'est détruite elle-même et ce, pour la plus noble des raisons. James Bryant Conant était président de Harvard après la Seconde Guerre mondiale et occupait donc une place d'honneur dans l'establishment protestant. Malgré tout, il était inquiet à l'idée que l'Amérique puisse développer une aristocratie héréditaire composée exactement du type de jeunes hommes bien élevés qu'il formait à Cambridge. Conant rêvait de remplacer cette élite par une nouvelle élite qui reposerait sur le mérite. Il n'imaginait pas qu'une populace à la culture vulgaire puisse prendre des décisions d'ordre démocratique. Il espérait plutôt choisir un petit groupe de gardiens platoniciens qu'il pourrait former dans des universités élitistes et qui se consacreraient ensuite par altruisme au service public.

Pour l'aider à trouver ces nouveaux gardiens, Conant enrôla Henry Chauncey, membre de l'église épiscopale, diplômé de Groton et de Harvard et descendant d'une lignée puritaine. Chauncey n'avait pas les grands rêves de société idéale de Conant mais il avait une passion plus distillée — pour des tests standardisés et la promesse glorieuse de la science sociale. Chauncey était fou de tests, comme d'autres techno-enthousiastes ont craqué pour l'expédition de marchandises par chemin de fer, pour l'énergie atomique ou l'Internet. Pour lui, les tests étaient un outil magnifique permettant aux experts d'évaluer les aptitudes de chacun et de diriger la société sur une base plus rationnelle et plus juste. Chauncey devint alors président de l'Educational Testing Service qui institua le Scholar Aptitude Test (SAT). Et il put véritablement mettre son enthousiasme en pratique, ce qui est plutôt rare dans la manipulation des structures sociales.

Conant et Chauncey avancèrent dans une époque exceptionnellement réceptive au message qu'ils véhiculaient. Les intellectuels américains n'ont probablement jamais été si sûrs d'eux. Les sociologues, les psychologues et les macro-économistes pensaient tous qu'ils avaient découvert les outils permettant de résoudre des problèmes personnels et sociaux. Les œuvres de Freud, qui promettaient d'expliquer le fonctionnement interne de l'esprit humain, avaient une influence on ne peut plus grande. La controverse McCarthy a mobilisé bon nombre d'intellectuels. Avec le lancement du Spoutnik, une rigueur pédagogique semblait devenir indispensable à l'intérêt national. John F. Kennedy finit par convier des intellectuels à la Maison-Blanche, élevant les intellectuels à la stratosphère sociale — du moins, c'est ce que certains d'entre eux pensaient. Comme nous le verrons dans le chapitre 4, les intellectuels commencèrent à se prendre — encore — plus au sérieux ces années-là, souvent à juste titre.

Conant et Chauncey ne furent pas les seuls universitaires qui osèrent affirmer les valeurs intellectuelles et aller contre celles de l'establishment WASP. En 1964, Digby Baltzell, de l'Université de Pennsylvanie, a écrit *The Protestant Establishment*, livre introduisant le terme WASP et détaillant les défauts intellectuels et moraux de l'establishment. Malgré la grande sympathie qu'il éprouvait pour les idéaux WASP, il affirmait que l'élite WASP était devenue une caste prétentieuse, peu disposée à faire entrer assez de nouveaux talents pour renouveler l'élite. Ces universitaires souhaitaient que les universités soient des serres chaudes pour intellectuels et méritocrates et non des institutions pour jeunes filles de bonne famille de l'élite sociale. Des membres du corps enseignant demandèrent à ce que les responsables des inscriptions vérifient plus sévèrement d'où venaient les demandes d'inscription.

Les WASP écartèrent les défis lancés contre leur hégémonie culturelle, soit en les ignorant, soit en contre-attaquant. La première moitié du siècle vit apparaître ce que Michael Knox Beran appelle « le risorgimento des riches ». Des familles comme les Roosevelt adoptèrent un génie dur et viril afin de rendre à l'élite de l'East Coast vigueur et assurance et, par là même, de lui permettre de conserver le pouvoir. Dans les années 20, sentant le « caractère » de leurs institutions menacé, les dirigeants de l'Ivy League resserrèrent leurs quotas juifs officiels et non-officiels. À Columbia, Nicholas Murray Butler a réduit la proportion des juifs dans son école de 40 % à 20 % en deux ans. Le président de Harvard, A. Lawrence Lowell, a diagnostiqué un « problème juif » et a lui aussi mis en place des quotas pour pouvoir le résoudre. Angier Biddle Duke, chef du protocole de John F. Kennedy, fut obligé de quitter son club préféré, le Metropolitan Club à Washington, car il était trop fermé.

Comme Pareto l'a observé, l'Histoire est le cimetière des aristocraties et à la fin des années 50, début des années 60, l'establishment WASP ne croit plus au code ni aux restrictions sociales qui lui avaient permis d'exister. Peut-être ses membres ont-ils tout simplement perdu la volonté de se battre pour leurs privilèges. Selon l'écrivain David Frum, un demi-siècle s'est écoulé depuis la belle époque où l'on pouvait faire fortune. Les grandes familles se trouvaient au moins dans leur troisième génération bourgeoise. Peut-être à ce moment-là ne restait-il plus beaucoup de vitalité. Ou peut-être fut-ce l'Holocauste qui transforma le paysage en jetant le discrédit sur le type de restrictions raciales sur lesquelles reposait l'establishment protestant.

Quoi qu'il en soit, en 1964, Digby Baltzell perçut avec finesse les tendances incontournables. « Ce qui semble se produire, écrivit-il dans *The Protestant Establishment*, c'est qu'une hiérarchie intellectuelle de communautés universitaires dirigée par les valeurs des comités d'admissions est en train de supplanter progressivement les hiérarchies des classes des communautés locales reposant encore sur les valeurs parentales... Tout comme la hiérarchie de l'Église permettait à la jeunesse talentueuse et ambitieuse d'avancer dans les ordres au cours de la période médiévale. Tout comme le commerce était responsable au XIXe siècle d'avoir nourri ce rêve qui consistait à passer de la misère à la richesse, la communauté universitaire est aujourd'hui devenue le gardien principal de nos idéaux traditionnels d'opportunisme. »

Les portes des campus furent donc grandes ouvertes aux cerveaux et non plus à la lignée et en quelques petites années, le paysage universitaire se métamorphosa. Harvard, comme nous l'avons vu, se transforma d'une école jadis réservée aux pistonnés en un établissement pour battants surdoués. Les autres grandes écoles supprimèrent leurs quotas juifs et finirent par accepter de plus en plus de femmes. De plus, le nombre d'Américains cultivés explosa. Le pourcentage d'Américains poursuivant des études supérieures a augmenté régulièrement au cours du XXe siècle, mais entre 1965 et 1974, cette progression fut sans précédent. La plupart de ces nouveaux étudiants étaient des femmes. Entre 1950 et 1960, le nombre d'étudiantes augmenta de 47 %, puis de 168 % supplémentaires entre 1960 et 1970. Au cours des décennies suivantes, la population étudiante était en augmentation constante. En 1960, il y avait près de 2000 établissements supérieurs et 3200 en 1980. En 1970, il y avait 235 000 professeurs aux États-Unis, et 685 000 en 1980.

En d'autres termes, avant cette période, les élites WASP dominaient l'éducation de prestige et constituaient une grande partie de la population étudiante. À la fin de cette période, les WASP de bonne famille ne dominaient plus ces écoles prestigieuses et ne représentaient qu'une partie infinitésimale de l'élite socioculturelle. Les écoles élitistes avaient finalement conservé leur statut. Le pourcentage de diplômés de l'Ivy League dans le Who's Who n'a quasiment pas bougé au cours de ces quarante dernières années. Mais les écoles ont conservé leur prédominance en rejetant les élèves médiocres issus des bonnes vieilles familles WASP et en acceptant moins de méritocrates pistonnés.

L'expansion rapide de l'élite socioculturelle était censée avoir un impact aussi profond en Amérique que celui qu'avait eu une urbanisation rapide sur d'autres pays à d'autres moments de l'Histoire. Au milieu des années 60, les WASP d'un certain âge continuaient à exercer une certaine autorité dans le monde des affaires. Ils possédaient encore un immense prestige tant politique que social, sans parler de leur capital financier. Mais ils avaient envahi les campus. Ils vivaient selon un génie qui est obsolète, étouffant et plein de préjugés.

L'ascension des méritocrates a engendré une révolution classique des nouvelles attentes. Le principe de révolution de Tocqueville s'est vérifié : plus la réussite sociale semble à la portée d'un nouveau groupe, moins les obstacles restants sont tolérables. La révolution sociale de la fin des années 60 n'était ni un miracle ni une catastrophe naturelle, comme la qualifient parfois les écrivains à droite à gauche. C'était la réponse logique aux tendances des années clés de 1955 à 1965. Les éléments constitutifs du statut de l'élite devaient changer. La culture de l'Amérique chic devait vivre une révolution.

Les années 60

« Comment va notre jeune diplômé ? » demande l'un des adultes arrogants à Ben interprété par Dustin Hoffman, lorsqu'il descend l'escalier dans la première scène du *Lauréat*. Le film de Mike Nichols, plus gros succès de 1968, raconte l'histoire d'un jeune diplômé replié sur lui-même qui vient de revenir dans une riche banlieue blanche de Californie après avoir terminé ses études, couvert de lauriers, dans une école de la côte Est. Il réalise, à sa grande consternation, l'immense abîme culturel qui existe entre ses parents et lui. Comme Baltzell l'avait prévu, les valeurs universitaires ont remplacé les valeurs parentales. Dans cette première scène fort célèbre, Ben est, tel un héros victorieux, chouchouté et ballotté à droite à gauche par un groupe d'adultes WASP fort en gueule qui l'accueille à bras ouverts. Le visage de Dustin Hoffman est une oasis de calme au milieu d'une bonhomie rigolote à la Dale Carnegie. La bonne humeur du cocktail est au rendez-vous. Sa mère commence à lire ses exploits dans l'annuaire de l'université. Et l'un des nababs prétentieux l'entraîne vers la piscine, et d'un air suffisant, lui dit que l'avenir, c'est le plastique — scène illustrant cruellement la décadence culturelle de l'ancien ordre. Les réalisateurs millionnaires ont tendance à être impitoyables quand il s'agit de décrire les hommes d'affaires et avocats millionnaires et *Le Lauréat* est sans pitié avec la vie de l'élite protestante : bars d'appartement luxueux, tenues de golf avec monogramme, montres en or, mobilier blanc sur murs blancs, futilité et hypocrisie, et, incarnée par Mrs Robinson, leur vie de désespoir qu'ils noient dans l'alcool. Ben ne sait pas ce qu'il attend de la vie mais il est certain que ce n'est pas ça.

Dans l'œuvre originale de Charles Webb, le personnage de Ben Braddock est blond aux yeux bleus et mesure un mètre quatre-vingts. Mike Nichols avait d'abord imaginé Robert Redford dans ce rôle. Un tel casting aurait pu bien mieux expliquer pourquoi Mrs Robinson est sexuellement attirée par Ben. Mais Dustin Hoffman est une âme sensible. Il représentait donc parfaitement tous ces nouveaux battants ethniques, qui affluent brusquement dans les universités, affrontant la vie dans les banlieues riches, la trouvant ingrate et étouffante.

Les revendications des rebelles de l'élite socioculturelle dans les années 60 étaient multiples, certaines étant importantes — campagne pour les droits civils et Vietnam —, d'autres futiles, ou osées — révolution sexuelle (le comportement sexuel actuel a davantage été influencé par les guerres mondiales que par l'époque Woodstock). Mais dans son essence, le radicalisme culturel des années 60 défiait la notion conventionnelle de réussite. Ce n'était pas uniquement un effort politique visant à déloger l'establishment des sièges du pouvoir. C'était un effort culturel des nouveaux membres des classes privilégiées visant à détruire tout prestige relatif au style de vie des WASP et à leur code moral pour remplacer l'ancien ordre par un nouveau code social qui glorifierait des idéaux tant intellectuels que spirituels. Les radicaux des années 60 ont rejeté la définition de réussite de l'époque, le désir de ne pas se trouver en reste avec les voisins, la notion dominante de respectabilité sociale, l'idée selon laquelle une vie réussie pourrait se mesurer en salaires, mœurs et possessions. Les baby-boomers cultivés des années 60 voulaient prendre ce que l'élite protestante considérait comme une position sociale élevée pour en faire quelque chose de médiocre. Les bouleversements démographiques des années 50 conduisirent aux conflits culturels des années 60. Ou, comme l'avait prédit le toujours aussi impressionnant Digby Baltzell dans *The Protestant Establishment,* « Les réformes économiques d'une génération tendent à produire des conflits dans les positions sociales des générations suivantes ».

Mais que détestent exactement les leaders étudiants des années 60 dans les carnets mondains du *New York Times* de 1959 ? Nous verrons dans les chapitres suivants les changements culturels particuliers amorcés par l'élite socioculturelle. Mais autant en parler brièvement dès maintenant car les habitudes de pensée, établies lorsque l'élite socioculturelle était dans sa phase radicale, continuent d'influencer sa façon de penser d'aujourd'hui. Les radicaux étudiants auraient détesté les couples figurant dans ces carnets mondains pour ce qui était perçu comme étant leur conformisme, leur formalisme, leur traditionalisme, leur identité sexuelle clairement définie, le culte de leurs ancêtres, leurs privilèges, leur élitisme à tout va, leurs vies irréfléchies, leur fatuité, leur réticence, leur richesse satisfaite, leur froideur.

Les radicaux des années 60 ont préféré la liberté d'expression des bohèmes et ont méprisé l'ancienne élite pour son sang-froid et son insensibilité. Mais l'effort qu'ils ont dû faire pour démolir les anciennes coutumes et habitudes de cette élite n'a pas été gratuit d'un point de vue social. Les anciennes autorités ont perdu leur légitimité. Il y eut une véritable rupture de l'ordre social, qui, pour des millions de personnes, fut catastrophique, et que l'on peut évaluer en assistant à une augmentation impressionnante des divorces, de la criminalité, de l'usage de drogues, et autres actes illégaux.

Le carnet mondain du *New York Times* de la fin des années 60 et du début des années 70 reflète les luttes et les contrastes de cette ère conflictuelle. Déjà, la partie du magazine consacrée à ce carnet mondain était moins importante. Alors qu'il devait y avoir 158 mariages répertoriés dans ces pages en juin 1959, ils avoisinaient les 35 en juin 1969. Les couples branchés ne voulaient pas voir paraître leurs noces sur une page qui n'était qu'un bastion de rites et d'élitisme. Parmi les couples qui ont quand même envoyé leurs faire-part, on observe une dichotomie frappante. Certains ne semblaient absolument pas se rendre compte du grand chambardement qui s'opérait autour d'eux. Leurs articles étaient encore bourrés de membres de grandes écoles, émaillés des noms de leurs ancêtres et d'histoires de bals de débutantes. Ces mariages sont, semble-t-il, identiques à ceux des années 50. Mais quelques colonnes plus bas, on parle d'un mariage auquel tout le monde a assisté pieds nus et dont la cérémonie a eu lieu sous la forme d'un rituel printanier païen. Dans un autre article, on apprend qu'un couple s'est dispensé du jargon traditionnel, a écrit ses propres serments et engagé un groupe de rock pour la réception. Cette nouvelle pratique consistant à écrire soi-même son serment de mariage marque un véritable tournant. Ceux qui utilisaient les serments traditionnels perpétuaient ce qu'avaient fait les générations précédentes et prenaient leur place dans une longue chaîne de coutumes. Ceux qui écrivaient leurs serments exprimaient leur individualité et leur désir de modeler les institutions selon leurs besoins individuels. Ils préféraient se voir en créateurs et non en héritiers. Ils adoptaient la toute première directive de l'élite socioculturelle : construire sa propre identité.

Le mariage le plus célèbre de l'époque fut bien sûr la dernière scène du *Lauréat*. Elaine, interprétée par Katherine Ross, se marie selon la méthode conventionnelle, pour ne pas dire à la va-vite, dans une église moderne presbytérienne à Santa Barbara, avec un docteur blond maniéré, variété WASP. Nous savons qu'il est rétro car il l'a demandée en mariage en lui lançant « Nous formerions une belle équipe », phrase qui illustre la froideur émotionnelle présumée de la culture WASP et son côté sportif omniprésent. À la fin de la cérémonie, Ben l'échevelé se précipite dans l'église, donne un coup de poing dans la vitre du balcon qui surplombe la nef et hurle le nom d'Elaine. Elaine lève les yeux, voit cette expression méchante sur le visage de ses parents et de son mari et décide de s'enfuir avec Ben. La mère d'Elaine, Mrs Robinson, souffle « C'est trop tard » et Elaine lui hurle en retour « Pas pour moi ». Ben et Elaine évitent la famille et le reste de la foule et sautent dans un bus public. La dernière scène les montre tous les deux assis côte à côte dans le bus, Elaine dans sa robe de mariée déchirée. Au premier abord, ils ont l'air d'exulter puis se calment et finissent par avoir l'air quelque peu terrifiés. Ils viennent de se libérer d'une certaine forme de réussite WASP mais se rendent compte qu'ils n'ont pas trouvé le type de vie idéale qu'ils aimeraient vivre à la place.

Puis vint l'argent...

Le noyau dur des radicaux des années 60 croyait que la seule façon d'être honnête consistait à rejeter en bloc la notion de réussite, renoncer à la foire d'empoigne et se retirer dans de petites communautés où fleuriraient de véritables relations humaines. Mais cette sorte d'utopisme n'allait jamais être très populaire, en particulier chez les diplômés. Les membres de l'élite socioculturelle attachent beaucoup d'importance aux relations humaines et à l'égalité sociale mais, comme pour de nombreuses générations américaines antérieures, la réussite se trouve véritablement au cœur du système de valeur des diplômés des années 60. Ils étaient des méritocrates, après tout, tellement enclins à se définir par ce qu'ils avaient réalisé. La majorité d'entre eux n'allait jamais vivre en marge de la société, ni s'asseoir et sentir des fleurs en communiant, ni élever des cochons et écouter attentivement des poèmes. De plus, le temps aidant, ils découvrirent que les richesses de l'univers se trouvaient à leurs pieds.

Tout d'abord, lorsque le gros des baby-boomers diplômés entra sur le marché du travail, avoir un diplôme universitaire ne changeait pas grand-chose d'un point de vue financier et n'apportait pas de grand bouleversement dans leur vie. En 1976, l'économiste travailliste Richard Freeman pouvait écrire un livre intitulé *The Overeducated American*, où il affirmait que faire des études supérieures poussées n'était pas forcément payant sur le marché du travail. Mais l'ère de l'information arriva à grand fracas et les surdiplômés se virent de plus en plus gratifiés. En 1980, selon un spécialiste du marché du travail, Kevin Murphy, de l'Université de Chicago, ceux qui avaient des diplômes universitaires gagnaient environ 35 % de plus que ceux qui n'avaient que le baccalauréat. Mais au milieu des années 90, un diplômé gagnait 70 % de plus qu'un bachelier. Et le titulaire d'une licence gagnait 90 % de plus. La valeur salariale d'un diplômé universitaire avait doublé en quinze ans.

À Yale, un professeur titulaire qui a renoncé à la foire d'empoigne capitaliste gagne en 1999, 113 100 dollars alors qu'un professeur de Rutgers gagne 103 700 dollars et que les professeurs superstars qui font l'objet de surenchères académiques peuvent amasser plus de 300 000 dollars par an. Les membres du Congrès et de la Présidence plafonnent au mieux à 125 000 dollars — avant de multiplier cette somme par cinq en entrant dans le secteur privé — et les journalistes travaillant pour des publications nationales peuvent aujourd'hui compter sur des salaires à six chiffres en milieu de carrière, sans compter les honoraires qu'ils touchent pour leurs conférences. Les spécialistes en philosophie et en maths se dirigent vers Wall Street et peuvent gagner des dizaines de millions de dollars. Depuis toujours, l'Amérique regorge d'avocats et, aujourd'hui, leur revenu moyen est de 72 500 dollars alors que celui des plus gros avocats de la ville peut atteindre sept chiffres. Et les super-étudiants affluent toujours en médecine — les trois quarts des praticiens privés gagnent plus de 100 000 dollars. En attendant, Silicon Valley compte plus de millionnaires que d'êtres humains. À Hollywood, les scénaristes télé peuvent gagner de 11 000 à 13 000 dollars par semaine. Et à New York, les rédacteurs en chef des plus gros magazines, comme Anna Wintour de *Vogue*, gagnent 1 million de dollars par an, ce qui est légèrement plus que le président de la fondation Ford. Et ces salaires éblouissants ne profitent pas qu'aux baby-boomers, mais à toutes les générations subséquentes de diplômés, la plupart d'entre eux n'ayant pas connu de monde sans ateliers d'artistes à 4 millions de dollars, sans hôtels prestigieux à 350 dollars la nuit, sans maisons de vacances avant-gardistes ni tout le reste de l'attirail de la ploutocratie de la contre-culture.

Avec l'ère de la société d'information sont apparues des catégories professionnelles nouvelles ; vous avez l'impression que certaines ne sont que de pures plaisanteries, mais les salaires vous font immédiatement changer d'avis — responsable créativité, responsable en chef du savoir, coordinateur esprit d'équipe. Et il y a ensuite ces professions dont personne n'aurait jamais rêvé au lycée : concepteur de page Web, conseil en propriété industrielle, scénariste, chargé de programme de fondation, responsable de talk-show, etc. L'économie de l'époque est telle que des excentriques comme Oliver Stone deviennent des nababs multimillionnaires et les petits génies qui abandonnent leurs études, Bill Gates par exemple, dirigent le monde. Inutile de dire qu'il y a encore des érudits bohèmes qui s'en sortent de justesse et cherchent un poste avec possibilité de titularisation, et de pauvres andouilles dans l'édition qui font fructifier leur intelligence pour des salaires monstrueusement ridicules.

Mais l'idée maîtresse de l'ère de l'information est de récompenser les études supérieures et d'élargir le fossé entre les gens cultivés et ceux qui ne le sont pas. De plus, la moyenne bourgeoisie s'est agrandie, passant d'un petit appendice constitué de classes moyennes à une grosse bosse démographique, peuplée en majorité de diplômés fantaisistes. Dans quelques années, sauf ralentissement économique conséquent, l'Amérique comptera 10 millions de ménages touchant des revenus annuels de plus de 100 000 dollars — ils n'étaient que deux millions en 1982. Examinez le capital financier et culturel de ce grand groupe et vous réaliserez quel pouvoir social représente la bourgeoisie moyenne. La plupart des membres de l'élite socioculturelle n'est pas partie, affamée, à la recherche de l'argent. C'est l'argent qui l'a trouvée. Et subtilement, à contrecœur, il a envahi sa mentalité.

Les membres de l'élite socioculturelle pensent qu'ils devraient totalement changer d'attitude, d'abord envers l'argent. Lorsqu'ils étaient de pauvres étudiants, l'argent était quelque chose de solide. Ils recevaient une grosse somme d'un coup, dans laquelle ils piochaient petit à petit pour payer leurs factures. Ils pouvaient, en quelque sorte, savoir combien il leur restait sur leur compte en banque, comme vous pouvez sentir un tas de billets dans votre poche. Mais plus ils s'enrichissaient, plus l'argent se liquéfiait. Il s'écoulait dans leur compte en banque tel un courant prodigieux. Et il en sortait tout aussi vite. Celui qui gagne sa vie est réduit à l'état de spectateur, vaguement horrifié par la rapidité avec laquelle l'argent s'en va. Il ou elle peut essayer d'endiguer le flux sortant pour faire plus d'économies. Mais il est difficile de savoir où construire le barrage. L'argent s'écoule tout seul. Et ensuite, si l'on arrive à rester à flot dans tous ces flux et reflux, c'est un exploit en soi. Loin d'être une source de corruption, l'argent devient un signe de domination. Il commence à paraître mérité, naturel. Et même les anciens étudiants radicaux se mettent à déformer les vieux slogans de gauche.

Non seulement, les élites socioculturelles gagnent plus d'argent qu'elles ne l'auraient jamais imaginé, mais elles occupent aussi des postes à énorme responsabilité.

Ce qui est plus surprenant, c'est la croissance des industries lucratives dans lesquelles tout le monde appartient à l'élite socioculturelle. Seulement 20 % environ de la population adulte américaine possède un diplôme d'études supérieures, mais dans les bureaux des banlieues et de nombreuses grandes villes, vous pouvez déambuler d'un bureau à un autre, et pratiquement tout le monde vous sortira un diplôme de son tiroir. Les élites socioculturelles ont pris une grande partie du pouvoir qui s'accumulait pour mettre sous sédatifs les vieux WASP aux mentons dominateurs. Les économistes du Fonds Monétaire International parcourent le monde en jets pour remodeler les politiques macroéconomiques. Les maniaques du cerveau de McKinsley & Company envahissent les bureaux d'affaires dirigés par les anciens stratèges de l'université et rédigent des rapports sur des fusions ou des restructurations.

Les élites socioculturelles ont même pris d'assaut des professions jusqu'alors réservées à la classe ouvrière. L'époque du journaliste prolo et alcoolo est révolue pour toujours. À présent, dans les conférences de presse de Washington, c'est : Yale, Yale, Stanford, Emory, Yale et Harvard. À la tête des partis politiques, autrefois dirigés par de médiocres journalistes ou des écrivains immigrés, se trouvent aujourd'hui des analystes en communication avec des Ph. D. Si vous vous baladez en voiture dans les anciennes banlieues et que vous suivez ces bohèmes aux chemises sans col de chez eux à leurs stands de fruits biologiques, vous remarquerez qu'ils ont littéralement emménagé dans les maisons de l'ancienne élite des agents de change. Ils dorment dans les lits de l'ancienne élite. Ils envahissent les institutions de l'ancienne élite. Les idiots élégants aux parents géniaux sont remplacés par des intellectuels aux chaussures usées, intelligents, cultivés, ambitieux et antiestablishment.

Les angoisses de la richesse

Au cours de ces trente dernières années, en gros, l'élite socioculturelle a remporté victoire sur victoire. Elle a détruit l'ancienne culture de l'élite WASP, prospéré dans une économie qui a généreusement récompensé ses compétences particulières, et se trouve à présent au sommet de ces institutions contre lesquelles elle s'était pourtant répandue en injures. Mais tout cela pose un gros problème. Comment peut-elle être sûre qu'elle n'est pas devenue une réplique prétentieuse de l'élite WASP qu'elle continue à dénoncer avec tant de véhémence ?

Ceux qui veulent gagner l'approbation de l'élite socioculturelle doivent faire face aux angoisses de la richesse : comment montrer que même en grimpant en haut de l'échelle ils ne sont pas devenus tout ce qu'ils prétendent encore mépriser ? Comment naviguer dans les bas-fonds entre leur richesse et leur dignité personnelle ? Comment concilier réussite et spiritualité ? Position d'élite et idéaux d'égalité ? Les membres éclairés de l'élite socioculturelle ont tendance à être gênés par ce fossé grandissant entre les riches et les pauvres : gagner aujourd'hui 80 000 dollars les met mal à l'aise. Ceux d'entre eux qui rêvent d'une justice sociale ont fréquenté une université où les frais de scolarité pourraient nourrir un village entier du Rwanda pendant un an. Ceux qui avaient autrefois des autocollants avec l'inscription « Non à l'autorité » sur leur voiture se retrouvent maintenant à la tête d'une start-up et dirigent 200 personnes. Les sociologues qu'ils ont étudiés à l'université leur ont appris que le consumérisme était une maladie et les voilà pourtant aujourd'hui en train d'acheter des réfrigérateurs à 3 000 dollars. Ils ont appris par cœur les leçons de *Mort d'un commis voyageur* et les voilà pourtant aujourd'hui en train de diriger des vendeurs. Ils ont ri en regardant la scène du plastique dans *Le Lauréat* mais aujourd'hui, ils travaillent pour une entreprise qui fabrique... du plastique. Brusquement, les voilà en train d'emménager dans une maison de banlieue avec piscine, en ayant du mal à l'avouer à leurs amis bohèmes qui vivent toujours au centre-ville.

Ils ont beau admirer l'art et l'esprit, ils se retrouvent en train de vivre en plein commerce ou, tout au moins, dans cette étrange zone hybride où se croisent créativité et commerce. C'est à cette classe, plus qu'à n'importe quelle autre, que l'on doit des mètres et des mètres de rayons de bibliothèque. Et, pourtant, lorsque vous regardez leurs bibliothèques, vous remarquez les éditions de luxe aux reliures en cuir des livres clamant que la richesse et la réussite ne sont que du vent. Cette élite réconcilie deux élites opposées. Elles sont riches mais antimatérialistes. Elles pourraient passer leur vie à vendre des choses mais s'inquiètent ne plus rien avoir. Elles sont, d'instinct, antiestablishment mais sentent qu'elles sont quelque part devenues un nouvel establishment.

Les membres de cette classe sont indécis et le temps qu'ils passent à essayer de résoudre le conflit qui existe entre leur réalité et leurs idéaux est stupéfiant. Ils luttent contre ces compromis qu'ils doivent faire entre égalité et privilège (« Je crois en l'école publique mais l'école privée me semble bien meilleure pour mes enfants »), entre confort et responsabilité sociale (« Ces couches-culottes sont un gâchis incroyable mais elles sont tellement pratiques »), entre la rébellion et la convention (« J'ai pris des drogues au lycée mais je conseille à mes enfants de dire : NON »).

Mais c'est entre leur réussite matérielle et leur vertu intérieure que se produit la plus grosse tension. Comment avancer dans la vie sans que l'ambition n'atrophie l'âme ? Comment accumuler les ressources dont vous avez besoin pour faire ce que vous voulez sans devenir esclave des choses matérielles ? Comment offrir une vie équilibrée et agréable à votre famille sans vous enliser dans une routine débilitante ? Comment rester au sommet de l'échelle sociale sans devenir un snob imbuvable ?

Les réconciliateurs

Quand il s'agit de relever de tels défis, ces élites socioculturelles ne baissent pas les bras. Ce sont eux, ces C.V. en or, après tout. Ce sont eux qui ont réussi leurs examens d'entrée à l'université. Si eux ne sont pas bien armés pour relever ces défis, personne ne l'est. Quand ils doivent faire face à une tension concernant des valeurs concurrentes, ils font ce que ferait toute personne intelligente et privilégiée dotée d'un capital culturel. Ils trouvent le moyen d'avoir ces deux valeurs. Ils réconcilient les opposés.

Dans les années 90, le grand exploit qu'ont réalisé les élites socioculturelles fut de créer un mode de vie qui vous permettait de réussir financièrement tout en restant un rebelle à l'esprit libre. En fondant des entreprises de design, ils trouvent le moyen d'être des artistes tout en conservant les compétences requises pour boursicoter. En créant des entreprises gourmet, comme Ben & Jerry's ou Nantucket Nectars, ils savent être des hippies fous et des huiles de multinationales. En utilisant William S. Burroughs dans des pubs pour les chaussures de sport Nike et en incorporant les hymnes des Rolling Stones à leurs campagnes marketing, ils réconcilient le style anti-establishment et l'impératif d'entreprise. En écoutant les gourous du management leur dire que le chaos leur réussit et déchaîne leur potentiel créatif, ils réconcilient l'esprit de l'imagination et le résultat financier. En transformant des villes universitaires, comme Princetown et Palo Alto, en centres d'affaires, ils réconcilient les intellectuels et les tranches du barème fiscal. En s'habillant comme Bill Gates pour assister à une réunion d'actionnaires, ils réconcilient le style étudiant attardé et les occupations d'aristo. En prenant des vacances écolo-aventurières, ils réconcilient la recherche de sensations fortes aristo et un problème d'ordre social. En faisant leurs courses chez Benetton et au Body Shop, ils réconcilient prise de conscience personnelle et contrôle des dépenses.

Quand vous vous retrouvez au milieu de cette classe haut de gamme et cultivée, vous ne pouvez pas savoir si vous vivez dans un monde de hippies ou d'actionnaires. En réalité, vous êtes entrés dans un monde hybride où chacun est un peu les deux à la fois.

Marx affirmait que le conflit des classes était inévitable mais, parfois, il s'estompe, tout simplement. Les valeurs de la culture bourgeoise dominante et celles de la contre-culture des années 60 ont fusionné. Cette guerre des cultures est terminée, du moins chez l'élite socioculturelle. À sa place, cette classe a créé une troisième culture, réconciliation des deux précédentes. Les élites socioculturelles n'ont pas cherché à mettre en œuvre cette réconciliation. C'est le produit de millions d'efforts individuels pour avoir ces deux valeurs. Mais c'est la touche dominante de notre époque. Dans la résolution du conflit entre la culture et la contre-culture, il est impossible de savoir qui a coopté qui, parce qu'en réalité les bohèmes et les bourgeois se sont tous deux cooptés. Ils sortent de ce processus sous le nom de bourgeois bohèmes ou Bobos.

Le nouvel establishment

Aujourd'hui, le carnet mondain occupe de nouveau une place très importante dans le *New York Times*. Au début des années 70, les jeunes rebelles ne voulaient pas y figurer, mais maintenant que leurs gamins vont à l'université et se marient, ils sont fiers de voir leur progéniture dans l'édition du dimanche. Contre un versement d'argent, le *Times* vous enverra une reproduction de votre annonce, prête à être encadrée.

Et les jeunes, la seconde génération Bobo, veulent garder une trace de leurs noces. Regardez chaque dimanche matin les nouveaux mariés qui vous sourient dans les pages du *Times*. Leurs sourires semblent tellement sincères. Ils ont tous l'air si gentils et abordables, pas aussi graves et redoutables que l'étaient certains futurs mariés dans le carnet mondain des années 50. Les choses sont différentes mais quelque part identiques. Par exemple, un lecteur ouvrant le carnet mondain le 23 mai 1999 aurait appris que Stuart Anthony Kingsley se mariait. Monsieur Kingsley a obtenu son diplôme avec mention très bien à Dartmouth et un MBA à Harvard avant de devenir associé chez McKinsey & Company. Son père est administrateur du National Trust for Historic Preservation ; sa mère chef d'orchestre du Boston Symphonic Orchestra et administrateur de la Society for the Preservation of New England Antiquities. Ce genre d'affiliation aurait déclenché des approbations en masse chez les douairières WASP des années 50. Mais regardez qui épouse monsieur Kingsley : Sara Perry, dont le père est coordinateur des Études Judaïques à l'Université du Connecticut et dont la mère est directrice générale associée de la Fédération Juive de New Haven : eux n'auraient vraisemblablement pas reçu l'approbation des douairières WASP.

Mais aujourd'hui, une telle alliance ne pose aucun problème. Nous ne fronçons même pas les sourcils quand monsieur New England Antiquities épouse madame Études Judaïques parce que nous savons tout ce qu'ont en commun les futurs mariés. Mademoiselle Perry a obtenu son diplôme avec mention très bien, exactement comme son mari — sauf qu'elle l'a eu à Yale, pas à Dartmouth. Elle aussi a un MBA de Harvard — et en plus, une maîtrise d'administration publique. Elle est aussi devenue consultant financier — mais elle est vice-présidente senior d'une entreprise qui travaille avec des fondations. Les vieilles inimitiés entre les classes et groupes ethniques ont pu être surmontées grâce aux liens communs de l'ascendance méritocrate. C'est John DeStefano, Jr., maire de New Haven, qui les a mariés dans la maison des grands-parents maternels de mademoiselle Perry, Lucille et Arnold Alderman.

L'establishment d'aujourd'hui est structuré différemment. Ce n'est plus une petite conspiration d'hommes bien élevés avec une famille omniprésente et des compétitions scolaires ayant une énorme influence sur les manettes du pouvoir. Au contraire, cet establishment est un grand groupe informe de méritocrates qui partagent une conscience et qui, le plus naturellement du monde, remodèlent les institutions selon ses propres valeurs. Ils ne se confinent pas à quelques institutions. Aujourd'hui, l'establishment est partout. Il exerce son pouvoir subtil sur les idées et les concepts; il est omniprésent. Il n'existe pas d'indicateur démographique infaillible pouvant dire qui appartient à cet establishment. Ses membres semblent avoir fréquenté des universités où l'on ne peut entrer que sur concours mais pas tous. Ils semblent vivre dans des quartiers chics mais pas tous. Ce qui les unit, c'est leur engagement commun envers la réconciliation Bobo. Les gens intègrent l'establishment en effectuant une série de tâches culturelles délicates : ils ont de l'argent sans pour autant sembler radins, ils plaisent à leurs aînés sans avoir l'air conformistes, ils atteignent le sommet sans regarder avec trop d'insistance ceux qui restent en bas, ils réussissent sans porter un préjudice socialement condamnable à l'idéal d'égalité sociale, ils construisent un mode de vie prospère tout en évitant le vieux cliché de consommation ostentatoire.

Naturellement, cela ne veut pas dire que tous les membres du nouvel establishment Bobo, ou ceux de n'importe quel autre establishment, sont du même avis. Certains bourgeois bohèmes sont plus du côté bourgeois : ce sont des actionnaires qui aiment les ateliers d'artistes. D'autres sont du côté bohème : ce sont des professeurs d'art qui boursicotent. Toutefois, si vous jetez un œil à quelques figures emblématiques du nouvel establishment — Henry Louis Gates, Charlie Rose, Steven Jobs, Doris Kearns Goodwin, David Geffen, Tina Brown, Maureen Dowd, Jerry Seinfeld, Stephen Jay Gould, Lou Reed, Tim Russert, Steve Case, Ken Burns, Al Gore, Bill Bradley, John McCain, George W. Bush — vous sentirez un génie social commun qui mélange rébellion des années 60 et réussite des années 80. Vous pouvez aussi sentir le génie Bobo dans les vieilles institutions réappropriées par le nouvel establishment, comme le *New Yorker*, l'université de Yale, l'American Academy of Arts and Letters — ou le *New York Times* — qui publie maintenant des éditos intitulés « Éloge de la contre-culture ». Vous pouvez plus particulièrement sentir ce génie dans les institutions du nouvel establishment, complètement étrangères à l'ancienne élite — National Public Radio, Dream Works, Microsoft, AOL, Starbucks, Yahoo, Barnes & Noble, Amazon et Borders.

Au cours de ces dernières années, ce nouvel establishment socioculturel a commencé à assumer le rôle indispensable de tout establishment. Il s'est mis à créer un ensemble de codes sociaux qui donnent une structure cohérente à la vie de la nation. Aujourd'hui, l'Amérique est une fois de plus dotée d'une classe dominante qui définit les paramètres de respectabilité de l'opinion et du goût — une classe qui détermine une sagesse conventionnelle, qui promulgue un code de bonnes manières, qui établit un ordre hiérarchique pour donner forme à la société, qui exclut ceux qui violent ce code, qui transmet ces codes moraux et déontologiques à ses enfants, qui impose une discipline sociale au reste de la société pour améliorer la « qualité de vie », pour reprendre l'expression contemporaine.

Mais c'est en hésitant que ce nouvel establishment a assumé son rôle. Il n'est pas devenu une élite de technocrates avec un grand sens du service public, comme l'imaginaient de nombreux anciens tenants de la méritocratie. Il n'a pas établi de grands principes d'autorité puisqu'il a toujours du mal avec l'autorité. En revanche, ce nouvel establishment a exercé son influence par l'intermédiaire d'un million de chaînes privées, réformant la société par la culture et non par la politique. Ses efforts pour établir un ordre ont été incomplets et maladroits — d'où ces codes du politiquement correct, les codes de langage sur les campus, les règles de harcèlement sexuel. Mais petit à petit, un ensemble commun de connaissances et de pratiques a adhéré à un ensemble de normes sociales largement accepté. Il y a trente ans, détruire la structure établie était à l'ordre du jour, la civilité n'était pas une valeur des plus appréciées, particulièrement sur les campus. Mais maintenant qu'est apparu un nouvel ordre civil, le mot civilité est de nouveau sur toutes les lèvres de chaque personne cultivée. Et quelque part, une espèce de paix sociale et de calme est en train de se rétablir. La plupart des indicateurs sociaux montés en flèche pendant l'ère de transition — années 60 et 70 — commencent à ralentir : taux de criminalité, taux d'avortement, naissances chez les ados, taux de divorces, alcoolisme chez les moins de dix-huit ans.

Ce livre décrit avant tout ces nouveaux codes de moralité et de déontologie. Si vous ne partagez pas le génie social de la classe Bobo, vous ne risquez pas de vous faire embaucher par les institutions de l'establishment, ni d'obtenir une promotion. Par exemple, au début de ce siècle, il était parfaitement acceptable d'être raciste, antisémite ou homophobe. Aujourd'hui, si vous avez de telles convictions, vous êtes automatiquement radié des cercles socioculturels. Un peu plus tôt au cours de ce siècle, les arrivistes sociaux construisaient des châteaux pleins d'ornements, singeant les mœurs de l'aristocratie européenne. Aujourd'hui, le vice-président de Microsoft pourrait très bien se faire construire un immense manoir moderne, mais s'il faisait construire une maison comme celle de J.P. Morgan, on le traiterait de bouffon prétentieux. Il y a quarante ans, les grands manitous pouvaient très bien accrocher à leurs murs la fourrure des animaux sauvages qu'ils avaient tués. Dans l'élite socioculturelle actuelle, ce serait considéré comme un affront aux valeurs humaines.

Les élites socioculturelles d'aujourd'hui ont tendance à ne pas exclure des groupes entiers mais, comme tout establishment, elles ont leurs propres frontières. On vous fuira si vous êtes pour un matérialisme tape-à-l'œil. On vous fuira si vous êtes ouvertement snob. On vous fuira si vous êtes anti-intellectuel. Pour une raison ou pour une autre, les personnes et institutions ci-après n'ont rien à voir avec la respectabilité Bobo : Donald Trump, Pat Robertson, Louis Farrakhan, Bob Guccione, Wayne Newton, Nancy Reagan, Adnan Khashoggi, Jesse Helms, Jerry Springer, Mike Tyson, Rush Limbaugh, Philip Morris, les développeurs, les loggeurs, les cartes de vœux Hallmark, la National Rifle Association [1], Hooters.

1. Puissante organisation américaine favorable au port d'armes.

Le nouvel ordre hiérarchique

Quand l'establishment protestant s'est effondré, ce n'était pas comme si l'Amérique était devenue un pays magique sans élites, ni hiérarchies, ni distinctions sociales et déontologiques. Cela aurait pu être le cas au cours de la période de transition. Pendant les années 70 et une partie des années 80, il a été vraiment difficile de choisir un ordre social cohérent. Mais cette fluidité ne pouvait pas durer — ce qui était d'ailleurs une bonne chose. Les pays avaient besoin d'un nouvel équilibre social et c'est ce qui s'est passé en Amérique. De nouveaux codes sont en place — différents des anciens codes — et servent bon nombre des mêmes fonctions sociales qui visent à donner ordre et cohérence à la vie.

La vie sociale américaine, par exemple, est tout aussi hiérarchisée qu'elle le fut dans les années 50, si ce n'est plus. Mais les hiérarchies reposant sur le piston ont disparu. D'après le code méritocrate, les gens sont davantage jugés à la profession qu'ils exercent. Invitations à des week-ends Renaissance, séminaires à l'Aspen Institute, conférences technologiques de Esther Dyson et dîners privés select : tous sont déterminés par le métier que vous faites. Si vous avez une position sociale prestigieuse, vous n'avez pas à vous inquiéter pour votre vie sociale. Vous serez en permanence reconnu si vous vous entourez de gens aussi doués que vous — voire plus — et vous en arriverez à apprécier ce que l'on pourrait appeler les joies des conférences. Sinon, votre vie sociale comportera toujours ces moments étranges où votre voisin de table, à un dîner, se tournera vers vous et vous demandera : « Que faites-vous dans la vie ? »

Si vous êtes professeur associé de Yale et que vous venez d'arriver sur un petit campus pour donner une conférence, on vous emmènera dîner dans le meilleur restaurant de la ville. Si, par contre, vous faites simplement partie du corps enseignant de Colgate et que vous êtes invité à donner une conférence, vous dînerez chez votre hôte avec ses gamins. Si vous êtes sous-secrétaire au ministère de la Justice, vous serez l'orateur chargé du discours programme à diverses conférences d'associations du Barreau, mais si vous vous déplacez dans un gros cabinet d'avocats, estimez-vous heureux si vous êtes convié à l'une des réunions-débats de fin de journée. Selon le *New York Observer,* Tina Brown, ancienne rédactrice en chef du *New Yorker,* avait l'habitude d'organiser des petites fêtes auxquelles elle conviait la crème des auteurs et des éditeurs à vingt heures et les autres, moins prestigieux, à vingt et une heures trente.

Bien sûr, cela ne signifie nullement que ceux qui ont les plus grands bureaux occupent automatiquement la place la plus prestigieuse. Votre choix de carrière doit refléter les demandes sinueuses du génie Bobo. Dans les années 50, le meilleur argent provenait d'un héritage. Aujourd'hui, dans l'establishment Bobo, c'est l'argent gagné par hasard. Le type d'argent que vous gagnez comme ça, alors que vous êtes en train de chercher l'inspiration créatrice. En d'autres termes, les professions les plus prestigieuses vont de pair avec une expression artistique et de l'argent gagné facilement. Un romancier qui gagne 1 million de dollars par an est bien plus prestigieux qu'un banquier qui en gagne 50 millions. Un concepteur de logiciel possédant des stock options se chiffrant en millions est bien plus prestigieux qu'un promoteur immobilier ayant des holdings se chiffrant en dizaines de millions. Un chroniqueur gagnant 150 000 dollars par an se fera rappeler bien plus rapidement qu'un avocat qui gagne six fois plus que lui. Le propriétaire d'un restaurant possédant une boîte de nuit en vogue sera bien mieux accueilli dans les cocktails que le propriétaire d'un complexe commercial qui possède six immenses centres commerciaux.

Voici venue l'ère du revenu discrétionnaire. Les gens sont censés renoncer à des opportunités de salaire pour mener des vies plus riches. Si vous n'avez pas renoncé à gagner plus, ne vous attendez pas à avoir une position sociale très élevée, peu importe l'argent que vous avez en banque. Les professeurs, assez beaux pour pouvoir devenir des présentateurs télé mais ayant décidé de ne pas le faire, sont plus admirés et enviés que les professeurs qui n'avaient d'autre choix que d'entrer à l'académie. Les producteurs qui ont gagné 100 millions de dollars avec des films indépendants et anticommerciaux sont bien plus prestigieux que ceux qui ont gagné 150 millions avec des films purement commerciaux. Une rock star qui reçoit un disque de platine pour un album acoustique intimiste est bien plus admirée — et à long terme, bien plus rentable financièrement — qu'une rock star qui reçoit un double disque de platine pour un album de heavy metal pur et dur. Des gens des médias verront leur mariage figurer à la place d'honneur du carnet mondain du *New York Times* alors que des analystes financiers se verront réduits à un petit paragraphe juste en dessous. Le type qui a laissé tomber ses études à Harvard pour lancer une start-up se voit réquisitionné pour faire un discours lors d'un grand dîner mondain et se retrouve assis à côté d'une riche héritière qui sollicite ardemment son attention et devra payer le dîner.

Pour calculer la position sociale d'une personne, prenez sa valeur nette et multipliez-la par ses attitudes antimatérialistes. Un zéro dans l'une des deux colonnes signifie que vous n'avez aucun prestige mais de gros chiffres dans chaque colonne vous propulsent en haut de l'échelle sociale. Donc, pour être bien traité dans ce monde, vous devez non seulement montrer que vous gagnez bien votre vie mais vous devez aussi avoir recours à une série de feintes pour montrer que votre réussite matérielle vous importe peu. Vous voulez toujours vous habiller plus discrètement que ceux qui vous entourent. Vous voulez porter un tatouage, conduire une camionnette ou encore accomplir des actes de déviance antistatut socialement approuvé. Lors de conversations, vous passerez tout votre temps à ridiculiser votre propre réussite en parlant simultanément des projets que vous avez réalisés et de la distance ironique que vous gardez par rapport à eux. Vous malmènerez sans cesse les yuppies pour montrer que vous n'en êtes pas devenu un. Vous parlerez de votre nounou comme si elle était une de vos très proches amies, comme si le fait que vous habitiez dans une maison de 900 000 dollars à Santa Monica, et qu'elle doive faire deux heures de bus par jour pour regagner le quartier latino-américain, n'était qu'une chose étrange et sans importance. Vous voulez parfaire un code pour minimiser subtilement l'importance de vos références académiques. Si l'on vous demande dans quelle école vous êtes allé, vous répondrez « Harvard ? » en montant d'un ton, comme pour dire « Vous en avez déjà entendu parler ? ». Lorsque vous parlerez de la dure besogne que vous avez accomplie lorsque vous étiez boursier à Rhodes, vous direz : « Lorsque j'étais en Angleterre et que je participais à ce programme... » À Washington, un jour, j'ai demandé à un transfuge anglais quelle école il avait fréquentée et il m'a répondu : « Une petite école près de Slough. » Slough est un modeste petit village à l'ouest de Londres. La deuxième ville la plus proche s'appelle Eton.

Numéro de sortie

Le déclin de l'ancien code de moralité WASP n'a pas non plus laissé l'Amérique dans un vide moral. Certaines personnes assistent au déclin de l'ancien establishment protestant et pleurent nos pertes : plus de galanterie, plus de grand sens du devoir et du service public, plus de *gravitas* et de respect de l'autorité, plus de réticence et d'effacement, plus de chasteté et de décorum, plus de gentlemen, plus de ladies, plus d'honneur et de bravoure. Ils voient les codes et règles disparaître et en déduisent trop rapidement que nous sommes entrés dans une ère nihiliste.

En fait, notre moralité a suivi le même cycle de décrépitude et de régénération que nos mœurs. L'ancien establishment protestant et son système éthique se sont fanés. Il y eut une période d'anarchie. Mais, plus récemment, le nouvel establishment socioculturel a imposé son propre ensemble de règles. Et comme nous le verrons dans le chapitre 5, on ne peut pas savoir, surtout à première vue, quelle structure morale est plus restrictive, l'ancien génie WASP ou Bobo.

Nous, Bobos, ne craignons pas une foule en colère à l'entrée qui menace de nous envoyer à la guillotine. Il n'y en a pas. L'élite socioculturelle est inquiète car ses membres sont déchirés entre l'énergie qu'ils placent dans leur réussite et leur peur d'être corrompus. De plus, nous sommes inquiets car nous ne nous accordons pas de sinécure de position sociale. Les establishments précédents ont érigé des institutions sociales qui apportaient une sécurité à leurs membres. Dans la première partie du XXe siècle, une fois que votre famille arrivait en haut de l'échelle, il était relativement simple d'y rester. Vous étiez invité dans de grandes soirées en fonction du piston que vous aviez. Vous étiez admis, presque automatiquement, dans les bonnes écoles et on considérait que vous étiez fait pour telle ou telle future épouse. La question pertinente, dans ces cercles, n'était pas « Qu'est-ce que vous faites dans la vie ? » mais « Qui êtes-vous ? ». Une fois que vous étiez établi en tant que Biddle, Auchincloss, ou Venderlip, votre chemin était tout tracé. Mais les membres de l'élite socioculturelle d'aujourd'hui ne peuvent jamais être sûrs de leur propre avenir. Ils ne sont jamais à l'abri d'un accident de parcours professionnel. Chez l'élite socioculturelle, même la vie sociale est une série de tests d'aptitude ; nous devons tous agir perpétuellement en fonction des normes de bienséance toujours changeantes, des indicateurs de culture en progression constante. Des réputations peuvent être détruites à cause d'une phrase scandaleuse, d'un acte obscène, d'une mauvaise presse, ou d'un terrible discours au sommet financier de Davos.

Et, bien plus important, les membres de l'élite socioculturelle ne peuvent jamais être sûrs de l'avenir de leurs enfants. Ces gamins ont des avantages pédagogiques et familiaux non négligeables — ces professeurs particuliers et ces jouets éducatifs — mais ils doivent toujours travailler à l'école et réussir leurs examens d'entrée à l'université, juste pour atteindre la même position sociale que leurs parents. Par rapport aux élites précédentes, ce n'est pas gagné d'avance...

L'ironie de l'histoire, c'est que cette insécurité ne fait que rendre plus forte l'élite socioculturelle. Ses membres et ses enfants doivent constamment être sur le qui-vive, travailler et réussir. L'élite socioculturelle ne risque pas de devenir une caste indépendante. Quiconque possédant le diplôme, le métier et les compétences culturelles qu'il faut peut rejoindre cette élite. Marx nous avait mis en garde : « Plus une classe dirigeante peut assimiler les hommes et les femmes les plus importants des classes dominées, plus son autorité est stable et dangereuse. » Et en vérité, il est difficile d'imaginer que l'autorité des méritocrates puisse un jour disparaître. L'establishment WASP se sentait plutôt bien dans les années 60. Il a capitulé pratiquement sans broncher. Mais la classe Bobo est bien armée avec cet esprit d'autocritique. Elle est assez flexible pour coopter ce qu'elle ne commande pas déjà. La méritocratie Bobo ne s'effondrera pas facilement, même si certaines personnes devaient se lever et déclarer sa fin.

2

CONSOMMATION

Wayne, en Pennsylvanie, était l'une de ces petites villes conventionnelles. Elle se trouve à vingt kilomètres à l'ouest de Philadelphie, et si les autres villes de la Main Line — la banlieue chic de Philadelphie — ont toujours eu le flair cosmopolite de se mettre à la page de leurs concentrations denses de clubs privés, Wayne n'était qu'une ville purement conventionnelle. Le cinéma de la ville a joué *Mary Poppins* pendant un été entier quand le film est ressorti pour la énième fois il y a quelques années. Des pharmacies poussiéreuses subsistaient dans la principale rue commerçante, approvisionnant en médicaments les vieilles veuves possédant des manoirs au sud de la municipalité. De tous les États du pays ayant le plus grand nombre de familles répertoriées dans le Social Register, Wayne arrivait huitième — on a beaucoup vu l'église épiscopale locale de St David dans le carnet mondain du *New York Times* des années 50. Les femmes s'appelaient par ces surnoms bizarres qu'adoraient les WASP et rivalisaient pour faire du bénévolat. On pouvait voir les hommes sortir de la gare à six heures dans leurs costumes quelconques. De temps en temps, un homme portait une cravate avec une famille de canards dessus. Pendant des décennies, *The Suburban,* le journal local qui porte bien son nom, a rassuré ses lecteurs banlieusards et sereins en leur disant qu'il ne se passait rien à Wayne et que ça ne risquait pas de changer.

Mais au cours des six dernières années, en gros, tout a changé. Une nouvelle culture a déferlé dans la ville. La ville, qui auparavant ne connaissait pas les expressos, possède aujourd'hui six cafés haut de gamme. The Gryphon attire une foule d'ados chics aux yeux vitreux et organise des lectures de poèmes. Le Café Procope se trouve en face de la gare et des couples élégants d'âge moyen y viennent le dimanche matin s'échanger des articles de journaux, comparer les notes de leurs gamins par-dessus les tables et étudier leurs perspectives d'admission à l'université. Les endroits chics et conviviaux de ce type regorgent d'inscriptions et sur les tasses de café à emporter, un texte indique que le Café Procope a emprunté son nom à un café parisien de la rive gauche, fondé en 1689, qui est devenu « un endroit convivial où, à travers les siècles, les intellectuels et les artistes se retrouvaient pour prendre un bon café. Au Café Procope, nous perpétuons la tradition d'un vrai café, un endroit de rencontre authentique avec un esprit bien à lui. » Il n'y a probablement toujours pas beaucoup d'artistes ni d'intellectuels à Wayne mais d'un seul coup, il y a des tas de gens qui veulent boire un bon café.

Une librairie fabuleuse et indépendante s'est installée en ville à la place de l'ancien drugstore. Les bohèmes peuvent à présent aller au Made by You — l'un de ces endroits où vous payez six fois plus cher pour décorer vous-même vos chopes et vos plats que le prix que vous paieriez pour des assiettes et des couverts que d'autres personnes ont décoré — et au Studio B, magasin de cadeaux qui organise des fêtes d'anniversaire créatives pour s'assurer que les gamins déjà très fiers d'eux le soient encore plus. Plusieurs nouveaux magasins d'alimentation ont investi la ville. Le Sweet Daddy vend des dragées gastronomiques à la gelée de sucre, du sorbet au cidre épicé, et de la gélatine déclinée en divers arômes. Il existe maintenant deux magasins, spécialisés dans les paniers de pique-nique, au cas où vous souhaiteriez dîner en plein air de bâtonnets de fromage à la tomate, séchés au soleil. Pour déjeuner, Your Gourmet Kitchen vous vend des panini au crabe, des blancs de poulets grillés aux herbes avec des choux au levain, et le samedi matin, il fait bar à omelettes. Près du centre-ville s'est implanté un nouveau restaurant, style Los Angeles, le Teresa Café, qui est bondé et bruyant le soir, une petite enclave de Santa Monica qui s'agite au beau milieu des banlieues de Philadelphie.

Dans le Wayne d'autrefois, il n'y avait aucun magasin d'alimentation intéressant. Et certainement pas de restaurants aux noms cool comme Teresa. Au contraire, ils avaient imposé des noms français, comme L'Auberge. Mais maintenant, c'est à ces formidables restaurants français de devoir d'adapter. Le restaurant La Fourchette a changé de nom pour le moins prétentieux Fourchette 110. Il a troqué la grande cuisine française qu'il faisait contre une nourriture plus décontractée. Le menu a l'air d'avoir été conçu par quelqu'un de sympa, comme Gérard Depardieu, et non par quelqu'un de snob et imposant, comme le général de Gaulle.

The Great Harvest Bread Company a ouvert une franchise en ville, l'une de ces boulangeries gastronomiques où l'on vend des miches de pain aux abricots et aux amandes ou aux épinards et à la feta pour 4,75 dollars pièce. Ce magasin si particulier est tenu par Ed et Lori Kerpius. Ed a obtenu son MBA en 1997 puis s'est installé à Chicago où il était opérateur en bourse. Puis, comme poussé par l'esprit de l'époque, il abandonna le monde des affaires et de la cupidité pour consacrer plus de temps à sa famille. Et il ouvrit ce magasin avec sa femme.

Lorsque vous passez la porte, ils vous accueillent chaleureusement et vous tendent un morceau de pain pratiquement aussi gros qu'un beau livre grand format pour que vous le goûtiez — j'en ai choisi un à l'aneth, le Savannah. Ils se lancent ensuite dans une mini conférence sur les ingrédients tous naturels et sur l'authenticité de la cuisson du pain qu'ils font eux-mêmes, juste devant vous. Le magasin est tellement simple que jamais vous ne penseriez qu'il s'y cache un véritable art de la vente. Au contraire, il y a des ours en peluche et des livres pour les enfants qui traînent. Et ils proposent du café aux adultes. Les époux Kerpius soutiennent les activités artistiques locales : chaque enfant qui envoie un dessin au magasin reçoit une miche de pain gratuite. Les murs du magasin sont donc recouverts de coloriages d'enfants parmi les bons-cadeaux offerts par le magasin qui montre sa généreuse participation au championnat de football local. Si vous leur demandez de trancher le pain dans le magasin, ils vous regardent avec compassion, sous-entendant que vous n'avez pas encore pris conscience de ce puissant royaume qu'est le pain. Mais ils vous donnent une feuille d'information, au cas où vous souhaiteriez trancher le pain chez vous à une température plus appropriée. Ce pamphlet vous apprend même que vous ne porterez pas atteinte à l'intégrité du pain si vous le congelez et le réchauffez ensuite. (« Quand nous faisons du ski, nous enveloppons notre pain dans du papier aluminium et c'est parti ! »)

À l'ouest de la ville, se trouve un de ces magasins de jouets qui se veut une institution pédagogique. Il vend des figurines d'animaux en voie de disparition plus vraies que nature et a fait fermer l'ancien magasin de jouets de Wayne qui ne vendait pas de jouets éducatifs. Quand on descend vers Lancaster Pike, on tombe sur le supermarché Fresh Fields. Lorsque les clients entrent avec leur chariot, ils se retrouvent au centre d'un royaume hippie d'une banlieue chic, tellement caractéristique du Wayne d'aujourd'hui et si étranger au Wayne d'autrefois. Celui qui visite Fresh Fields se retrouve donc face à une grande pancarte disant : « Produits biologiques, aujourd'hui : 130 », sorte de baromètre de vertu. Si vous venez un jour où il n'y a que soixante produits biologiques, vous avez l'impression de vous faire arnaquer. Mais si ce nombre atteint trois chiffres, vous pouvez vous balader en toute confiance dans les allées, et admirer une variété infinie de choux, du chou frisé au chou chinois, dont n'auraient jamais entendu parler les descendants des vieilles familles de la Main Line.

Fresh Fields a repris le génie social californien des années 60 et l'a mis à jour de façon très sélective. Toutes les choses sympas des années 60 qui intéressaient les ados ont disparu — comme le Free Love — mais par contre, tout ce qui peut plaire aux hypocondriaques d'âge mûr est resté, comme les fibres complètes. Ainsi, à l'ère de l'information, les clients des banlieues chic peuvent flâner au milieu de germes de radis, de boîtes de riz brun et de riz basmati, de pots de racines de *fo-ti* en poudre, de savons de fongus maya, de colorations capillaires à base de produits naturels, de dentifrice à base d'huiles végétales, de biscuits végétariens pour chiens, savourant le caractère sain de tous ces aliments.

Enfin, un tas de nouveaux magasins d'ameublement s'est installé à Wayne. À quelques centaines de mètres les uns des autres, cohabitent trois magasins qui relookent de vieux meubles en meubles modernes et qui, à partir de vieux bois de charpente, créent de nouveaux meubles. Comme s'ils s'affrontaient pour créer des fripes jamais portées.

Ces magasins semblent se battre pour savoir qui met le plus de zèle à créer le look le plus « misérable ». Et ils vont tellement loin que, parfois, leurs meubles n'ont pas du tout l'air « misérables ». On dirait qu'ils se décomposent, avec leurs tiroirs usés qui penchent dangereusement et la peinture qui s'écaille. Un autre magasin vend des meubles TV peints à la main, de grosses bougies parfumées, et une coiffeuse en métal cabossé sur roues. De son côté, un concurrent vend des meubles TV peints à la main, de grosses bougies parfumées et une passoire à spaghetti provençale. Et un peu plus loin, un troisième magasin, qui a déjà fait faillite, vendait des meubles TV peints à la main, pas de grosses bougies parfumées mais un tas de vaisseliers éraflés réalisés à partir de bois rare aux veinures extra fines.

L'entreprise Anthropologie est l'apothéose de ce look. Elle a installé son magasin star chez un ancien concessionnaire automobile. C'est plutôt étrange pour Wayne d'avoir un magasin dont le nom provient d'une discipline universitaire. Les anciens habitants se seraient énormément méfiés d'un tel intellectualisme, sans parler de l'orthographe française. Mais les vedettes de cette nouvelle culture semblent transformer leur vie en de longues études dans une grande école. Ce que propose Anthropologie choquerait vraiment les vieux descendants des clubs d'équitation des alentours. Il y eut, à une époque, un café à l'intérieur d'Anthropologie ; un consommateur habitant Wayne ne pouvait jamais faire moins de cinquante mètres sans tomber sur un cappuccino ou un magazine français. Ensuite, ce magasin semble toujours mettre la même musique en fond sonore, *What a Wonderful World* de Louis Armstrong. Mais ce qui est le plus surprenant, c'est qu'il n'y pas de canapé en forme de griffes d'aigles exposé chez Anthropologie — George Washington ne se serait pas senti chez lui. Ni aucun meuble Louis-XIV ni du Second Empire. Avant, Wayne copiait ses meubles sur ceux de l'aristocratie européenne. Aujourd'hui, d'après le look d'Anthropologie et de ses concurrents, Wayne copie ses meubles sur ceux de la paysannerie européenne. Le magasin, vaste espace ouvert aux poutres apparentes, est une symphonie de ce que les designers appellent les Bruise Tones, des bleus, des bruns, des noirs, et des verts doux.

Le sol est jonché de larges planches fissurées et des troncs bien en évidence supportent le plafond. Une partie du magasin est consacrée aux meubles de Provence et une autre, aux meubles de Toscane. Les recoins sont remplis d'objets marocains, de tissus péruviens et de malles indiennes. Pour la salle à manger, vous disposez d'un éventail impressionnant de tables de moisson, non vernies et abîmées ; une table champêtre, conçue initialement pour l'abattage des cochons, sert aujourd'hui à faire admirer des raviolis délicatement entassés dans des saladiers en faïence à 25 dollars.

Même l'iconographie est différente. Hier, Wayne préférait les images d'animaux de chasse : cerfs, chiens, canards et chevaux. Aujourd'hui, le consommateur semble préférer des sculptures et des images d'animaux paisibles ou étranges : pingouins, vaches, chats et grenouilles. Les mères de famille du vieux Wayne allaient acheter des tissus imprimés à fleurs et quand elles se baladaient en groupe dans la rue, on avait l'impression de voir un taillis d'hortensia ambulant. Les chemisiers et les pulls en vente chez Anthropologie sont unis et discrets.

La nouvelle élite dans les lits de l'ancienne élite

La boulangerie de luxe, les cafés bohèmes et les magasins de meubles terre à terre pourraient passer pour des épiphénomènes. Mais ces établissements ne sont pas uniquement des changements de mode arbitraires — les ourlets étaient à la mode il y a dix ans, ils ne le seront probablement plus dans dix ans. Au contraire, le type de transformation qui s'est opéré à Wayne et dans les autres banlieues chic d'Amérique est le symptôme d'un profond bouleversement culturel. Les changements démographiques ont aussi touché Wayne. Les méritocrates de l'élite socioculturelle ont pris le pouvoir dans les anciennes banlieues de la Main Line, tout comme ils l'ont fait dans les universités de prestige et dans le carnet mondain du *New York Times*. Les domaines seigneuriaux se sont morcelés et les promoteurs proposent des maisons à 600 000 dollars aux professions libérales surdiplômées. Les avocats qui ont acheté des maisons victoriennes à cinq chambres dans les années 90 ont des attitudes différentes de ceux qui avaient acheté ces mêmes maisons au début des années 60. Et même les descendants des vieilles familles WASP se sont adaptés à ce nouveau mode de vie.

Brusquement, les rues de Wayne sont envahies par une cohorte de journalistes de la chaîne de télé PBS et de la radio NPR, de médecins qui visitent des vignobles, d'avocats qui écrivent des romans, de profs titularisés mordus du jardinage, d'agents immobiliers étrangement branchés littérature, de psychologues aux boucles d'oreilles qui pendouillent, et de nous autres, citoyens de l'ère de l'information. Ces personnages ont des aspirations différentes de ceux qui fréquentaient les vieux clubs privés et sirotaient des martinis dans leurs banlieues chic ; tout naturellement, ils veulent projeter leurs idéaux dans les choses qu'ils achètent et les images qu'ils véhiculent. Faire du shopping n'est pas forcément l'exercice le plus intellectuel sur terre, mais c'est l'un des plus révélateurs d'un point de vue culturel. En effet, l'un des résultats de cette nouvelle ère est que Karl Marx n'était pas très loin de la vérité. Il affirmait que les classes étaient caractérisées par leurs moyens de production. Mais la vérité, du moins dans l'ère de l'information, c'est que les classes peuvent très bien être caractérisées par leurs moyens de consommation.

Les origines historiques de la culture Bobo

L'histoire de l'élite socioculturelle ne commence réellement qu'au cours du premier tiers du XVIIIe siècle. Il est indispensable de revenir si loin en arrière car, si démographiquement, l'élite socioculturelle n'a explosé qu'au cours de ces dernières décennies, les valeurs qu'incarne cette classe sont l'apogée d'une bataille culturelle qui a commencé avec les premiers atermoiements de l'ère industrielle. Il est capital de se pencher sur la naissance du génie bourgeois pour saisir l'essence même de ce mode de vie. Enfin, il est important de revoir les premières rébellions bohèmes pour comprendre les principaux idéaux des bohèmes. Ce n'est qu'après nous être penchés sur ces deux mouvements culturels rivaux que nous pourrons comprendre comment les différentes lignées de bourgeois et les visions du monde des bohèmes ont fusionné grâce aux escouades de Bobos chipoteurs.

La toute première floraison des goûts bourgeois a eu lieu, du moins en Amérique, vers 1720. C'est à cette époque que bon nombre de riches Américains ont découvert la haute bourgeoisie. Après quelques décennies de lutte, de nombreux colons pouvaient se permettre d'adopter un style de vie bien plus aisé que les pionniers purs et durs. La société américaine s'était stabilisée et les marchands qui avaient réussi voulaient que leurs maisons reflètent leurs intérêts culturels et leurs goûts. Ils se mirent donc à construire de nouvelles maisons et à rénover les anciennes. Ils commencèrent par élever les plafonds de leur séjour et à recouvrir les poutres apparentes. Ils choisirent des lattes de plancher étroites et délicates au lieu des lattes solides et larges de l'époque pionnière. Ils ajoutèrent des corniches, des boiseries, des plâtres, des frontons aux murs pour créer une atmosphère de grâce et de raffinement. Ils déplacèrent la cuisine et les autres pièces utilitaires au fond de la maison, là où leurs visiteurs ne pouvaient pas les voir. Ils réduisirent la taille des ouvertures de cheminées dans les pièces de devant pour que ce qui était devenu une véritable fournaise se transforme en un espace chaleureux et agréable.

Et surtout, ils se mirent à construire des petits salons dans leurs maisons. Ce petit salon était une pièce à part, à l'écart des pièces fonctionnelles. Ils s'en servaient pour divertir leurs invités importants ou pour se livrer aux activités propres à la haute bourgeoisie, telles que la lecture, la tapisserie à l'aiguille ou la musique. Ces familles laissèrent leurs plus beaux meubles et leurs affaires les plus précieuses dans ces petits salons : chenets en cuivre, miroirs et horloges à dorures, petits tapis des plus somptueux, chaises à haut dossier, chaises en merisier aux pieds en forme de griffes. Elles engagèrent des tas d'artisans pour fabriquer de la porcelaine fine, des services à thé de premier choix, et autres babioles que les riches coloniaux exposaient dans ces salons. L'idée était de créer un environnement sublime où l'on pouvait cultiver des sensibilités fines et des intérêts plus nobles. C'était aussi un lieu où l'on pouvait faire admirer ses manières de la grande bourgeoisie. « Les gens des petits salons prétendaient vivre au-dessus de la populace vulgaire et grossière pour se surpasser dans leur essence intérieure » a écrit Richard Bushman, historien de Columbia, dans *The Refinement of America,* étude magnifique de ce bouleversement culturel.

Bushman ajoute que la plus grande partie de l'Amérique était simple et sans raffinement. « Seuls quelques lieux privilégiés se prêtaient à la société des gens raffinés qui savaient comment se comporter avec la grâce et l'aisance de la haute bourgeoisie. » La nouvelle moyenne bourgeoisie construisait une hiérarchie sociale qui lui permettrait de se distinguer des masses vulgaires. Dans les petits salons, on faisait l'éloge des femmes qui avaient des mains et des pieds fins et qui se posaient sur les tapis avec la grâce d'un papillon. Au XVIIIe siècle, les hommes étaient censés porter des gilets bien ajustés qui limitaient leurs mouvements : il fallait qu'ils se tiennent bien. Et tandis que le reste de la société devait se contenter de planches en bois en guise de tables de salle à manger et de tabourets épais en guise de sièges, l'esthétique de ces petits salons faisait grand cas des bonnes manières et de la douceur. Edmund Burke exprima plus tard les grands principes de cette esthétique : « Je ne me souviens pas avoir vu

quelque chose de beau qui n'est pas doux... Pren
un bel objet avec une surface rugueuse et cassée e
même s'il est bien formé à bien d'autres égards, il ne vous plaira plus. »

Les élites américaines ont beau avoir été inspirées par les styles et mœurs européens, elles n'étaient pas des aristocraties européennes. Comme leurs homologues de la moyenne bourgeoisie outre-Atlantique, c'étaient des marchands, pas des seigneurs. Lorsque des livres de convenances raffinées furent adoptés par les classes marchandes, certaines comédies aristocratiques disparurent et des mœurs saines firent leur apparition. Et petit à petit, l'éthique sociale de la classe marchande trouva son expression dans les œuvres de Benjamin Franklin.

Franklin glorifiait l'ambition saine. Il supposait que le but principal dans la vie était de vous améliorer et par là même, d'améliorer votre place dans la société. Franklin glorifiait un ensemble de vertus typiquement bourgeoises : frugalité, honnêteté, ordre, modération, prudence, zèle, persévérance, tempérance, chasteté, propreté, tranquillité, ponctualité, et humilité. Ce ne sont pas des vertus héroïques. Elles n'enflamment pas l'imagination et n'éveillent pas les passions comme l'amour de l'honneur aristocratique. Ce ne sont pas des vertus particulièrement spirituelles. Mais elles sont pratiques et démocratiques. Quiconque ayant l'attitude moraliste qu'il faut envers le travail peut les adopter. Franklin observe : « Et le bonheur, la vertu ou la grandeur ? »

Le génie social de Franklin ne glorifie pas les acrobaties intellectuelles. « L'habilité provient de la volonté de pouvoir. » Il n'adhère pas aux longues périodes d'introspection ou de contemplation métaphysique. « J'approuve, pour ma part, que l'on se divertisse de temps en temps avec la poésie, pour améliorer son langage mais c'est tout » écrit-il. Et les affirmations religieuses de Franklin associent le transcendant au quotidien. « Dieu aide ceux qui s'aident eux-mêmes » prêche-t-il, édulcorant le concept puritain d'après lequel toute personne a deux vocations connexes, une dans ce monde et l'autre dans le prochain. Il est impossible d'imaginer Franklin renoncer à la réussite matérielle et se retirer dans un monastère pour contempler l'éternel. Au contraire, il a réussi à placer l'ambition matérielle dans une structure morale basse mais solide. Soyez honnête. Travaillez dur. Soyez franc. Concentrez-vous sur des intérêts immédiats et concrets plutôt que sur des visions abstraites et utopiques. Et il établit le ton, le franc-parler de la sagesse américaine. « Ne remettez pas au lendemain ce que vous pouvez faire le jour-même » fut l'une de ses déclarations célèbres qui, comme bien d'autres, est devenue un truisme.

Et alors que Franklin était personnellement bien plus flamboyant que n'importe qui, ses œuvres reproduisaient les valeurs bourgeoises de la société des petits salons. C'était une classe composée de personnes qui croyaient en la culture et aux progrès personnels, du moins, tant qu'ils étaient utiles d'un point de vue social ou commercial. Ils optèrent pour des styles classiques et purs, pas pour des styles baroques et voyants. Leurs mœurs étaient respectables, pas décadentes ni tarabiscotées. Ils étaient intelligents mais pas excessivement intellectuels. Leurs vêtements étaient bien coupés mais ils favorisaient plutôt les teintes unies. Ils croyaient en la notion de gain mais aussi dans le fait d'utiliser leur richesse pour progresser personnellement et non pour jouir de leur propre confort. Ils savouraient le raffinement mais repoussaient la grandeur et l'extravagance. Ils voulaient paraître plus distingués que la classe ouvrière mais pas aussi flamboyants que les aristocrates européens amoraux et dépensiers. Ce n'est pas par hasard si on les appelait les bourgeois. Ils appréciaient la modération et la prudence mais détestaient tout ce qui était excessif.

La révolte des bohèmes

Un demi-siècle après la mort de Franklin en 1790, les écrivains, les artistes, les intellectuels et les radicaux étaient en rébellion ouverte contre la domination croissante de la bourgeoisie et les goûts bourgeois. Les rebelles se rassemblèrent à Paris, ville conquise par Franklin quelques décennies plus tôt. Dans un monde dominé par les marchands, les artistes n'avaient plus de mécènes aristocratiques à flatter — ce qui était une forme d'émancipation — mais ils devaient se débrouiller tout seuls sur le marché, ce qui engendrait ses propres traumatismes. Pour réussir, ces artistes et écrivains devaient faire appel à un public déshumanisé et beaucoup de ces créatifs se mirent à détester cette dépendance qu'ils avaient envers leurs patrons bourgeois désincarnés, qui ne rendaient jamais assez hommage à leur génie. Et alors que ces artistes et ces écrivains se détachaient de plus en plus du reste de la société, ils construisirent des images héroïques de leur propre influence.

Le texte de César Graña, *Bohemian versus Bourgeois,* écrit en 1964, est l'un des livres qui illustre le plus merveilleusement la révolte des artistes vis-à-vis des marchands. Selon Graña, la majorité des intellectuels et des écrivains ressentait l'aversion peinée de la bourgeoisie en 1830. Flaubert, le plus virulent, signait certaines de ses lettres par « Bourgeoisophobus » et se répandait en injures contre ses « stupides épiciers ». Il conclut en disant que « la haine de la bourgeoisie était le commencement de toute vertu ». Stendhal traita Benjamin Franklin, « l'artisan de Philadelphie », de pieux casse-pieds. Alfred de Musset s'attaqua violemment aux institutions sacrées des petits salons : « Au Diable la Famille et la Société ! Au Diable la Maison et la Ville ! Au Diable la Patrie ! »

Mais pourquoi les bourgeois répugnaient-ils autant les hommes de lettres français ? En un mot, à cause de leur matérialisme. Pour les bourgeois, la réussite se résumait à argent et productivité. Les artistes, quant à eux, admiraient la créativité, l'imagination, l'esprit. Les intellectuels trouvaient donc les bourgeois grossiers et pathétiques. Ils fustigeaient les bourgeois pour être ennuyeux, tristes, peu imaginatifs, conformistes. Et le plus accablant de tout cela, c'est que les bourgeois n'étaient pas héroïques. Les anciens aristocrates auraient au moins aspiré à une certaine grandeur. Les paysans appréciaient la sainteté du Christ. Mais ces bourgeois-là n'avaient aucune idée de ce qu'était la transcendance. Ils étaient prosaïques et médiocres. Il n'y avait rien qui puisse susciter l'imagination, rien de plus noble que leur utilité, leur ponctualité, leurs problèmes de salle des comptables, leur labeur quotidien, leurs machines, leur philistinisme. Pour Stendhal, les bourgeois étaient méticuleux quand il s'agissait de faire avancer leurs petits projets. Ils lui donnaient aussi bien « envie de pleurer que de vomir ». Pour Flaubert, les bourgeois étaient travailleurs et avares. Zola ajouta plus tard que la bourgeoisie française était bien trop commerçante et qu'elle vivait bien trop grassement.

Et le plus exaspérant de tout cela, c'est que ce sont justement les limitations des bourgeois qui ont contribué à leur immense réussite matérielle. Ce fut l'efficacité mesquine des marchands qui leur permit de construire des entreprises à succès et d'accumuler des richesses. Ce fut leur calcul glacial qui leur permit de réussir financièrement. Ce furent leurs connaissances sommaires en mécanique qui leur permirent de fabriquer des machines, de construire des usines et de remplacer ainsi artistes et artisans. Ce fut leur intérêt pour l'argent qui leur permit d'accéder au pouvoir et à leur statut. Aujourd'hui, nous ne sommes pas étonnés si, parfois, ceux qui ont passé leur vie à commercialiser des chaussures ou du savon amassent des fortunes, vivent dans de grandes maisons et ont tous les honneurs dans des dîners. Mais, en 1830, tout cela était relativement nouveau et choquant. Ce fut le caractère ennuyeux de la bourgeoisie qui la conduisit au pouvoir.

Les intellectuels décidèrent de ne pas cautionner cela et mirent en place leur propre univers parallèle qui, s'il est faible d'un point de vue économique, serait toujours puissant dans le domaine de l'esprit et de l'imagination. Comme l'observe Graña, ils considéraient qu'il valait mieux être un paria majestueux qu'un minable plein d'argent. Et *la vie bohème** est née. À proprement parler, la vie bohème est la seule manifestation sociale de l'esprit romantique. Mais au nom de la clarté et parce que le mot romantisme est utilisé à tout va, j'utilise dans ce livre le mot bohème principalement pour faire référence tant à l'esprit qu'aux mœurs qu'il produit.

Les intellectuels français établirent des modes de vie qui nous sont aujourd'hui familiers à tous. Les âmes sensibles se réunirent dans des quartiers urbains fort décriés et créèrent des mouvements et communautés artistiques. Et là, les poètes et les peintres avaient une position sociale plus élevée qu'un banquier ou qu'un président. Et s'ils ne pouvaient empêcher l'expansion du pouvoir de la bourgeoisie, les artistes pouvaient au moins les choquer. Après avoir fini son roman sur Carthage, *Salammbô,* Flaubert prédit : « Il va : 1) ennuyer les bourgeois... 2) énerver et choquer les personnes sensibles, 3) mettre en colère les archéologues, 4) être incompréhensible aux femmes, 5) me valoir une réputation de pédéraste et de cannibale. Espérons-le ! » Et ainsi naquit l'un des cris de guerre qui fut la marque de fabrique de la querelle bourgeois/bohèmes : *épater les bourgeois !**

Les bohèmes se sont laissé pousser les cheveux et la barbe. Ils ont adopté des tenues extravagantes grâce auxquelles on pouvait facilement les identifier — gilets rouges et grandes capes espagnoles. Ils ont

* Les termes succédés d'un astérisque (*) signifieront « en français dans le texte ».

glorifié la culture de la jeunesse et se sont lancés dans toutes sortes de provocations, et de farces. Le peintre Émile Pelletier se baladait avec son animal de compagnie : un chacal. Le poète Gérard de Nerval promenait un homard en laisse dans les jardins des Tuileries. « Il n'aboie pas et connaît les secrets des profondeurs. » Ils ont cultivé une fascination caustique pour le macabre et le morbide. Ils ont écrit souvent sur le suicide et se sont suicidés parfois. Ils ont embrassé la nouveauté et ont applaudi quelquefois l'expérimentation, surtout pour montrer leur mépris envers les classes bourgeoises conservatrices.

Les bohèmes s'identifiaient à ceux qu'ils considéraient comme les victimes de l'ordre bourgeois : les pauvres, les criminels, les parias rejetés pour des raisons ethniques. Ils admiraient les cultures exotiques qui ne semblaient pas touchées par les mœurs bourgeoises. De nombreux Parisiens idéalisaient l'Espagne qui avait toujours l'air médiévale. Flaubert s'émerveillait devant le mode de vie primitif qu'il trouva en Bretagne. Ils idéalisaient ceux qu'ils prenaient pour de nobles sauvages, mettant d'étranges objets africains dans leur chambre. Ils admiraient les sociétés lointaines, comme la Chine, qui leur semblaient spirituellement pures. Ils élevaient le sexe à une forme d'art — en fait, ils considéraient chaque aspect de la vie comme une forme d'art — et méprisaient la pruderie de la bourgeoisie. Plus vous lisez de choses sur les bohèmes parisiens, plus vous réalisez qu'ils pensaient à tout. Au cours du siècle et demi suivant, les rebelles, les intellectuels et les hippies ne pouvaient pas faire grand-chose à part répéter les premières rébellions.

Inutile de dire qu'en réalité le conflit entre les bourgeois et les bohèmes n'a jamais été aussi polarisé que l'ont indiqué les polémiques. Les bourgeois étaient bien plus cultivés que l'ont reconnu Flaubert et ses confrères. Les Allemands étaient assez sophistiqués pour faire la distinction entre le bourgeois propriétaire — Besitzburgertum — et le bourgeois cultivé — Bildungsburgertum — et les rebelles n'ont jamais été aussi antimatérialistes qu'ils le prétendaient. Pourtant, les catégories mentales entraînées dans cette guerre des cultures dominaient la façon de penser des gens. Les bourgeois attachaient beaucoup d'importance au matérialisme, à l'ordre, à la régularité, à la coutume, à la pensée rationnelle, à l'autodiscipline, et à la productivité. Les bohèmes glorifiaient la créativité, la rébellion, la nouveauté, la libre expression, l'antimatérialisme et l'expérience vivante. Les bourgeois pensaient qu'il existait un ordre naturel des choses. Ils adhéraient aux règles et aux traditions. Les bohèmes pensaient que l'univers n'avait pas de cohérence structurée. On ne pouvait comprendre la réalité que par fragments, illusions et indices. Voilà pourquoi ils adoraient la rébellion et l'innovation.

Le royaume des bourgeois était celui des affaires et du marché. L'art était le royaume des bohèmes. Les bourgeois préféraient les modes de pensée numériques et mécanistes. Les bohèmes préféraient les modes de pensée intuitifs et organiques. Les bourgeois aimaient les organisations. Les bohèmes accordaient de la valeur à l'autonomie et considéraient les bourgeois comme des animaux grégaires conformistes. Les bourgeois adoraient les machines, les bohèmes préféraient l'humanisme intime de l'artisanat préindustriel. En matière de mœurs et de consommation, les bourgeois admiraient le sang-froid et le raffinement. Les bohèmes — à l'exception des Dandies qui firent leur apparition au cours du XIXe siècle — admiraient l'authenticité et le naturel. Les bourgeois vouaient un culte à la réussite, les bohèmes construisaient un ensemble de symboles de statut social autour de l'antiréussite. La bourgeoisie cherchait des améliorations tangibles. Le grand objectif des bohèmes était le développement du soi. Graña le résume ainsi : « La littérature romantique a glorifié des passions fortes, des émotions uniques et des actes exceptionnels. Elle a méprisé la normalité, la prévoyance, tout ce qui est coutumier, les objectifs réalisables — tout ce dont la bourgeoisie était un exemple quotidien. »

Les transcendantalistes

Le conflit parisien qui sévissait entre la rive droite et la rive gauche allait arriver en Amérique. Mais les beaux jours de la bohème de Greenwich Village — si tant est que l'on puisse imaginer des artistes excentriques promener un homard en laisse dans un parc — sont à au moins soixante années-lumière. Au milieu du XIXe siècle, les artistes et intellectuels américains qui critiquaient l'industrialisme bourgeois n'avaient ni l'humour farceur ni l'amoralité rebelle qui caractérisaient leurs homologues européens. Les antimatérialistes américains n'ont pas cherché à construire une contre-culture de rebelles urbains. Ils ont cherché leur alternative à l'économie industrielle dans la nature, dans la vie simple. Leur esthétique était plus naturaliste qu'artistique.

Richard Hofstadter a défini le transcendantalisme comme « l'évangélisme des intellectuels » car les transcendantalistes ont toujours eu une énorme influence sur les élites socioculturelles. C'était principalement des penseurs, des écrivains et des réformateurs de la Nouvelle-Angleterre, comme Ralph Waldo Emerson, Henry David Thoreau, Bronson Alcott et Margaret Fuller. On les appelle ainsi car leur objectif était de transcender le matérialisme et le rationalisme pour pénétrer dans la spiritualité intérieure qui est au cœur de chacun. Ils adhéraient à la conviction exprimée par William Channing, selon laquelle « il y a quelque chose de mieux au sein de chaque individu que dans une création matérielle, que dans tous les mondes qui font appel à la vue et à l'odorat, et les améliorations intérieures ont une valeur et une dignité en elles-mêmes ».

L'étape suivante de cette philosophie consiste à

conclure que la vie était bien trop précieuse pour la consacrer à l'argent et aux choses ; les devoirs matériels ne doivent être considérés que comme un simple échelon vers l'exploration spirituelle. Les transcendantalistes ne rejetent pas totalement le monde. Emerson a adopté une « éthique progressive » d'après laquelle nous n'avons, pour commencer, que des besoins matériels et sommes censés « monter et monter ». Dans *The Young American,* il écrit : « Le commerce existe aussi mais juste provisoirement ; il doit faire place à quelque chose de plus grand et de meilleur, dont les signes apparaissent déjà dans le ciel. » Thoreau croyait en un mode de vie « simple et sage » car « je voulais vivre intensément, sucer toute la moelle de la vie, vivre si vigoureusement, comme un Spartiate, pour mettre en déroute tout ce qui n'était pas la vie ».

Les transcendantalistes vivaient dans une culture bourgeoise intoxiquée par les possibilités offertes par la technologie et par les « améliorations » — pour reprendre l'expression populaire de l'époque — qui accompagneraient le progrès. Locomotive à vapeur, chemin de fer, usine, management scientifique — toutes ces choses éliminaient la distance, facilitaient le commerce et généraient la richesse. L'homme était sur le point de conquérir la nature, de sauver cette vaste immensité désertique grâce à la notion de productivité. Dans son livre de 1964, *The Machine in the Garden,* Leo Marx évoque cette citation d'un journaliste de 1840, George Ripley, qui pour lui est l'exemple même de ce qu'il appelle le sublime technologique :

« L'ère au cours de laquelle nous assistons à la mise en place d'une voie ferrée entre l'Atlantique et le Pacifique, grande unité matérielle des nations, verra aussi apparaître une organisation sociale aux résultats moraux et spirituels, dont le caractère sublime et salutaire éclipsera même la gloire de ces réalisations colossales consistant à envoyer des messagers du feu aux sommets des montagnes et à relier les océans les uns aux autres par des chemins de fer et de granit. »

Même Emerson fut d'abord gagné par cet enthousiasme. Mais, avec le temps, les transcendantalistes arrivèrent à cette conclusion : si la technologie peut apporter des gains matériels, elle risque aussi de menacer la nature et la connexion spirituelle de l'homme à la nature.

« Ce sont les choses qui tiennent les rênes. Qui dirigent l'être humain », se plaignit Emerson. « Nous ne prenons pas le chemin de fer, c'est lui qui nous prend », rétorqua Thoreau. Les machines, la richesse et l'argent, croyaient-ils, intercédaient entre les gens et les expériences vraiment importantes. Les transcendantalistes en conclurent que leurs concitoyens américains travaillaient trop dur et trop servilement. Ils savaient mesurer et calculer mais ne prenaient le temps ni de sentir ni de ressentir. Leurs voisins bourgeois se préoccupaient bien trop de leur niveau de vie mais pas assez de leur raison de vivre.

Les transcendantalistes vécurent leurs expériences les plus profondes et les plus fortes dans les bois. Thoreau s'installa rapidement à Walden Pond où il vécut une « vie en lisière » entre la civilisation de la vie urbaine à l'Est et le primitivisme de la frontière à l'Ouest. « La terre, écrit Emerson, est le remède indispensable contre tout ce qui, dans notre culture, est faux et invraisemblable. Le continent où nous vivons doit guérir et nourrir tant notre esprit que notre corps. La terre, avec ses influences assainissantes et tranquillisantes, doit réparer les erreurs d'une éducation traditionnelle et scolaire et nous mettre simplement en relation avec les hommes et les choses. » Défendant une opinion qui est l'antithèse de la culture bourgeoise de la société des petits salons, Thoreau ajoute : « La vie est liée à l'aspect sauvage. Plus vous êtes sauvage, plus vous êtes vivant. » Une civilisation qui met des barrières entre l'homme et la nature ne peut conduire qu'à l'aliénation et au malheur.

Les transcendantalistes ont eu une immense influence car les fioritures rhétoriques des technologues du XIXe siècle nous semblent aujourd'hui absurdes alors que les pensées des excentriques des bois nous touchent. Ils ont laissé une empreinte permanente sur la culture américaine. C'est en partie grâce à leur influence que la bohème en Amérique est en général plus naturaliste, plus dévouée à la vie simple, moins nihiliste que la bohème en Europe.

La guerre des cultures

La guerre des cultures entre les bohèmes et les bourgeois a fait rage tout au long de l'ère industrielle. Elle a pris différentes formes avec le temps et se déroule sur différents champs de batailles, mais les thèmes principaux restèrent les mêmes. En Amérique, il y a toujours une tendance bourgeoise, matérialiste, rationaliste et technologique. Elle aspire à des goûts raffinés et à des mœurs bourgeoises. Et il y a toujours une tendance bohème, artistique, antirationaliste, spirituelle. Elle admire les meubles authentiques, les styles aventureux et les mœurs naturalistes.

Au cours de l'Âge doré, par exemple, un gamin bourgeois devait avoir lu des contes moraux pour les enfants obsédés par la réussite, ou les romans de Horatio Alger aux noms éloquents : *Strive and Succeed, Luck and Pluck, Slow and Sure* et *Fame and Fortune.* Ces livres reprenaient les conseils de Benjamin Franklin qu'ils mettaient au goût du jour : travaillez dur, soyez appliqués, saisissez les opportunités, soyez honnêtes mais pas trop intellectuels, soyez aimables avec les autres, l'économie protège du besoin. Un tel enfant, s'il réussit, sera élevé pour vivre dans un château probablement sur la colline qui domine la ville, ou dans l'une de ces nouvelles banlieues qui fleurissent brusquement un peu partout. Là-bas, il se penchera probablement sur les essais d'Andrew Carnegie pour apprendre comment dépenser, donner et recevoir.

Mais en même temps, des écrivains comme John Muir rejettent la théorie antinaturaliste du capitalisme bourgeois qui ne se soucie ni de la nature ni de sa protection. Des fabricants de meubles, comme Gustav Stickley, voulaient créer des modes de vie confortables et beaux mais rejetaient le matérialisme vulgaire du courant dominant. Stickley fut influencé par le mouvement Arts and Crafts, dirigé en Angleterre par John Ruskin et William Morris qui glorifiaient des vertus simples incarnées par les communautés artisanales pré-industrielles.

C'est le magazine de Stickley, *Craftsman,* qui véhiculait leurs idées. « Nous devons mettre de l'ordre dans nos normes, écrit Stickley, et nous débarrasser des inepties que nous accumulons avec notre richesse et notre suprématie commerciale. Non pas que nous soyons trop énergiques mais nous employons mal notre énergie, précisément quand nous gâchons et abusons de bon nombre de nos merveilleuses ressources naturelles. » Les intérieurs et les meubles qu'a conçus Stickley ne sont donc pas des minipalaces pour la bourgeoisie en herbe. Il encourage un style de vie simple et naturaliste. Il offre une échappatoire à la « machine de la tyrannie commerciale » où l'on peut trouver un équilibre dans une vie spirituelle. Stickley souhaite que les styles « Arts and Crafts » et « Mission » soient une alternative artisanale aux styles grandioses des princes marchands. Mais, la bourgeoisie étant la bourgeoisie, les marchands vont coopter rapidement ses produits. Les Astor et les Rockefeller vont engager Stickley pour meubler leurs maisons de campagne. Henry Ford décora son appartement de Manhattan avec les meubles de Mission.

En 1920, les élans bourgeois et bohèmes prirent différentes formes. D'un côté, il y avait les présidents bourgeois classiques, comme Harding, Coolidge et Hoover. Les banlieues chic vont connaître une expansion massive ; des manoirs sont apparus les uns après les autres dans des endroits comme la Main Line, autour de Philadelphie, et Westchester County, à côté de New York. La petite bourgeoisie va se développer et installer des petits salons dans leurs petits bungalows à Chicago, Los Angeles — alors que la moyenne bourgeoisie va appeler ses petits salons « living-rooms ». Mais leurs maisons étaient tellement petites qu'ils n'avaient pas l'espace suffisant et ne risquaient pas d'utiliser ces pièces. Néanmoins, les petits salons vont prendre leur place et incarner le symbole de la bourgeoisie nouvelle. Et des millions de bourgeois en herbe se mirent à acheter des livres comme celui de Bruce Barton, *The Man Nobody Knows*. Barton y affirme qu'il fallait voir Jésus comme un grand homme d'affaires ou un networker à succès. « Un rabat-joie ? C'était l'invité le plus populaire d'un dîner à Jérusalem ! » s'exclame Barton. « Un raté ? Il a choisi douze hommes dans les échelons inférieurs du monde des affaires et les a fait entrer dans une organisation qui a conquis le monde ! » En 1926, *The Man Nobody Knows* est un best-seller.

Les hommes de lettres vont attaquer violemment les valeurs bourgeoises et une alternative bohème va se développer à Greenwich Village. Au cours de cette période, des écrivains, comme Sinclair Lewis, Thorstein Veblen, John O'Hara, John Dos Passos, Ernest Hemingway et Gertrude Stein rejettent les valeurs bourgeoises, partent vers Paris ou Moscou, s'engagent dans des politiques radicales. Malcolm Cowley, habitué de Greenwich Village, écrivain et journaliste, récapitule les priorités des bohèmes américains au début des années 20 dans son livre de 1934, *Exile's Return*. Pour lui, les bohèmes défendaient des idées telles que : « Le salut par l'enfant » — chacun d'entre nous est né avec des potentialités particulières, lentement écrasées par la société. « La libre expression » — l'objectif de la vie est d'exprimer l'individualité intégrale du soi profond de chacun.

« Le paganisme » — le corps est un temple, il n'y a rien de sale dans la nudité et le sexe. « Vivre le moment présent », « la liberté » — toute loi ou convention devrait être détruite. « L'égalité des femmes », « l'adaptation psychologique » — les gens sont malheureux car ils sont étouffés ou inadaptés ; « la mobilité » — on ne peut trouver la vérité que si l'on se dirige vers un endroit nouveau et vital.

Puis arrivent les années 50 et avec elles, l'apogée apparente de l'ère bourgeoise mais aussi sa fragilisation. C'était l'époque du président Eisenhower, de L'Homme de l'organisation, des clubs de la Junior League et de la culture télévisuelle Leave It to Beaver. Des escouades de bohèmes rebelles prirent la route en fumant du hasch. Comme leurs prédécesseurs bohèmes, les beats glorifient la spontanéité et la sensation. Ils adorent choquer la bourgeoisie. Ils rejettent l'argent et le confort, au nom de la libération et de la liberté. Et ils méprisent ce qu'Allen Ginsberg appelait le « Moloch dont l'esprit est pure machinerie ».

Certains écrivains et intellectuels virent dans le style des beats les premières lueurs d'une révolution sociale. Dans son livre publié en 1960, *Growing Up Absurd,* Paul Goodman s'extasie devant les beats : « Leur principale revendication, c'est le "système" avec lequel ils refusent de coopérer. Ils expliquent que de "bons" métiers ne sont que des tromperies et des attrape-nigauds, qu'il est intolérable que notre style de vie soit dicté par un chef, que l'homme est fou de travailler pour payer en plusieurs fois un réfrigérateur qui ne sert même pas à sa femme. » Goodman attaque surtout « l'organisation », ce système où s'imbriquent bureaucraties et structures qui, pour Goodman et les beats, ne sert qu'à étouffer toute forme de créativité et d'autonomie. La société avait besoin d'être perturbée et désorganisée. Mais Goodman a été assez intelligent pour se rendre compte qu'il y avait autre chose chez les beats. Ils avaient beau être dissidents, rejeter la richesse et tout à l'avenant, en fait, les beats vivaient très bien. C'était leur esprit de plaisir qui les rendait si séduisants. Dans un passage qui anticipe brillamment le consumérisme Bobo d'aujourd'hui, Goodman observe : « La culture beat n'est pas uniquement une réaction à la bourgeoisie ou à un système organisé. Elle est naturelle. En fusionnant avec les économiquement faibles, les beats n'ont pas fait que réussir petitement. Leurs maisons sont souvent bien plus confortables que celles des bourgeois, ils mangent mieux, ils réussissent. Certaines de leurs habitudes — être désorganisés, négligés, vivre en communauté, être libérés sexuellement et ne pas se soucier de sa réputation — vont à l'encontre de la nature de la bourgeoisie, mais ils sont motivés par le bon sens et non par la haine. Ce sont probablement des moyens naturels que bien des gens adopteraient s'ils comprenaient leur petit jeu. » La bohème est un style de vie que la plupart des gens choisiraient si elle voulait comprendre son petit jeu. Si vous aviez eu ces idées dans les années 60 et si vous l'aviez appliqué à vos décisions d'investissements, vous seriez milliardaire aujourd'hui.

Dans les années 60, la culture bohème s'est transformée en un mouvement de masse, parfait pour les couvertures des magazines *Life* et *Look*. On connaît si bien les attaques hippies contre le style de vie bourgeois que ce n'est pas la peine que je les récapitule ici. Mais brièvement, et en laissant de côté la campagne pour les droits civils, le Vietnam, voici quelques indications sur la contre-culture qui se prépare. Dans le théâtre, Abbie Hoffman lance des dollars sur les opérateurs de la Bourse de New York. Les Diggers, un groupe d'artistes de San Francisco, déclarent « La Mort de l'Argent, la Naissance de la Liberté ». Dans le domaine de la littérature, Norman Mailer explore la notion de branché. Dans son recueil d'essais, *Publicités pour moi-même,* Mailer fait, dans le style d'un magazine de luxe, la liste de ce qui était branché et de ce qui était conventionnel. Et sa liste correspond à la scission traditionnelle entre les bourgeois et les bohèmes. La nuit, écrit-il, est branchée alors que le jour est conventionnel. Les escrocs sont branchés, la police est conventionnelle. Le corps est branché, l'esprit est conventionnel. Les questions sont branchées, les réponses sont conventionnelles. L'induction, la pensée intuitive sont branchées, la déduction, la pensée rationnelle sont conventionnelles.

Théodore Roszak, chroniqueur de la révolte des années 60, a résumé la critique hippie des bourgeois dans *Vers une contre-culture.* « La bourgeoisie est obsédée par l'avidité. Sa vie sexuelle est insipide et prude. Ses modèles familiaux se sont dépréciés. Ses désirs serviles de conformité en matière d'habillement et d'apparence impeccable se dégradent. Sa façon de transformer la vie en une routine mercenaire est intolérable. » Les bourgeois flottent sur une vague de richesse, les leaders étudiants rejettent le matérialisme. Les bourgeois admirent la politesse, l'élégance et le décorum ; les leaders étudiants sont vulgaires. Les bourgeois sont soignés ; les leaders étudiants sont négligés. Les bourgeois ont les cheveux courts ; les leaders étudiants ont les cheveux longs. Les bourgeois sont technologiques ; les leaders étudiants sont naturels. Les bourgeois ne pensent qu'à leur carrière ; les leaders étudiants ne pensent qu'à l'expérience. Les bourgeois prétendent être chastes ; les leaders étudiants prétendent avoir des mœurs légères. Les bourgeois pratiquent la consommation ostentatoire, les leaders étudiants pratiquent la non-consommation ostentatoire. Les bourgeois glorifient le travail ; les leaders étudiants glorifient le plaisir. Les bourgeois mangent de la viande et des aliments traités ; les leaders étudiants mangent du soja et autres produits biologiques. En 1960, des millions de personnes pensent que vous pouvez monter dans l'estime de vos pairs si vous diminuez votre style de vie et de vêtements. La contre-culture romantique, de plus en plus forte, éclipse en fait la culture bourgeoise dominante. Plus d'un siècle après que Flaubert et ses amis parisiens aient pour la première fois brandi l'étendard « Épater les bourgeois », le mouvement bohème s'était agrandi d'une petite clique en une foule immense. Il semble, pendant un temps, que les idées des bohèmes allaient pouvoir déloger ce qu'il restait du génie social bourgeois de Benjamin Franklin.

La contre-attaque bourgeoise

Puis, dans les années 70 et 80, il se passa quelque chose de drôle. Le génie social bourgeois se met à riposter. Au cours du siècle précédent, la bataille entre les bourgeois et les bohèmes était à sens unique. Les bohèmes lançaient des attaques bien précises mais la bourgeoisie se contentait de suivre les conseils du mol oreiller de la raison : vivre bien est la meilleure des revanches. Ils continuaient tout simplement à vivre leur vie, à moitié conscients de l'attaque de la contre-culture. Ils pouvaient se moquer des radicaux et des intellectuels mais ils ne critiquaient pas ouvertement les bohèmes. Après les années 60 et 70, les bourgeois n'ont plus d'autre choix que de se rendre compte de l'existence des bohèmes. La contre-culture était partout. Le personnel était politique. La bourgeoisie se devait de répondre.

Les néoconservateurs ont formulé cette réponse. Il s'agit d'écrivains et d'universitaires, comme Irving Kristol, James Q. Wilson, Gertrude Himmelfarb, Norman Podhortez et Midge Decter qui, du moins dans les années 70, avaient encore tendance à accepter les concepts du New Deal et de la Great Society. Le néoconservatisme débute sous la forme d'un mouvement dominé par des scientifiques sociaux. Le journal *Public Interest* est créé en 1965 par Irving Kristol et Daniel Bell pour publier des analyses sereines et technocratiques des mesures publiques.

On suppose que les grandes guerres idéologiques sont terminées et qu'à présent les conflits de principe seront réglés grâce à la science sociale et à un examen minutieux de la réalité. Daniel Patrick Moynihan écrit un essai dans le premier numéro intitulé *La professionnalisation de la réforme,* manifeste pour le règne de la classe intellectuelle. « Les hommes apprennent à faire marcher une économie industrielle... La capacité de prédire des événements, au lieu de les contrôler, s'est développée avec d'autant plus de force... » Mais comme de nombreux magazines à succès, *Public Interest* et l'autre publication néoconservatrice, *Commentary,* se retrouvent engagés dans un projet complètement différent de celui pour lequel ils ont été créés. Les néoconservateurs, principalement des gamins de la petite bourgeoisie, étaient consternés par les attitudes antibourgeoises des intellectuels de la contre-culture et des étudiants radicaux. Ils créent quelque chose de rare dans l'histoire de ce conflit : une défense ouverte de la bourgeoisie et une critique éloquente de la bohème.

Le premier argument néoconservateur commence par une série de concessions. Il reconnaît que le style de vie des bourgeois n'est pas héroïque et ne suscite aucune inspiration. « La société bourgeoise est la plus prosaïque de toutes les sociétés possibles et imaginables. C'est une société organisée pour la commodité et le confort des hommes ordinaires et des femmes ordinaires » écrit Irving Kristol dans son essai intitulé *La culture combattante des intellectuels.* La société bourgeoise vise à améliorer les conditions matérielles, elle ne consacre pas beaucoup d'énergie à la transcendance, aux vertus classiques, à la transfiguration spirituelle. Les sociétés bourgeoises engendrent des civilisations heureuses mais pas des civilisations grandes et immortelles. De plus, écrivit Kristol, un « gentil philistinisme » est inhérent à une société bourgeoise. Le grand art n'est pas vraiment respecté mais la culture populaire foisonne — et chaque film a un happy ending. Les sociétés bourgeoises sont en général des sociétés libres mais pas toujours des sociétés justes. Bien souvent, c'est la brute à l'esprit borné qui s'en tire avec le plus d'argent et de succès alors que le sage se morfond dans son coin sans récompense ni reconnaissance.

Les néoconservateurs affirment que la culture bourgeoise a réalisé un énorme exploit historique. Elle fournit un contexte moral efficace au capitalisme. En mettant en avant des valeurs comme la prudence, la frugalité, la ponctualité, l'économie, la piété, les rapports de bon voisinage, la responsabilité et le zèle, elle réprime des passions avides qui, autrement, pouvaient créer une économie de marché barbare. Avec sa vénération pour des institutions comme la famille, la religion organisée, les mœurs, les bonnes manières et des clubs comme le Rotary ou les associations de parents d'élèves et de professeurs, la culture bourgeoise encourage des institutions qui empêchent une société libre de sombrer dans l'amoralité. De plus, ajoutent les néoconservateurs, ne sous-estimons pas l'importance du progrès matériel. Le talent qu'ont les bourgeois pour créer une richesse a rallongé la vie de milliards de personnes à travers le monde et leur a rendu la vie plus agréable. Un entrepreneur qui bricole n'a peut-être rien à voir avec la notion de grandeur, mais les progrès commerciaux produisent de véritables bénéfices. Le capitalisme bourgeois crée une mobilité sociale sans précédent.

Les néoconservateurs ajoutent que les bohèmes ont beau aspirer à une grande transcendance spirituelle, ils finissent souvent dans le nihilisme sybarite. Les néoconservateurs méprisent la rébellion perpétuelle de la contre-culture. Ils sont choqués par ce qu'ils appellent le nouveau snobisme de gauche, son mépris pour l'Amérique moyenne. Ils affirment que le rejet de l'autorité et de la coutume ne mène pas à une libération divine mais à un comportement autodestructeur. Les chercheurs romantiques rejettent la moralité conventionnelle mais leur anomisme va à l'encontre de toute moralité, de toute contrainte civile. L'égotisme prend le pouvoir. Très vite, les pères abandonnent leur famille et le caractère sacré de la famille bi-parentale est délégitimé. Les enfants élevés sans repères moraux clairs sombrent dans la criminalité et dans la drogue. La culture populaire se vulgarise. Les rôles sont redistribués et on ne demande pas aux victimes de la société d'endosser la responsabilité.

Les néoconservateurs, comme Gertrude Himmelfarb, font remarquer qu'entre 1860 et 1970 — pendant toutes les horreurs de l'ère industrielle — le taux de divorce est resté pratiquement stable en Amérique et en Angleterre. Mais dès 1970, quand la bohème devient un mouvement de masse et que la culture bourgeoise cède du terrain, le taux de divorce monte en flèche, tout comme la criminalité, la consommation de drogue, et autres pathologies sociales. Les néoconservateurs affirment que l'attaque des valeurs bourgeoises est un désastre social. Pour bon nombre d'entre eux, la tâche à accomplir est donc de rendre aux valeurs bourgeoises leur influence d'antan.

Le rêve de la réconciliation

Lorsque l'affrontement bourgeois/bohèmes est à son apogée, beaucoup rêvent de trouver un équilibre entre les deux camps. Dans un livre de 1975, *America's Coming-of-Age,* Van Wyck Brooks se plaint de la division sociale entre « la machinerie de l'instinct de conservation et le mystère de la vie ».

D'après Van Wyck Brooks, « Nous avons aux États-Unis deux types de public. Le public cultivé et le public des hommes d'affaires. Le public de la théorie et le public de la pratique. Le public qui lit Maeterlinck et le public qui amasse de l'argent. L'un est essentiellement féminin, l'autre essentiellement masculin. » Brooks cherchait le « juste milieu génial » entre ces deux mentalités. Il voulait « apporter l'idéal dans les choses », réconcilier l'être bien et le bien faire. Mais si bien des penseurs et des écrivains ont rêvé d'une réconciliation, ce n'est pas le cas du monde. À l'ère de l'information, le monde des idées et le monde des affaires fusionnent et la réconciliation tant attendue entre bourgeois et bohèmes s'opère.

Regardez ces quartiers habités par la moyenne bourgeoisie américaine, comme Wayne en Pennsylvanie. Wayne a sûrement sa part d'éléments bourgeois. C'est une banlieue. Riche. De toute évidence, les institutions bourgeoises traditionnelles, comme la famille et la religion font l'objet d'un profond respect. Mais les nouveaux résidents de Wayne ont aussi adopté le style bohème : cafés forts, produits bio, mœurs décontractées. Dans son livre de 1954, *The Tastemakers,* Russel Lynes pouvait bien écrire de Gustav Stickley : « Son nom et ses œuvres sont aujourd'hui pratiquement oubliés. » Vous ne pouvez pas faire cent cinquante mètres dans Wayne ou dans des villes similaires sans tomber sur un meuble inspiré par cet artisan antimatérialiste.

Voyez comment les nouveaux consommateurs de l'élite socioculturelle reprennent les anciens styles bourgeois des petits salons pour en faire tout le contraire. Nous, membres de la bourgeoisie cultivée d'aujourd'hui, menons la vie dure à tout ce que l'ancienne bourgeoisie avait essayé de faire fonctionner. Ils recouvraient les poutres du plafond. Nous les exposons. Ils recouvraient les grosses cheminées en pierre de plâtre et de peinture. Nous découvrons les cheminées en pierre et admirons leurs foyers rocheux massifs. Ils adoraient les lattes de plancher fragiles et minces. Nous les aimons larges et solides. Ils préféraient le marbre. Nous préférons l'ardoise. Ils remplissaient leurs maisons de copies de grand art. Nous aimons l'artisanat. Ils recouvraient leurs meubles de soie. Nous jetons de grossières couvertures colombiennes sur nos sofas, sur lesquels il reste peut-être quelques poils d'un âne mort il y a bien longtemps.

Plus généralement, ils aimaient une civilisation brillante et élégante. Nous aimons la spiritualité indigène. Ils aimaient les mœurs raffinées montrant la maîtrise de soi. Nous aimons les mœurs légères qui montrent l'honnêteté. Ils transformaient leurs réceptions en grands spectacles — les domestiques s'occupaient de la préparation dans les recoins sombres de la maison. Nous recevons nos invités à la cuisine où nous leur donnons des légumes à couper en petites tranches. L'ancienne bourgeoisie reposait sur une croyance selon laquelle la race humaine passe d'un barbarisme rudimentaire à un état de grâce civilisée. Aujourd'hui les riches se méfient du raffinement et des mœurs bourgeoises. La nouvelle élite méprise donc tous les mots qui, pour l'ancienne bourgeoisie, étaient les plus beaux des compliments : délicat, fin, respectable, convenable, opulent, luxueux, élégant, splendide, digne, somptueux, et prodigue. Au contraire, la nouvelle élite préfère un tout autre groupe de mots qui incarne un esprit et un tempérament différents : authentique, naturel, chaud, rustique, simple, honnête, biologique, confortable, artisanal, unique, raisonnable, sincère.

La classe Bobo a investi les repaires des bourgeois et leur a insufflé une sensibilité bohème, tout en l'édulcorant : ils ne corrompent donc pas les institutions bourgeoises. Aujourd'hui, des adeptes d'aérobic soucieux de leur santé peuvent très bien porter des T-shirts estampillés « Days of Rage ». On peut très bien accrocher les photos pseudo-transgressives de Robert Mapplethorpe dans les salles de bains réservées aux invités d'une maison de campagne, et les admirer en se détendant dans un gigantesque bain à remous. Aujourd'hui, il est quasiment impossible de diviser des villes suivant des critères de l'ancienne guerre des cultures. Si vous allez à Berkeley ou à Greenwich Village, les anciens fiefs bohèmes, vous trouverez des boutiques de meubles accueillant des ateliers en vitrine. Il y a des magasins de musique avec des tas de magazines alternatifs et des posters de yoga sur les panneaux d'affichage de la ville. Mais vous trouverez ce même genre de magasins à Wayne en Pennsylvanie ou à Winnetka dans l'Illinois et dans les autres centres de l'ancienne élite bourgeoise. L'élite socioculturelle a tout conquis et sa culture Bobo a envahi les régions riches du nord au sud. Aujourd'hui, la guerre des cultures est terminée, du moins dans le royaume des riches. Ce conflit qui perdurait depuis des siècles a pris fin. C'est la réconciliation.

Le code du financièrement correct

Le conflit fait place à une troisième culture. Et, tout doucement, apparaît un nouvel ensemble de règles et de codes qui remplacent les codes concurrents des bohèmes et des bourgeois. Ce nouvel ensemble de codes règlemente les schémas de consommation de l'élite socioculturelle, encouragent certains types de dépenses considérées comme vertueuses, et en découragent d'autres, vulgaires ou élitistes. Ils redéfinissent la notion de personne cultivée.

Prises dans leur ensemble, ces règles confirment nettement que l'ère Thorstein Veblen est terminée. Peut-être que vers Vegas, certains paysans riches pratiquent encore la consommation ostentatoire, achètent de grosses limousines, des hors-bord, des franchises de clubs de sport et accumulent des biens pour montrer leur valeur nette. Mais le Bobo rejette toute forme d'accumulation à laquelle il préfère la culture. Il doit montrer, dans sa façon de dépenser son argent, qu'il est consciencieux mais pas grossier. D'après le nouveau code du financièrement correct, les Bobos peuvent dépenser leur argent sans ressembler à ces vulgaires yuppies qu'ils méprisent. Cet ensemble de règles leur permet de transformer leur richesse en des expériences spirituellement et intellectuellement enrichissantes. Celui ou celle qui suit ces préceptes peut dépenser quatre à cinq millions de dollars par an sans pour autant avoir l'air d'attacher de l'importance aux choses matérielles.

Règle n° 1 : Seuls les parvenus se ruinent en produits de luxe. Les personnes cultivées ne se ruinent qu'en choses essentielles.

Aristote faisait déjà la distinction entre le nécessaire — tout ce qui est indispensable à notre survie, comme un toit, de la nourriture, des vêtements, etc. — et l'accessoire — les choses que nous désirons pour nous sentir supérieurs aux autres. L'élite Bobo s'est approprié cette distinction pour se singulariser des anciennes élites concurrentes. Les membres de l'élite socioculturelle n'hésitent pas à investir d'énormes sommes dans des objets qu'ils considèrent comme indispensables, mais pour eux, il est intolérable d'investir dans ce qui est accessoire. Par exemple, dépenser 25 000 dollars pour une salle de bains est quelque chose de vertueux mais 15 000 dollars pour une chaîne hi-fi et une télé grand écran est vulgaire. Il est décadent d'investir 10 000 dollars dans un jacuzzi en plein air mais si vous ne dépensez pas le double pour une gigantesque cabine de douche en ardoise, c'est que vous n'avez probablement pas appris à apprécier les petits plaisirs de la vie.

De même, dépenser des centaines de dollars pour des chaussures de randonnée dernier cri est tout à fait acceptable, mais il serait déplacé d'acheter les chaussures en cuir verni dernier cri qui vont avec votre tenue de soirée. Investir 4400 dollars dans un VTT Merlin XLM est tout à fait acceptable car il faut faire du sport, mais acheter un immense hors-bord tape-à-l'œil montrerait que vous êtes superficiel.

Seul quelqu'un de futile dépenserait des centaines de dollars pour du caviar, mais quelqu'un de terre à terre alignerait avec plaisir la même somme pour ce paillis dernier cri.

Vous pouvez dépenser autant d'argent que vous voulez dans la catégorie des outils, comme une Range Rover à 65 000 dollars avec une grande capacité de rangement, mais pas pour une Corvette d'époque à 60 000 dollars. (J'avais pensé à écrire un scénario intitulé *Rebelle sans Toyota* sur les traumatismes sociaux subis par un professeur d'histoire qui s'était acheté une Porsche.) L'expression « véhicule de sport utilitaire » témoigne de la notion qu'ont les Bobos d'une voiture. Il n'y a pas si longtemps que ça, sport était le contraire d'utilitaire. Soit vous jouiez, soit vous travailliez. Mais les grands athlètes de l'ère de l'information, qui font des trafics de concepts et d'images toute la journée, aiment consacrer leur temps libre à des activités physiques : faire venir au vent leurs mégayachts de croisière avec des gouvernails ultra-sophistiqués devient donc une sorte de sport.

Et quand il s'agit de pièces utilitaires comme la cuisine, tout est possible. Jusqu'à l'arrivée des Bobos, la cuisine était la pièce maudite de la maison. Calvert Vaux, architecte du XIXe siècle, était consterné par les gens qui mangeaient dans la cuisine. « Cette habitude est caractéristique d'une civilisation peu évoluée. » Dans son livre de 1972, *Instant Status or How To Become a Pillar of the Upper Middle Class,* Charles Merrill Smith écrit que : « Les femmes de la bourgeoisie ne vont jamais dans la cuisine... Les femmes de la moyenne bourgeoisie, par nécessité, vont dans la cuisine de temps en temps mais souhaitent faire croire qu'elles n'y vont pas. Une maison de la moyenne bourgeoisie digne de ce nom n'insiste plus sur la commodité domestique. » En même temps, mais à contre-courant du continuum culturel, Betty Friedan et ses camarades féministes implorent leurs consœurs de sortir de leurs cuisines.

Aujourd'hui, à l'ère de la réconciliation Bobo, tout le monde a regagné sa cuisine, sans concessions. Dans les maisons de l'élite socioculturelle, la cuisine est devenue le symbole du bonheur domestique suprême, comme l'étaient les cheminées chez les bourgeois.

Voilà pourquoi, lorsque vous entrez dans une maison chic récemment rénovée, et aux propriétaires gentils et bienveillants, vous avez de fortes chances d'y trouver une cuisine si grande qu'elle vous fait immédiatement penser à un hangar à avions doté de plomberie. Les murs de l'ancienne cuisine auront été détruits et la nouvelle cuisine aura englouti plusieurs pièces adjacentes, exactement comme l'ex-Union soviétique l'avait fait avec ses voisins. Difficile de savoir où s'arrête l'une des mégacuisines d'aujourd'hui. Vous pensez voir le mur d'une autre pièce qui brille au loin mais ne serait-ce pas un mirage qui se reflète sur l'interminable bar Corian ? Jetez un œil dans le garde-manger, il est plus grand que l'appartement où habitait le propriétaire lorsqu'il était étudiant.

Qui dit cuisines immenses, dit stratégie. Les architectes se vantent de l'ingéniosité dont ils ont fait preuve en concevant ces cuisines en « triangles de travail » pour réduire le nombre de pas entre la cuisinière, le lave-vaisselle et l'évier. Dans les anciennes cuisines, vous n'aviez pas besoin de triangles de travail car marcher n'y était pas une activité. Vous n'aviez qu'à vous retourner et tout était à portée de main. Les cuisines d'aujourd'hui ont des bars sur lesquels on déjeune, des tabourets, des téléviseurs intégrés, des bibliothèques, des espaces réservés à l'informatique et probablement des petits plans indiquant « Vous êtes ici », pour les invités qui se perdraient en voulant aller boire un verre.

Côté équipement, la cuisine des Bobos ressemble à une cour de récréation culinaire qui offre à ses propriétaires toute une série d'expériences dernier cri. La première chose que vous voyez, couvrant un mur entier sur des mètres et des mètres, est un objet qui ressemble à un réacteur nucléaire nickelé mais qui, en réalité, est une cuisinière. Pour les nouveaux fans du foyer, finis les brûleurs Bunsen. Les Bobos raffinés veulent un appareil de deux mètres de profondeur, à six brûleurs, fonctionnant avec deux sortes de fuel et qui fasse monter la chaleur comme un booster de vaisseau spatial à l'envers. Ils veulent des équipements sympa, un gril en lave émaillée, un brûleur wok intégré, des allume-gaz en cuivre — seuls les philistins en ont en aluminium — et des plaques chauffantes en métal d'un centimètre d'épaisseur. Ils veulent un four d'un mètre cube minimum, juste pour montrer qu'ils sont le genre de personne à pouvoir faire cuire un bison entier si nécessaire. Et le tout doit être recouvert de métal, avec tellement de nickel et de chrome que les magnets ne colleront pas. Voilà comment vous savez que vous avez acheté le type d'appareil utilitaire que mérite votre famille.

La partie réfrigération occupe le quart de la cuisine. Ce qui la caractérise, c'est que la congélation n'est jamais assez froide : cette machine devrait pouvoir atteindre des températures avoisinant le zéro absolu, température à laquelle l'énergie cinétique des molécules est nulle. Le réfrigérateur en lui-même devrait être aussi haut qu'une mini camionnette debout. Il devrait avoir deux portes minimum, une pour la congélation et l'autre pour la belle-famille, au cas où vous souhaiteriez louer des pièces à l'intérieur du réfrigérateur. En plus, il devrait être muni d'un système de distribution automatique d'eau (filtrée), de glace (en cubes, pilée ou en forme des lettres de l'alphabet pour aider les bambins à les reconnaître), voire de mini distributeurs d'infusion. Il devrait y avoir des bacs à fruits et à légumes ayant une contenance de quatre litres, des clayettes hyper-résistantes, des casiers en téflon pour conserver les aliments, des étagères à rebord amovibles multifonctions, et des étagères à bouteilles en verre inrayable. Les portes du réfrigérateur ne devraient pas être blanches comme celles des frigos ordinaires, mais en inox, texture type du machisme culinaire.

Une cuisine immense et des appareils électroménagers increvables prouvent que vous faites vous-même les tâches ménagères, partageant ainsi avec le commun des mortels la dure réalité de la vie quotidienne, exactement comme Gandhi ou Karl Marx l'auraient souhaité. Vous avez donc plus de pouvoir que les six nations de l'OTAN réunies. Et, lorsque vous enfournez ces bâtonnets de poisson, vous savez qu'ils bruniront uniformément et vous pouvez faire bouillir l'eau pour votre gratin de macaronis en huit secondes, si vous avez mis les plaques chauffantes à leur puissance maximale. Vous avez donc concentré votre pouvoir d'achat sur des choses importantes, sur les pièces que vous et votre famille utilisez chaque jour. Dépenser de l'argent pour en mettre plein la vue est quelque chose de mauvais. Mais si c'est pour meubler les pièces de la maison anciennement habitées par les domestiques, cela vise l'égalité absolue.

Règle n° 2 : il est tout à fait acceptable de se ruiner en produits de « qualité professionnelle » même s'ils n'ont rien à voir avec votre profession.

Peu d'entre nous sont des sherpas professionnels capables d'accompagner des groupes entiers en haut du mont Everest. Mais ce n'est pas pour autant qu'acheter une veste de randonnée à trois épaisseurs en Gore Tex Alpenglow, renforcée de fourrure de marmotte, serait déraisonnable. Ce n'est pas parce que vous ne possédez pas de magasin de bagel que vous devriez acheter un grille-pain électrique bas de gamme à 29 dollars, alors que vous pourriez choisir un immense grille-pain industriel multifonctions à 300 dollars qui fera encore dorer le pain de vos petits déjeuners au XXIIIe siècle. Ce n'est pas parce que vous n'êtes qu'un jardinier occasionnel que vous devez acheter une binette à 6 dollars alors que les magasins de jardinage de luxe vous proposent des modèles à 55 dollars. L'élite socioculturelle ne vous jugera jamais au prix de vos bijoux, elle vous juge au prix de votre matériel. Lorsque vous vous équipez, vous devez montrer que vous êtes suffisamment sérieux pour apprécier la durabilité et l'efficacité d'un produit. Suffisamment intelligent pour dépenser le plus d'argent possible.

Pour entretenir ce sentiment, les magasins chics mettent en pratique un ensemble de feintes astucieuses. Ils prétendent vendre du matériel pur et dur alors qu'ils ne vendent que des choses ennuyeuses et soft, comme des vêtements. REI, magasin en plein air, va promouvoir ses piolets, sachant pertinemment que, grâce à ça, vous vous sentirez vertueux en passant devant les piolets pour aller au rayon des pulls. Restoration Hardware fait la promo de sa quincaillerie mais fait son chiffre sur la vente des canapés et des chaises. La société Land's End vend toutes sortes de chaussettes : sur la couverture de son catalogue, une photo de randonneurs à l'assaut de l'Everest.

L'apparition d'un fossé entre les membres de l'élite socioculturelle, en mal d'aventure, et les objets qu'ils possèdent est l'une des conséquences de cette tendance. Ces biens ont été créés pour des activités bien plus dangereuses que celles qu'ils effectuent réellement. Les chaussures de randonnées conçues pour les Andes passent le plus clair de leur temps aux pieds d'un agriculteur. Les vêtements dernier cri doublés de mouton ne sont utilisés que pour traverser l'allée réfrigérée du supermarché — quoi de plus fatigant ? Les 4 × 4 ne subissent que la dure épreuve consistant à rouler sur une route cabossée et boueuse — quelle trahison ! Exactement comme à l'époque de l'hypocrisie bourgeoise où le vice rendait hommage à la vertu, aujourd'hui, chez les Bobos et leur équipement increvable, c'est le confort qui rend hommage à l'aventure.

Règle n° 3 : vous devez pratiquer le perfectionnisme des petites choses.

Vous faire construire une grande propriété avec un parc magnifiquement entretenu est quelque peu prétentieux. Mais personne ne peut vous accuser de vivre au-dessus de vos moyens si vous consacrez toute votre attention aux petits éléments ménagers, comme la bonne passoire pour les pâtes, le bouton de porte qui sortira de l'ordinaire, ou l'un de ces tire-bouchons si intelligemment conçus. Les Bobos pratiquent ce que le journaliste Richard Starr appelle le perfectionnisme des petites choses. Ils recouvrent leur huche à pain de terra-cotta, petite chose, certes, mais qui améliore la respiration. Ils passent des heures à rechercher un revêtement d'évier, consacrant leurs puissantes facultés à trouver le modèle qui les protègera tout en étant discret. Ils passent des soirées entières à devenir des pros de l'isolation. Ils feuillettent des catalogues de quincaillerie pour trouver le robinet KWC fabriqué en Suisse que l'on pourrait prendre pour le meilleur pulvérisateur rétractable au monde. Derrière tous ces efforts se cache une idée : montrer que vous avez une telle intelligence en réserve que vous pouvez vous montrer plein d'égards même envers votre écoulement d'eau.

Les facultés intellectuelles autrefois utilisées pour les examens de dernière année en chimie organique et pour les dissertations métaphysiques trimestrielles sont maintenant prodiguées à l'installation des portes mécaniques de garages — mieux vaut prendre les portes à tambour. Les Bobos ne veulent pas d'objets tape-à-l'œil aux factures exorbitantes. On pourrait croire qu'ils essayent d'en mettre plein la vue. Ils veulent des gadgets rares qui n'ont pas encore été découverts par le plus grand nombre mais qui ont été intelligemment conçus pour vous faciliter la vie et la rendre plus originale. Pour montrer que vous êtes un maître de l'art de vivre, vous devez posséder un lave-vaisselle intégré surélevé pour ne pas avoir à vous pencher lorsque vous le videz. Pour montrer que vous prenez vos responsabilités par rapport à vos enfants, vous devez avoir un meuble de salle de bains avec des boîtes de médicaments en plastique sans danger pour les enfants et repérables d'un seul coup d'œil. Une personne d'une grande sensibilité gagnera bien du temps si elle ouvre une boîte de soupe avec un ouvre-boîte particulièrement ingénieux. Si les guirlandes de votre sapin de Noël datent de 1933 et donc alignent des ampoules légèrement plus grosses, vos invités chics apprécieront votre penchant pour ce style de fabrication soignée et démodée. Personne ne veut parler d'un collier de diamants après un dîner mais il n'y a rien de plus charmant que de commencer une conversation en évoquant les couverts à salade d'inspiration africaine de l'hôte. Plus une chose est petite, plus il est louable d'avoir mûrement réfléchi avant de l'acheter.

Règle n° 4 : vous n'aurez jamais trop de texture.

La douceur plaisait probablement à Edmund Burke. Et les yuppies avares qui réussissent dans les années 80 s'entourent sûrement de surfaces lisses — meubles noir mat, planchers cirés et laqués, murs en faux marbre brillant. Mais pour montrer qu'elles leur sont supérieures, les élites socioculturelles préfèrent construire des environnements pleins d'irrégularités naturelles. Pour les Bobos, rugosité signifie authenticité et vertu.

Les élites socioculturelles aiment donc la texture. Elles préfèrent les petits tapis rugueux tissés avec des herbes obscures à de la moquette brillante, des jouets en bois cabossés aux modèles en plastiques lisses, de la céramique épaisse et granitée à de la porcelaine fine et délicate, des fleurs sauvages crépues et originales à des tulipes satinées. Conformément à nos envies originelles, nous, membres de l'élite socioculturelle, apprécions les boutons de porte antiques qui ont vécu, les murs en pierre avec des lichens, les meubles provinciaux abîmés, les poutres dégrossies, les ardoises effritées par les intempéries, les tissus tibétains mal coupés et les intérieurs terre à terre. Les richissimes Bobos vont embaucher une escouade d'ouvriers pour donner des coups de marteaux dans leurs larges lattes de plancher, les détériorer et leur donner un aspect rustique. Ils vont faire venir des artisans de Ombrie pour créer des fresques en plâtre effrité dans leur vestibule. Ils veulent des fondations construites dans des pierres escarpées donnant l'impression de résister à une attaque à la catapulte.

N'importe quel négociant en devises peut choisir des vêtements aux motifs classiques mais il lui faudrait une très grande sensibilité pour concevoir une garde-robe avec des textures dépareillées. Les chemises des Bobos sont donc en flanelle, pas en soie. Nos cols sont mous et repliés, pas amidonnés ni métalliques. Nous assortissons à nos pantalons en lin une blouse marnée, un pull doublé de mouton, style art populaire salvadorien, une casquette de base-ball en chanvre, et comme ils viennent d'arriver sur le marché, des sous-vêtements en sisal. Lorsqu'un groupe de Bobos se réunit, les observateurs seront intimidés et respectueux devant cette subtile symphonie de tissus. Ils resteront bouche bée et se diront : « Waouh, qu'est-ce qu'ils sont bio ! Qu'est-ce qu'ils sont zen ! Je me demande s'ils savent où je peux trouver des fèves fraîches. »

Le principe de la texture s'applique aussi aux aliments. Tout ce que boit une personne de l'élite socioculturelle laissera un dépôt au fond du verre : levure de tisanes, jus de fruits non filtrés, cafés biologiques. Le pain des Bobos est épais et granuleux, comme l'aiment certains paysans aisés, pas fin ni léger, comme le préfèrent les banlieusards chics. Même nos condiments auront une texture admirablement grossière : le sucre brut, non raffiné est pour beaucoup le comble du raffinement.

Règle n° 5 : les élites socioculturelles sont censées faire moins bien que les autres.

Les membres de l'élite socioculturelle répugnent à l'idée de faire aussi bien que les voisins. Rien n'est plus déshonorant que rivaliser avec vos voisins en essayant d'imiter mieux qu'eux le style de la catégorie sociale juste au-dessus. Au contraire, en tant que membre de l'élite socioculturelle, vous rejetez les symboles d'une position sociale visant à améliorer la vôtre par rapport à des pairs aussi cultivés que vous. Vous devez être légèrement plus décontracté que votre voisin. Votre mobilier doit être légèrement plus rustique. Vos vies doivent avoir une plus grande patine de simplicité. Votre vaisselle ne devra pas être ornée de ces insignes royaux utilisés à Buckingham Palace. Elle sera blanche et basique. Vos chaussures ne devront pas être des escarpins super-chics : ce seront des mocassins simples mais chers de chez Prada. L'ostentation est une disgrâce mais tout ce qui est simple est le signe d'une honnêteté réparatrice. Vous devez apprendre à vous trouver en reste avec les voisins.

L'élite socioculturelle fut la première à réintroduire cette forme de renversement de statut en 1960, lorsqu'un génie anonyme a découvert que vous pouviez vendre des jeans usés plus cher que des jeans neufs. Brusquement, une catégorie de consommateurs a voulu rejeter le culte de la nouveauté qui était jusqu'ici le modèle même du consumérisme. Ce penchant pour le faux archaïque a maintenant envahi le marché chic. De nouveaux magasins de meubles branchés vendent donc des malles de paquebot toutes neuves mais tachées pour avoir l'air anciennes, ornées d'étiquettes déchirées. Dans ce nouveau monde, des ouvriers détériorent les objets qu'ils viennent de fabriquer afin de plaire au consommateur américain et nous n'avons aucun mal à deviner ce qu'ils pensent de nous. Mais pour nous, le résultat final est on ne peut plus clair. Si nos meubles sont abîmés, notre conscience ne l'est pas forcément.

Dans les années 50 et 60, le grand monde voulait avoir l'air impitoyablement moderne. En 1958, une publicité pour les meubles de la marque Invincible assenait le slogan suivant : « Tables modernettes, mode modulable, chaises modernisantes ». Aujourd'hui, ces styles sont à la mode, précisément parce qu'ils sont archaïques. Mais le moderne est démodé. Les restaurants éclaboussent leurs sols de peinture et donnent des coups de marteau à leurs tables pour véhiculer un sentiment de « vécu ». Les ventes des bonnes vieilles tondeuses à gazon manuelles augmentent de 20 à 30 % par an, approvisionnant les professionnels rétro-chics qui pourraient sans problème s'offrir des tondeuses à moteur. Entre-temps, les adeptes du patin à roulettes envoient aux oubliettes les modèles de roller à roues alignées.

Ce renversement de statut fait aussi appel à une diminution de statut. Il ne suffit pas d'acheter du vieux. Il faut en plus descendre dans l'échelle sociale et acheter des objets qui ont appartenu, à l'époque, à des personnes beaucoup plus pauvres que vous. L'objectif est de vous entourer de produits non représentatifs d'une position sociale élevée car ils appartenaient autrefois à des gens tellement simples et vertueux qu'ils ne se rendaient pas compte combien ils étaient à la mode. Voilà pourquoi plus les Bobos s'enrichissent, plus ils vivent comme des Shakers [1]. Si vous allez chez un Bobo, vous trouverez probablement des consoles stéréo et des tables de travail d'inspiration Shaker. Les meubles de rangement des Bobos viendront de magasins de caractères typographiques. Les portes des toilettes seront

1. Nom donné à la Société unie des croyants dans la seconde venue du Christ, apparue en Grande-Bretagne vers 1750. Ces communautés mettaient leurs biens en commun, pratiquaient l'ascétisme et étaient réputées pour leurs meubles simples et bien conçus.

rescapées d'une vieille usine de saucisses. Les barrières protectrices pour bébés dans l'escalier seront fabriquées à partir de clapiers à lapins du XIXe siècle. Du vieux matériel agricole sera accroché aux murs et fera office d'objet décoratif. Sur les tables seront disposés des objets d'art d'épicerie, comme des boîtes de baume, des boîtes à gâteaux en fer blanc, des ustensiles de cuisine et des pots à épices cabossés. Bouleversant les hiérarchies de l'ancien régime, nous voulons faire croire que nous dépensons moins que nous le faisons en réalité.

Nous attachons beaucoup d'importance aux vieilles choses dont les vertus sont devenues éternelles de par leur obsolescence : outils de menuiserie du siècle dernier, équipement pour la pêche à la baleine, barattes à beurre, vieilles machines à écrire, lampes à gaz et moulins à café manuels. Des corbeilles de bateau-phare en rotin, au fond en chêne, se vendent aujourd'hui entre 1000 et 118 000 dollars. Nous pouvons apprécier la sagesse innée du marin illettré et les objets qu'il a créés. Il considérait ses objets comme des outils ; nous les apprécions en tant qu'œuvres d'art.

La cooptation des cultures opprimées est un autre élément de cette pratique qui consiste à faire moins bien que les autres. L'ancienne élite a beau avoir copié le style des aristocrates européens ou des maîtres coloniaux, les Bobos préfèrent les victimes coloniales. Si vous visitez une maison super-sophistiquée, vous trouverez un curieux mélange d'objets fabriqués qui n'ont rien en commun, à part les représailles qu'ont subies leurs créateurs. Un masque africain se trouvera à côté d'une statue inca sur un tapis de table en tissus samoan, brésilien, marocain ou tibétain. Même certaines cultures européennes, comme les Celtes, peuvent se flatter de faire moins bien que les autres — ils ont été tellement écrasés qu'une personne cultivée peut ressentir une sensation de bienveillance rien qu'en savourant la beauté de leur iconographie. Parfois, l'élite socioculturelle décorera sa maison avec les objets religieux d'une culture opprimée : personnages d'Amazonie, totems amérindiens, dieux égyptiens, coquillages animistes ou statuettes shinto. Une personne cultivée peut tout à fait mettre chez elle des objets sacrés tant que ceux-ci proviennent d'une religion que ni l'hôte ni ses invités n'ont des chances de pratiquer.

Nous, membres de l'élite socioculturelle, nous entourons de thèmes de vie que nous avons choisi de ne pas vivre. Nous sommes des méritocrates débordés mais nous choisissons des objets qui nous inondent d'une sérénité pré-méritocrate. Nous avançons dans le futur avec nos Palm Pilots et nos téléphones portables mais nous nous entourons d'objets de base, réactionnaires et archaïques. Nous reconnaissons nos privilèges non sans culpabilité mais nous nous entourons d'objets fabriqués provenant des moins privilégiés. Non pas que nous soyons hypocrites. Nous cherchons tout simplement un équilibre. Nous sommes riches mais essayons de ne pas devenir matérialistes. Nous sommes débordés mais essayons de ne pas perdre de vue l'essentiel éternel. Nous achetons donc frénétiquement tout l'attirail représentant la sérénité. Nous rêvons de nous construire un chez-nous où nous pourrions enfin être calmes et détendus, endroit où nous pourrions nous réfugier sans que nous suive notre ambition.

Dans cet esprit, nous réintroduisons même parfois les vieux styles WASP dans notre éclectisme. Les WASP ont été peut-être racistes et élitistes. Ils ont été peut-être cet establishment que nous les Bobos avons détruit. Mais, au moins, ils n'ont pas été dévorés par l'ambition. Et lorsque nous regardons ces visages calmes et magnifiques des publicités de Ralph Lauren, nous ne pouvons nous empêcher de penser qu'ils ont quelque chose que nous recherchons. Et donc, mélangés à notre décor multiculturel, il peut y avoir un ou deux objets sortis tout droit du New York Yacht Club, une chaise en cuir usé ou peut-être un bureau en bois sombre. L'Establishment WASP est mort, mais, comble de l'ironie, l'Establishment protestant s'est métamorphosé en l'une de ces cultures disparues, détruites par la marche du progrès et de la technologie.

Règle n° 6 : les élites socioculturelles sont censées se ruiner pour des choses qui ne sont pas chères.

Parmi les efforts que nous faisons pour nous libérer des corruptions de l'argent, nous, élite socioculturelle, passons un temps fou à nous distancer de l'élite cossue, de ceux qui sont bien plus riches que nous mais bien moins cultivés. Ces nantis investissent dans de gros articles de luxe, des yachts et des bijoux notamment. Ils achètent des produits que les classes inférieures ne pourraient jamais s'offrir, comme du foie gras, du caviar et des truffes. Mais nous, élites socioculturelles, achetons des produits que ces nantis ne s'achèteraient jamais. Nous préférons acheter les mêmes articles que le prolétariat; simplement, nous achetons des versions rarissimes de ces articles que la classe ouvrière trouverait grotesques. Nous achèterons des cuisses de poulet, comme tout le monde, mais de préférence de poulets fermiers, qui ont été chouchoutés tout au long de leur vie, encore plus qu'Elizabeth Taylor dans une cure de rajeunissement. Nous achèterons des pommes de terre mais pas des patates de l'Idaho. Nous choisirons l'une des ces pommes de terre miniatures de luxe qui poussent uniquement dans certaines régions du nord de la France. Lorsque nous voulons de la laitue, nous ne choisirons que parmi ces fines laitues de connaisseurs qui ont un si mauvais goût dans les sandwiches. La beauté d'une telle stratégie, c'est qu'elle nous permet d'être à la fois égalitaires et prétentieux.

Et naturellement, nous nous retrouvons à payer de plus en plus cher toutes ces choses qui à la base étaient bon marché : 3,75 dollars la tasse de café, 5 dollars la bouteille d'eau, des pipes à haschisch à 59 dollars chez Smith & Hawken, un morceau de savon à 12 dollars, un biscuit italien à 1,5 dollar, un paquet de nouilles de luxe à 9,95 dollars, une bouteille de jus de fruits à 1,75 dollar et du lemon-grass à quelques dollars la tige. Même nos T-shirts blancs peuvent coûter 50 dollars, voire plus. Nous dépensons notre argent pour des biens agricoles, version chic. Nous pouvons cultiver des goûts bien meilleurs pour des choses bien plus simples.

Règle n° 7 : les membres de l'élite socioculturelle préfèrent les magasins qui leur offrent un choix de produits encore plus vaste que dans leurs rêves mais qui ne s'attardent pas sur des choses aussi vulgaires que les prix.

Les membres de l'élite socioculturelle se distinguent non seulement par ce qu'ils achètent mais aussi par leur façon d'acheter. En général, on remarque que quasiment personne dans un café chic ne commande une simple tasse de café. Au contraire, l'un d'entre nous commandera un double express ou un café mi-décaféiné avec du moka et du lait. Un autre commandera un frappuccino à l'amaretto, à base de café angolais, avec du sucre brut et une pointe de cannelle. Nous ne commanderons pas une bière toute simple. Nous en choisirons une parmi les seize mille brassages différents, les bières d'hiver, les bières blondes belges et les mélanges de blés. Grâce à l'influence que nous avons sur le marché, toutes les choses qui autrefois n'arrivaient qu'en quelques variétés sont aujourd'hui disponibles en au moins douze sortes différentes : riz, lait, tomates, champignons, sauces épicées, pains, haricots, et même le thé glacé.

Les membres de l'élite socioculturelle refusent de n'être que des pions sur l'échiquier de la société de consommation de masse. Les autres peuvent acheter des produits faits à la machine, vivre dans des pavillons identiques dans des lotissements de banlieue ou encore acheter de vulgaires répliques de manoirs encore plus vulgaires ou bien manger des pommes ordinaires. Mais les membres de l'élite socioculturelle souhaitent qu'on reconnaisse leur originalité quand ils font du shopping. Nous ne plagions pas nos achats. Pour nous, faire du shopping ne consiste pas seulement à choisir quelques articles dans des magasins. Au contraire, c'est en sélectionnant les bons saladiers à pâtes — solides, pas trop fins ; discrets, pas trop beaux ; siennois, pas en céramique — qu'une personne cultivée peut développer son propre goût. Dans le royaume des Bobos, vous devenez curateur de vos biens. Vous pouvez choisir des bougeoirs et des cadres de photos éclectiques et subversifs, une collection de statuettes et d'horloges, au premier abord osées et spontanées mais qui reflètent aussi une élégante harmonie de pensées. Vous pouvez repousser les limites des conversations au coin du feu, en testant de nouveaux chenets ou du bois à brûler. Chaque objet que vous montrez devra être perçu comme une rare trouvaille. Vous les aurez trouvés dans l'un de ces nouveaux magasins qui ressemblent à des marchés aux puces. Des milliers de clients moins cultivés seront déjà passés devant mais n'auront pas eu la présence d'esprit de s'arrêter et d'apprécier leurs émanations ironiques. Mais là, sur votre cheminée, repose l'hommage durable à votre bon goût et à votre légère excentricité. Si T.S. Eliot était encore vivant aujourd'hui, il ouvrirait une chaîne de magasins d'ameublement appelée « Objective Correlatives » et chaque objet serait l'expression physique d'un sentiment métaphysique.

Il ne suffit pas non plus de faire des achats, il faut aussi pouvoir en parler. C'est pourquoi, par exemple, le catalogue du Land's End ne se contente pas de montrer une jolie veste en tweed. Des petits morceaux de texte entourent cette veste et décrivent les origines celtiques du tweed, racontent une légende intéressante du XIVe siècle sur le tweed, expliquent pourquoi la meilleure laine d'agneau est tondue pendant les six premiers mois de vie d'un agneau et ajoutent que cette veste a été confectionnée par d'adorables vieillards aux visages émaciés. L'équipe du Land's End agrémente sa pub d'articles édifiants d'écrivains, comme Garrison Keillor nous apprenant que le document que nous avons en main n'est pas qu'un simple catalogue mais ressemble à l'un de ces magazines pour intellectuels fauchés. Ainsi et par le biais de bien d'autres techniques, les entreprises qui nous vendent leurs produits ont mis au point des stratégies marketing bien étudiées pour ceux qui méprisent le marketing. Ils réussissent à faire ressembler nos courses aux cours réservés aux meilleurs étudiants du Bennington College. Nous ne cherchons pas seulement un dentifrice. Nous suivons un cursus en dentifricologie. Nous apprenons tout sur les différentes options : blanchissement des dents — nous culpabilisons de ne pas y arriver — protection de la gencive — la coupable — au bicarbonate de soude — ça semble biologique et vertueux mais c'est sûrement un peu dur pour l'émail. Nous étudions ensuite les noms des marques, méditant sur celles des grandes sociétés, comme Crest et Colgate et sur les marques charmantes et modestes, comme Tom's of Maine, qui nous semblent conçues par des personnes tellement gentilles et modestes. Et ce n'est que lorsque nous sommes fatigués et paresseux au magasin de l'aéroport que nous décidons de choisir le dentifrice qui a la plus jolie boîte.

Les sociétés qui font appel aux consommateurs de l'élite socioculturelle ne nous informent pas uniquement sur leurs produits mais nous fournissent aussi tout un contexte philosophique. Les cafés comme le Starbucks décorent de textes les moulures de leurs murs, une maxime pertinente d'Emerson ou une remarque ironique de Napoléon. Des épiceries distribuent des brochures qui évoquent leur sens de la communauté. Les entreprises de crème glacée possèdent à présent leurs propres doctrines de politique étrangère. Ces magasins nous choquent s'ils insistent trop sur l'utilitarisme — par exemple, sur l'affaire fantastique que nous sommes en train de faire — mais ils gagnent notre fidélité s'ils font appel à nos espoirs idéalistes. Volvo lance comme pub : « Une voiture qui ne sauve pas que votre vie. Une voiture qui sauve aussi votre âme. » Toyota contre-attaque avec ce slogan pour ses camions : « Transportez du concret. Roulez léger. Sauvez le monde. » Johnnie Walker Scotch annonce quant à lui : « Dans un monde grossier et malhonnête, quelque chose qui ne l'est pas. » Le magasin ABS Carpet & Home à New York a repris le dicton de John Keats : « Je ne suis sûr de rien, à part de la sainteté de la tendresse du cœur et de la vérité de l'imagination. » Je ne sais pas ce que ça veut dire, mais ça m'a l'air très recherché.

La société Rowenta ne se contente pas d'essayer de nous persuader que repasser supprime les plis. Elle diffuse des petits catalogues appelés « Le Feng-Shui du repassage ». « En Feng-Shui — nous informe cette brochure — un pli est une “tension” du tissu. Relâcher cette tension en supprimant ce pli permet d'améliorer le flux de ch'i. » Le catalogue éclairé de Williams-Sonoma n'essaie pas de nous fourguer des saucisses moralement neutres. Le catalogue nous informe que la saucisse dont il fait la pub provient des secrets de fumaison que les Indiens d'Amérique ont appris aux premiers colons européens de Virginie — la mention Indiens d'Amérique fait gagner à ce produit six points sur-le-champ. « Les saucisses sont faites avec du pur porc et des épices naturelles selon des recettes familiales transmises de génération en génération. » Cela n'a rien à voir avec *La Jungle* d'Upton Sinclair[1], c'est une noble lignée

1. *La Jungle,* roman de l'écrivain américain Upton Sinclair, dénonce les conditions de vie déplorables des ouvriers dans les abattoirs de Chicago et a abouti à la promulgation de lois sur l'hygiène alimentaire.

d'artisans fabricants de saucisses et nous, membres de l'élite socioculturelle, acceptons de payer 29,50 dollars pour 24 petites saucisses afin de perpétuer cet héritage. Le shopping, comme tout le reste, est devenu un moyen d'autodécouverte et de libre expression. « Le bonheur, écrivit le poète Wallace Stevens, est une acquisition. »

Ce ne sont pas nos propres intérêts égoïstes que nous voulons satisfaire lors de nos razzias de shopping. Nous souhaitons que nos choses matérielles soient des ponts vers la réalisation d'un changement social positif. Nous sélectionnons nos articles dans des catalogues proposant des modèles tout simples de vêtements flottants. C'est en choisissant la bonne chemise en fibre organique dans un ton parfait de brun terre — dont la production n'implique pas de tests sur les animaux — que nous utilisons notre pouvoir de consommation pour améliorer le monde de façon altruiste. Nous dînons dans des restaurants qui soutiennent des coopératives de chicorée et fréquentons les grands magasins sélectionnés par les militants pour les droits des tailles extrêmes (obèses, nains, géants, etc). Nous mettons nos cartes Visa au service de l'écologie, créant ainsi un consumérisme d'assainissement. Et nous les mettons de côté pour la même raison. Certains membres de l'élite socioculturelle peuvent classer leurs amis en fonction de la raison pour laquelle ils boycottent le thon.

Nous, membres de l'élite socioculturelle, attachons plus d'importance spirituelle à la pureté de notre nourriture qu'à cinq des Dix Commandements. Et nous tenons absolument à des ingrédients naturels fournis par des agriculteurs antipesticides qui pensent mondialement mais qui agissent localement.

Midas — ou le don de tout transformer en or — à l'envers.

Marx a écrit que les bourgeois prenaient tout ce qui était sacré et le profanaient. Les Bobos prennent tout ce qui est profane et le sanctifient. Nous prenons quelque chose de sale et matérialiste et le transformons en quelque chose de sublime. Nous prenons l'activité quintessencielle des bourgeois, le shopping, et la transformons en activité bohème quintessencielle : art, philosophie, action sociale. Les Bobos ont le don de Midas, celui de tout transformer en or, inversé. Tout ce que nous touchons se transforme en âme.

3

LE MONDE DES AFFAIRES

Je ralentis la circulation. Je marche dans la rue à Burlington, dans le Vermont, j'arrive à l'angle et je vois une voiture approcher. Alors je m'arrête. La voiture s'arrête. Entre-temps, je suis distrait par des hippies qui jouent au frisbee dans le parc et je reste là, à rêvasser pendant à peu près quinze ou vingt secondes. La voiture attend.

Dans une ville normale et dans une telle situation, les voitures roulent : si elles voient une opportunité, elles la saisissent. Mais nous sommes à Burlington, l'une des villes les plus socialement éclairées d'Amérique. Ici, les conducteurs sont conscients que l'Amérique dégénère en une culture où la voiture est une obsession et où la conduite menace de détruire le rythme naturel de la marche à pied et les face-à-face locaux d'une communauté où les machines au combustible fossile obstruent l'air et remplacent les sources d'énergie renouvelables des moyens de locomotion humains. Le conducteur sait que lui, au volant, est inférieur d'un point de vue éthique à un piéton comme moi. Et pour montrer ses idéaux civiques, il veut s'assurer que j'ai la priorité. Peu importe le temps que cela prendra.

Il finit par klaxonner poliment et me tire de ma rêverie. Je traverse tardivement la rue. Mais avant d'arriver à l'autre coin de rue, je suis de nouveau perdu dans mes pensées et je vois une autre voiture arriver. Elle s'arrête aussi. Et attend. Je dois subir ce rituel embarrassant une douzaine de fois avant de m'adapter finalement aux mœurs locales et de traverser les carrefours sans traîner. À Burlington, nous les piétons sommes des êtres humains.

Burlington est une Ville Latte.

Les Villes Latte sont des communautés libérales chic, situées dans des décors naturels magnifiques, souvent des villes universitaires devenues des centres de gestation de la nouvelle culture américaine. Elles tendent à devenir des havres de commerçants chics, de boulangeries de luxe, de magasins de meubles artisanaux, d'épiceries biologiques, et d'autres entreprises réjouissantes qui composent la culture du consommateur Bobo. Boulder, dans le Colorado, est une Ville Latte, tout comme Madison dans le Wisconsin, Northampton dans le Massachusetts, Missoula dans le Montana, Wilmington en Caroline du Nord et la moitié des villes du nord de la Californie, de l'Oregon et de l'État de Washington. Il y a en tout une centaine de Villes Latte en Amérique et même dans celles qui ne sont pas des Villes Latte, il y a des Quartiers Latte. Vous savez que vous êtes dans une Ville Latte lorsque vous pouvez passer directement d'une piste cyclable à une vieille librairie avec des rayons et des rayons de livres sur le marxisme dont le libraire ne peut plus se débarrasser, puis boire un café dans un endroit dont l'enseigne est un jeu de mots, avant d'aller flâner dans un magasin de tam-tam africains ou une boutique de lingerie féminine.

La Ville Latte idéale a un gouvernement de style suédois, des rues piétonnes de style allemand, des maisons victoriennes, des objets artisanaux d'Indiens d'Amérique, du café italien, des militants pour les Droits de l'homme de Berkeley et des salaires de Beverly Hills. Il y aurait quelques usines désaffectées qui pourraient être transformées en lofts, en entreprises informatiques et en usines de biscuits biologiques. Et dans l'absolu, une Ville Latte devrait donner sur les Rocheuses à l'ouest, sur des forêts de séquoias en ville, sur un lac de la Nouvelle-Angleterre le long du front de mer et sur une grande ville avec de très bons magazines alternatifs à quelques heures de voiture.

Pendant la majeure partie de ce siècle, des hommes de lettres ont dépeint ces petites villes comme des enclaves étouffantes mais, aujourd'hui, ces micro-villes sont considérées comme des oasis rafraîchissantes de la société de masse et comme les centres potentiels du militantisme local et communautaire. Si vous voulez descendre la rue piétonne de Burlington, commencez par Leunig's, le bistrot qui possède une gigantesque terrasse, où quelques hommes d'affaires locaux se retrouvent pour prendre leur petit déjeuner chaque matin, portant des Timberlands, pas de chaussettes, des chemises sans col et des jeans. Un cadre aux cheveux gris flottants discutera gentiment avec un autre qui porte une barbe à la Jerry Garcia [1], leurs téléphones portables rangés dans leurs porte-documents en toile noire. Le magasin de sandales Birkenstock du coin de la rue aura une affiche dans sa vitrine indiquant que ses produits font de très bons cadeaux professionnels.

Lorsque vous remontez la rue, vous voyez de jeunes parents pousser ces poussettes pour bébés tout terrain si pratiques en plein air. La chaîne de mode Ann Taylor a installé son magasin Burlington juste à côté du Peace And Justice Store, démontrant joliment que la haute-couture cohabite aujourd'hui sans problème avec l'éclectisme hippie des thrift-shops [2]. Tout au long de la rue piétonne cohabitent des magasins de bonbons, de muffins et de glaces. Il y a un tas de magasins aux noms espiègles. Allusions

1. Chanteur-guitariste et leader du groupe californien The Grateful Dead — hippie à ses débuts en 1960.
2. Petites boutiques d'objets ou de vêtements d'occasion gérées au profit d'œuvres charitables.

ironiques et jeux de mots intempestifs sont les ingrédients clés de la sensibilité d'une Ville Latte où personne n'a peur de montrer sa culture littéraire — l'université de Vermont surplombe Burlington, donnant d'un côté sur le centre-ville et de l'autre, sur le Lake Champlain. Naturellement, Burlington héberge plusieurs bonnes librairies. Vous ne pouvez pas vous procurer *The New Republic* ni tout autre magazine de ce genre, mais vous pouvez feuilleter le *Curve,* magazine lesbien qui porte magnifiquement bien son nom, ou un bon nombre de journaux français glamour, tout en écoutant avec un casque des disques de World Music ou de New Age, comme *Wolf Solitudes.* Cette librairie vend aussi des livres politiques mais le rayon « Actualité » a tendance à être bien caché au fond du magasin. Les rayons qui se trouvent à l'entrée de la boutique sont ceux qui sont censés engendrer le plus d'affaires : sexe, psychologie, cuisine, études ethniques — ce sont principalement des livres pour femmes — et le rayon mode de vie alternatif — qui, à 80 % concerne les homosexuels. Et en vérité, tout cela reflète parfaitement les priorités locales.

Burlington est très fière de son animation publique phénoménale. Elle organise des festivals de cerfs-volants, des festivals de yoga et des festivals d'alimentation. Mais aussi des réunions artistiques, des collaborations entre l'école et les entreprises, des groupes écologiques, des groupes pour la sauvegarde et la conservation des sites, une agriculture soutenue par la communauté, des groupes antidéveloppement, et d'autres groupes militants *ad hoc.* Le résultat est un mélange intéressant de sujets sociaux libéraux et d'efforts de sauvegarde démodés pour éviter de marcher sur les plates-bandes du modernisme et, surtout, du développement. Et ces animations publiques sont l'un des éléments qui attirent les gens vers les Villes Latte. Les habitants de ces villes préféreraient apparemment passer moins de temps dans la sphère privée de leur maison et de leur cour d'un demi-hectare et plus de temps dans les espaces communs.

Si les banlieues ultra-traditionalistes comme Wayne étaient les banlieues bourgeoises par excellence, les Villes Latte comme Burlington ou Berkeley sont les épicentres de la culture bohème. Elles étaient à l'époque opposées d'un point de vue culturel. Mais à Burlington, tout autant qu'à Wayne, tout cela a changé. Car ce qui est le plus frappant dans les Villes Latte, bien qu'elles soient les refuges de tout ce qui aujourd'hui porte le nom « alternatif » — musique alternative, médias alternatifs, modes de vie alternatifs — c'est qu'elles sont également de fantastiques centres d'affaires. Des villes comme Napa sont des centres viticoles. Santa Monica ou Soho ont un complexe culturel et industriel. Les villes universitaires ont tout, de la biotechnologie à la menuiserie, et Burlington est aussi un centre commercial en pleine expansion. Ben & Jerry's, la société la plus célèbre de la ville, ne fait même pas partie des vingt plus gros employeurs. Aujourd'hui, les gens aux mœurs Burlington ne sont manifestement pas gênés de travailler chez IBM qui y a une filiale, tout comme General Dynamic, General Electric, la Banque du Vermont et Blodgett Holdings. Et les affaires, c'est chic à Burlington. Quatre journaux locaux sont consacrés au monde des affaires.

The Couple's Business Guide, livre vendu dans les librairies de Burlington, raconte l'histoire de dix couples qui ont abandonné les métiers qu'ils exerçaient dans des villes comme New York et Boston, se sont installés dans le Vermont et se sont mis à fabriquer et à vendre des produits comme le Positively Peach Fruit Sauce, le Summer Glory Vinegar, et le Putney Pasta. Ces études commencent par décrire un couple très cultivé et désenchanté par leur mode de vie citadin et speed. Ils ont un rêve — faire le meilleur pain au jasmin du monde — et ils déménagent dans les Green Mountains où ils travaillent comme des fous pour parfaire leur recette. Ils découvrent ensuite combien c'est difficile de lancer leur produit sur le marché. Mais après cinq années de dur labeur et de tribulations, ils gagnent 5 millions de dollars par an et peuvent maintenant se reposer sous la véranda de leur cottage victorien refait à neuf avec leurs adorables enfants, Dylan et Joplin, et savourer les changements de saisons.

George McGovern a acheté un bed and breakfast en Nouvelle-Angleterre après avoir abandonné la politique. Peut-être était-il inévitable que l'homme au costume en flanelle gris fasse place à l'homme aux sabots usés par le temps. Ben & Jerry's, le géant de la crème glacée, représente la quintessence du capitalisme d'une Ville Latte et vous ne pouvez aller nulle part dans Burlington sans voir leurs deux visages qui vous regardent fixement, comme un couple de Big Brothers débraillés.

J'étais assis en terrasse au Leunig's, un jour, en train de déjeuner et de compter le nombre total de piercings qu'avait la serveuse sur les oreilles, le nez, les lèvres, et le nombril — dix-neuf, d'après moi — et j'essayais de lire *Walden ou la Vie dans les bois* de Thoreau — à Rome, il faut vivre comme les Romains... Mais j'étais sans cesse distrait par un hippie grisonnant, à la table à côté, qui dissertait sur la pratique du budget base zéro et les différences entre les actions ordinaires et les titres privilégiés. Queue de cheval grise et apparence décontractée impeccable, il donnait un cours, tel un professeur de la Harvard Business School, à une jeune émule de Woodstock aux petites lunettes cerclées de métal et en robe des champs. Elle prenait des notes sur un bloc ; ils digressaient par intermittences et parlaient d'une espèce de comptabilité ou de technique de management qu'ils adopteraient dans leur propre entreprise. Précisons que le hippie grisonnant maîtrisait parfaitement son sujet : sa description des marchés de capitaux était précise, claire et bien documentée.

Passant de Thoreau à cette conversation, je me

suis dit que Walden était en soi un livre d'affaires. Thoreau est constamment en train de pointer ses dépenses et quand il peut transformer sa frugalité en bénéfice, il n'hésite pas à se vanter de son exploit. Peut-être n'est-il donc pas surprenant que les rebelles des années 60 qui vivaient à l'époque dans des communes du nom de Walden découvrent, avec le temps, que le monde des affaires peut être transformé en un mode de vie spirituellement satisfaisant. Mais le philosophe de Walden Pond serait de toute évidence interloqué en voyant avec quelle avidité les hippies ont été séduits par le monde des affaires.

Le nabab moderne des Villes Latte se souvient que les affaires n'ont rien à voir avec l'argent mais avec le plaisir. La vie devrait être un hobby longue durée. Les affaires, qui auparavant étaient considérées comme destructrices de l'âme, peuvent s'avérer très enrichissantes si vous transformez votre profession en art, en utilisant des produits naturels comme les pommes, et en les transformant via des méthodes artisanales démodées en des produits sains, comme le cidre. Lorsque vous conditionnez votre produit, vous faites preuve d'un jugement hautement esthétique et employez un design artistique de technologie de pointe pour donner à vos produits un aspect cosmopolite. Si vous possédez un restaurant, une auberge ou un café, vous pouvez transformer votre entreprise en rendez-vous de la société civile, un lieu de réunion avec livres, magazines et jouets où les gens viendraient pour former une communauté. En ce sens, les affaires nourrissent la personne entière.

Et le monde entier. Parce qu'il est évident que le trait le plus caractéristique de ce capitalisme éclairé — inutile de le décrire dans le détail tant il est omniprésent — est la façon dont il associe les profits aux causes progressives. Vous pouvez sauver la forêt tropicale, atténuer le réchauffement de la planète, soutenir les Indiens d'Amérique, aider des exploitations agricoles familiales, faire régner la paix dans le monde et réduire l'inégalité des salaires, tout cela sans quitter les allées réfrigérées du supermarché. La recherche du profit détruisait inévitablement les valeurs, pensait-on. Mais aujourd'hui, de nombreuses entreprises ont compris que de bonnes valeurs engendraient de plus grands profits — tant que l'élite socioculturelle acceptera de payer un petit supplément au nom du progrès social. « Vos objectifs sociaux sont indissociables de votre entreprise » déclare Judith Wicks, fondateur du White Dog Café, café gauchiste de Philadelphie. Tout le monde se moque des excès du capitalisme — tous ces dentifrices aux germes de blé qui ne tuent pas les bactéries dans votre bouche, mais ne font que les prier de s'en aller —, mais l'élite socioculturelle continue à privilégier les entreprises qui partagent ses valeurs. Le marketing de libération a beau être parfois ridicule — il existe maintenant des sociétés de jardinage qui se consacrent à résoudre les crises de compost —, il ne fait pas tant de mal que ça et peut même faire du bien. De toute façon, ce n'est qu'un signe de plus démontrant combien le génie social militant a été absorbé par l'Amérique dominante depuis les années 60. Voire altéré, car si, à l'époque, on pensait qu'un tableau, un poème ou une manifestation pouvaient révolutionner la société, aujourd'hui, vous avez des gens qui, comme Phil Knight de Nike, prennent la parole... comme si une chaussure de sport pouvait parler.

« Le plaisir sensuel de manger de bons légumes du potager s'accompagne d'une satisfaction morale, celle de faire ce qu'il faut pour la planète et pour soi-même », a déclaré récemment au *New Yorker* Alice Waters, ancienne étudiante radicale, aujourd'hui restauratrice chic. Son point de vente à Paris n'est pas vraiment une entreprise. Au contraire, comme elle l'écrit dans un communiqué, « c'est une plate-forme, une exposition, une salle de classe, un conservatoire, un laboratoire et un jardin. En résumé, ça doit être une installation artistique sous la forme d'un restaurant exprimant la sensualité de la nourriture... Le restaurant doit être humain, reflétant l'esprit de la ferme, du terroir et du marché. Il doit exprimer l'humanité des artisans, des cuisiniers et des serveurs qui y travaillent ».

Les capitalistes de la contre-culture

En effet, l'une des ironies de l'époque, c'est que le monde des affaires est le domaine de la vie américaine où le langage du radicalisme des années 60 est toujours aussi puissant. Ce seraient même les nababs hippies de Burlington qui seraient les plus tranquilles. Si vous voulez trouver un endroit où le radicalisme de l'Ère du Verseau est à son apogée, il faut aller plus haut, grimper dans la hiérarchie des entreprises pour vous retrouver dans le royaume des sociétés cotées à la Bourse de New York. Trente ans après Woodstock et les rassemblements pacifiques, les gourous du management et les cadres supérieurs sont ceux qui parlent le plus durement de la destruction du statu quo et de l'effondrement de l'establishment. Ce sont les grands hommes d'affaires de la classe dominante qui maintenant hurlent à la révolution à pleins poumons, comme le milliardaire Abbie Hoffman. C'est Burger King qui lance à l'Amérique : « Parfois, vous devez briser les règles. » C'est Apple Computer qui vante « Les Fous. Les Marginaux. Les Rebelles. Les Fauteurs de trouble ». C'est Lucent Technologies qui s'est approprié le slogan « Born to be wild ». C'est Nike qui utilise l'écrivain beatnik William S. Burroughs et la chanson des Beatles *Revolution* pour représenter la marque. C'est le magazine *Wired* et ses publicitaires de la Silicon Valley qui utilisent les jeux de couleurs des affiches du groupe de rock psychédélique Jefferson Airplane en 1968.

Mais cette ambiance ne se retrouve pas uniquement dans les publicités des entreprises qui veulent apparaître branchées. Le langage du radicalisme et de la rébellion est tout aussi présent dans les magazines d'affaires ou dans les avions privés des chefs d'entreprise ou partout ailleurs où est établi le génie de la culture d'affaires américaine. Le vice-président senior de Home Depot conseille vivement à ses collègues : « Pensez révolution ! Pas évolution. » Des gourous du management comme Tom Peters lancent en plein délire devant des centaines de membres de l'élite d'affaires américaine : « Vive la destruction ! » Des entreprises d'informatique ont ouvert des bureaux aux Pays-Bas pour pouvoir recruter des employés souhaitant vivre dans un pays où ils peuvent profiter du laxisme des lois sur la marijuana. Bob Dylan et Crosby, Stills et Nash donnent maintenant des concerts lors de conférences privées chez Nomura Securities. Quasiment chaque société se définit maintenant comme un mouvement social ayant des objectifs apostats — faire tomber les grands rivaux — une mission hautement sociale — un ordinateur dans chaque foyer — une contre-culture révolutionnaire — Southern Airlines se dit « Symbole de la Liberté ». Dans le lexique des entreprises, classe dominante est le mot le plus injurieux ; chaque société américaine semble être une entreprise évangélique ébranlant l'establishment.

Ce qui s'est passé est relativement simple. Les Bobos ont envahi le monde des affaires et investi les anciennes salles de conférence de la bourgeoisie avec la structure intellectuelle de leur contre-culture. Ce n'est pas par hasard si la Bay Area, centre du Summer of Love, est aujourd'hui devenue le refuge d'un nombre exorbitant de commerces de l'élite socioculturelle comme Gap, Restoration Hardware et Williams-Sonoma. Des collets montés de Républicains qui n'ont jamais été hippies ont adopté le radicalisme des années 60 comme philosophie d'entreprise. Enfin, la culture hybride de Silicon Valley mélange la rébellion antiestablishment au laisser-faire républicain.

C'est surtout dans les secteurs d'affaires dominés par les élites de l'ère de l'information — haute technologie, médias, publicité, design, Hollywood — que les grands chefs d'entreprise ont adopté une idéologie officielle qui ne dépaysera ni les radicaux ni les bohèmes : changement perpétuel, liberté maximum, enthousiasme juvénile, expérience radicale, dédain des conventions et désir ardent de nouveauté. Et même, sortez des sentiers battus, dit le cliché actuel. Pensez haute technologie. Sortez des sentiers battus de la haute-technologie. « L'expérience est out. L'inexpérience est in » affirme le rédacteur en chef et fondateur du magazine d'affaires *New Wave Fast Company*. « Rien d'autre ne m'intéresse à part ce qu'il y a de plus jeune, de plus brillant et de très, très talentueux » déclare Bernard Arnault, président de LVMH, Moët-Hennessy Louis Vuitton.

Les capitalistes de la contre-culture vivent, ou du moins pensent vivre, pour de nouvelles idées, de nouvelles façons de penser. Même les règles linguistiques changent. Ils utilisent des phrases courtes. Les noms deviennent des verbes. Ils éliminent la moindre prose et se mettent à parler comme des ados de quinze ans, junkies du joystick. Prévisions de coûts pour l'an prochain ? Super-optimistes. Le développement des produits ? Hypercool. Comment va le DRH ? En pleine forme. La conférence de San José ? M'a cassé les couilles. Un véritable bourrage de crâne. L'expérience de la vie en temps réel. Dans leurs conversations et surtout dans leurs e-mails, ils adoptent le style Jack Kerouac. Soyez spontanés avant tout, nous conseillait le poète beatnik. Soyez rapides et libres. Supprimez tout formalisme littéraire, grammatical et syntaxique. Soyez sauvages et coulants ; vous pourrez être purs et honnêtes. « Tout ce que vous ressentez prendra forme tout seul », insistait Kerouac. S'il était encore vivant aujourd'hui, des escouades de vice-présidents seraient captivées par les conférences qu'il tiendrait dans les séminaires d'entreprises d'Aspen. Même mort, il apparaît encore aujourd'hui dans les pubs Gap pour des sahariennes.

Je ne suis pas un homme d'affaires. Je suis un créateur qui, en l'occurrence, est dans les affaires.

En 1949, Leo Lowenthal écrivit un essai fort controversé dans lequel il retraçait l'évolution des portraits de personnalités dans les magazines populaires, comme le *Saturday Evening Post.* Il affirme qu'au tout début du siècle, on glorifiait les « héros de production », ceux qui construisaient des ponts, des barrages et créaient des entreprises. Puis les magazines se sont concentrés sur les « héros de consommation », comme les vedettes du cinéma ou du sport, superstars du monde des loisirs. Même lorsque l'on brosse le portrait des hommes politiques, observait-il, on s'intéresse surtout à leurs hobbies et à la personnalité privée du sujet, pas à ses exploits ni à son comportement professionnel.

Aujourd'hui, nous assistons à une nouvelle redéfinition de l'héroïsme par les médias. Si vous lisez les portraits flatteurs des magazines d'affaires, vous ne voyez ni des hommes ni des femmes encensés en tant que grands constructeurs, réformateurs efficaces ou encore des managers durs à cuire. Ce qui les caractérise principalement, c'est d'être jeunes, audacieux, avant-gardistes et de personnifier le changement. Le centre de gravité de la culture d'affaires américaine est passé à l'Ouest et s'est rajeuni. La froideur impressionnante a fait place à une audace sans parti pris. L'Amérique des affaires est plus décontractée. Les cadres de Microsoft apparaissent sur la couverture de *Fortune* avec des chapeaux en forme de haricots à hélice. D'autres sont photographiés telles des rock stars cool portant des chemises en lin sans col hors de prix ou des pulls multicolores et des chaussettes en laine trouées sous des espadrilles funky mais très chères. Souvent, ils apparaissent en jeans, tout fiers dans le grand hall d'un manoir des Rocheuses. Vous ne trouverez personne en costume bleu, chemise blanche et cravate rouge dans les entreprises d'informatique. Ces êtres sauvages porteront des bottes bruyantes, des jeans déchirés, des sweat-shirts d'université dépenaillés et ces minuscules lunettes européennes qui vous donnent autant de vision périphérique qu'à un ver de terre astigmate.

Dans les portraits du *Business Week* des années 50, un cadre était photographié assis dans son prestigieux bureau en acajou avec des objets en cuivre partout, ou les manches retroussées sur un chantier. Aujourd'hui, c'est un accoutrement farfelu qui prédomine. Jeffrey Katzenberg, de Dream Works, apparaît avec son canon à eau Supersoaker. D'autres préfèrent des pistolets Nerf, des yo-yo ou des crayons laser. D'autres flemmardent devant leur bureau, admirant leurs collections kitsch. Richard Saul Wurman, entrepreneur qui anime des conférences où les capitalistes de la contre-culture payent le prix fort pour assister à un syncrétisme cérébral hors pair, collectionne les cendriers — qui, bien sûr, sont obsolètes dans son bureau moderne. D'autres montrent leur snowboard accroché au plafond, à côté d'une inquiétante corde cassée ayant servi à faire du saut à l'élastique. Dans les bureaux de la Silicon Valley, les restes d'une collection de magazines de bandes dessinées recouvrent les murs à côté de la couverture déchirée d'un livre Curious George ou d'une photo de Gandhi. Un nombre impressionnant de cadres sont pris en photo avec des oiseaux domestiqués, comme des cacatoès, perchés sur leurs épaules ou sur leur tête, ou avec d'horribles chiens d'une race obscure haletant sur leurs genoux. Marylin Carlson Nelson, P.-D.G. du conglomérat de voyage Carlson Cos., pose avec ses rollers de course. Scott Cook, cofondateur d'Intuit, est photographié dans le *Wall Street Journal* dans son restaurant préféré, le Taco Bell. Ces images bouleversent l'ancien style des affaires. Aujourd'hui, les grands pontes veulent montrer qu'ils sont des esprits libres qui savent s'amuser. Les membres de l'ancienne élite souhaitaient que leurs photos incarnent les vertus de Benjamin Franklin : zèle, économie et sérieux.

En 1963, dans son livre *Anti-Intellectualism in American Life,* Richard Hofstadter a décrit les préjugés anti-intellectuels du monde des affaires. Pour les nababs de l'époque de Hofstadter, l'intellectualisme était quelque chose de vaguement féminin et de farfelu. Aujourd'hui, le chef d'entreprise veut montrer qu'il ou elle est un héros de l'intellectualisme. Le héros quintessenciel du magazine *Forbes* ne dirige pas seulement une société qui marche bien, il ou elle joue de la flûte, peint, explore, joue dans un groupe de rock au nom ironiquement quinquagénaire, tel Prostate Pretenders. « Sandy Lerner a fondé Cisco avec son mari, Len Bosack, écrit le *Forbes*. Aujourd'hui elle fait des joutes, conduit des Harley, défend les droits des animaux et le travail des écrivains féminins britanniques. Il subventionne les sciences occultes. »

Les managers des sociétés d'investissement sont dépeints comme des superstars cérébrales qui mémorisent les statistiques de base-ball, perfectionnent leur technique de piano, participent à des tournois de bridge et à des symposiums philosophiques. Aujourd'hui, les rapports des entreprises débutent souvent par des citations d'Émile Zola ou de Toni Morrison. Les cadres s'évertuent à « appliquer » les idées des penseurs classiques à la stratégie commerciale du prochain trimestre; on peut donc les voir se balader avec des livres intitulés : *Aristote et le Management, Shakespeare et la Stratégie d'Entreprise, Les Secrets de Rachat d'une Entreprise par ses Salariés selon Pline le Jeune.* Rosemarie Roberts, cadre dans la publicité, confie aux lecteurs de *Fast Company* que les livres qui l'ont le plus influencée sont *Huis clos* de Jean-Paul Sartre — « L'enfer, c'est les autres » — et *Le Prince* de Machiavel. « Le meilleur moyen de dominer les hommes qui ont goûté à l'indépendance est encore de leur octroyer certaines libertés. » Ils pimentent leurs conversations avec des phrases du type : « C'est une heuristique très intéressante que nous avons là. » Ou : « Je ne vois pas cela réchapper de l'époque post-Gutenberg. » Ou encore : « C'est le meilleur phénoménologue de tous les vice-présidents. » Ils peuvent s'étrangler de rire et se moquer d'une notion qu'ils considèrent comme une esbroufe. D'autre part, ça ne les empêche pas de faire des déclarations à tout va, du type : « La distance est morte », « Le progrès est hypertrophié » ou encore « Le temps est courbe ».

Autrefois, les hommes d'affaires adoptaient un ton sérieux pour véhiculer une image de calme et de circonspection. Aujourd'hui, ils parlent comme des visionnaires de la sociologie. De nos jours, être P.-D.G. signifie que vous avez des idées et des théories tellement audacieuses et condescendantes que vous avez besoin d'une équipe de larbins pour vous bâillonner. Et si vous voulez servir de consultant ou de gourou à ces hommes d'affaires, vous devrez toujours élargir votre esprit, dans des proportions cosmiques. Tout le monde essaie d'imaginer le Prochain Grand Projet et déchaîne son imagination avec une intensité digne de la ruée vers l'or.

Vous devez prendre un petit déjeuner complet pour pouvoir vous maintenir au niveau du mode de pensée visionnaire des hommes d'affaires d'aujourd'hui. « Nous sommes à un moment crucial, celui où une ère vieille de quatre cents ans est en train de mourir et une autre, de se battre pour naître », a annoncé Dee Ward Hock, instigateur de la carte Visa et, aujourd'hui, gourou du management. « Nous sommes en pleine discontinuité absolue, positive et suprême », déclare Watts Wacker, consultant. « Je n'étudie donc pas uniquement le changement. J'étudie le changement du changement — le delta du delta. »

Dans *Fortune,* le gourou du management, Gary Hamel, contre-attaque : « Nous vivons dans un monde discontinu, un monde où la numérisation, la dérégulation et la mondialisation sont en train de reconfigurer en profondeur le paysage industriel. Nous assistons à une prolifération spectaculaire de nouvelles entités économiques : entreprises virtuelles, consortiums mondiaux, commerce en réseau, *ad infinitum.* Nous avons atteint la fin du quantitatif dans notre quête pour créer une nouvelle richesse. Il y a un point d'inflexion où la quête pour la divergence se transforme en une quête pour la convergence et un nouveau point de vue collectif apparaît. »

Dans cette nouvelle ère, vous devrez souvent utiliser la phrase « Nous quittons une ère dans laquelle... » Après tout, nous quittons une société du pouvoir pour une société du savoir, une société linéaire pour une société postlinéaire, une société hiérarchique pour une société en réseau, une société de lait écrémé pour une société de lait à 2 % de matière grasse. Tout le monde y va donc de son lot de prédictions. Des nababs, tels Gerald Levin de la Time Warner, Sumner Redstone de Viacom, ou John Malone de TCI, se fichent bien de savoir si leurs prédictions sont vraies ou fausses. Les actionnaires n'ont pas l'air de s'en soucier davantage. Ce qui importe, c'est de faire des prédictions énormes et audacieuses. Les titans de l'ère de l'information vont et viennent en comparant la taille de leurs prédictions. Tant que leur paradigme historique mondial est immense, ils sont certains de dominer n'importe quelle pièce dans laquelle ils entrent. Bill Gates a titré son premier livre *La Route du futur.* L'Amérique a connu une époque où la futurologie était principalement réservée aux sombres auteurs de science-fiction. Mais aujourd'hui, l'état d'esprit a changé. L'avenir s'annonce de nouveau sous de meilleurs auspices et les oracles de l'époque sont des hommes d'affaires aux aspirations intellectuelles extravagantes.

Naturellement, le radicalisme et l'utopisme occasionnel des nababs d'aujourd'hui ne sont pas exactement les mêmes que ceux des leaders étudiants des années 60. Les élites d'affaires aiment simplement l'idée du radicalisme. Elles ne s'intéressent pas aux idées spécifiques qui, en fait, renverseraient l'ordre social. Un magazine, le *Baffler,* a été créé pour mettre le doigt sur les folies de ce capitalisme chic. Son rédacteur en chef, Thomas Frank, se moque des pseudo-transgressions de la classe d'affaires et de toutes leurs déviances socialement acceptées. Thomas Frank prétend qu'en fait, tout cela n'est qu'une autre forme de conformité conservatrice. Mais le *Baffler* a tort d'insinuer qu'il n'y a là qu'hypocrisie ou que les rois du capitalisme sont simplement en train de coopter les charmants idéaux de la contre-culture. La vérité n'est pas aussi sinistre et n'est pas non plus à sens unique. Ces cadres renégats ont une double culture, d'entreprise et alternative. Les deux rivaux ont fusionné et se sont admis l'un l'autre par cooptation.

Origines intellectuelles des Capitalistes Cosmiques

Regardez comme la critique type du monde des affaires américain a parfaitement été acceptée par ses pontes. Depuis un siècle, des écrivains et des bohèmes démolissent les hommes d'affaires dans leurs œuvres comme *La Jungle, Babbitt, Gatsby Le Magnifique, L'Âge doré, Mort d'un commis-voyageur, Something Happened,* roman d'affaires de Joseph Heller et une centaine d'autres romans, pièces, films et séries TV (vous vous rappelez de J.R. Ewing dans *Dallas* ?). Dans tous les cas, l'homme d'affaires est anti-intellectuel, antispirituel, conformiste et philistin. C'est un individu réprimé qui a détruit toutes les capacités créatrices ou sensibles qu'il devait autrefois posséder pour grimper sur le mât de cocagne et amasser de l'argent. Son lieu de travail est une bureaucratie aride peuplée de conspirateurs mesquins. À ce portrait, ceux qui définissent les nouvelles tendances du monde des affaires d'aujourd'hui répondent : « Rien que la vérité ! Coupable ! » Ils ont tout simplement disparu pour essayer de créer un autre type d'homme affaires, une fois de plus en suivant les valeurs bohèmes.

En 1956, William H. Whyte a écrit *L'Homme de l'organisation.* Les sociologues ne sont pas d'accord sur le fait que l'Homme de l'organisation existe ou non dans la vie, mais ils s'accordent pour reconnaître que ce concept domine encore la structure intellectuelle de l'élite socioculturelle. Même ceux qui n'ont pas lu le livre de Whyte — c'est-à-dire pratiquement tout le monde aujourd'hui — imaginent très bien qui est l'Homme de l'organisation et ils savent qu'ils ne veulent pas en être un. L'Homme de l'organisation est ravi d'être un simple rouage dans la grande machine sociale. Il a l'impression que tout seul, il est trop faible pour maîtriser son destin, il s'intègre donc dans une grande institution et capitule devant ses impératifs. Il croit que cette organisation lui offre sécurité et opportunités, sans compromis entre les deux. « Les jeunes hommes n'éprouvent pas de cynisme envers le "système" et très peu de scepticisme, écrivit Whyte. Pour eux, ce n'est pas quelque chose dont il faut se réjouir mais quelque chose avec quoi il faut coopérer. » De plus, Whyte prétendait qu'ils adoptaient une « éthique sociale » dans laquelle la créativité et l'imagination avaient moins de valeur qu'une personnalité agréable et lisse. L'Homme de l'organisation n'était obstructionniste en rien et ne faisait preuve d'aucun excès de zèle.

Whyte a anticipé toutes sortes d'arguments qui allaient être avancés avec une grande ferveur dans les années 60, notamment dans sa façon de décrire les conséquences psychologiques de grandes organisations. D'après Whyte, l'ancien chef voulait « votre labeur », le nouveau veut « votre âme ».

Le livre de Whyte est une attaque cinglante et brillante des théories dominantes du management de l'époque. Il critique ces sociétés qui utilisaient des tests de personnalité pour évincer les ouvriers qui ne pouvaient pas s'adapter au groupe. Il décrit ces labos scientifiques qui éliminent au nom de l'efficacité des talents capricieux ou complexes. Les entreprises qu'il dépeint recherchent des équipiers bien socialisés, pas des visionnaires particuliers. Par exemple, Monsanto a recruté des chercheurs avec un film déclarant « Pas de génies chez nous. Juste un tas d'Américains moyens qui travaillent ensemble ». La Socony-Vacuum Oil Company a distribué un livret disant :

> « PAS DE PLACE POUR LES VIRTUOSES
> À l'exception de certains travaux de recherche, peu de spécialistes dans une grande société travaillent seuls. Il y a peu de place pour des performances de virtuoses. Les affaires sont tellement complexes, même dans leurs aspects non-techniques, qu'aucun homme ne peut tout maîtriser; pour faire son travail, il doit donc être capable de travailler en équipe. »

Whyte rejette le génie social de *L'Homme de l'organisation*. Il soutient que dans les entreprises américaines les rapports entre l'individu et l'organisation sont déséquilibrés. Les besoins du groupe sont surévalués et ceux de l'individu, expédiés sans ménagement. Whyte n'exhorte pas les gens à quitter leurs organisations mais simplement à réajuster les relations qu'ils entretiennent avec elles. Il conseille à *L'Homme de l'organisation* de lutter contre les organisations mais pas de façon autodestructrice. « Il peut dire à son chef d'aller en enfer, écrivit Whyte, mais il aura un autre chef. Et contrairement aux héros de fiction populaire, il ne trouvera pas la paix en quittant l'arène pour devenir un homme au foyer. »

Whyte est à la recherche d'un monde dans lequel les individus peuvent travailler au sein d'entreprises en tant qu'individus sûrs d'eux pouvant donner à leurs propres besoins une valeur aussi grande qu'à ceux de l'organisation. Ils ont de multiples loyautés. Il est à la recherche d'organisations qui feraient grand cas d'une personne au génie créatif original et qui ne l'expulsent pas parce qu'elle ne correspond pas à un organigramme bureaucratique.

Technocratie

Dix ans plus tard, les arguments avancés par Whyte furent repris dans un livre plus radical qui, d'une façon que l'auteur n'aurait jamais imaginée, eut également une énorme influence sur la conception des affaires qu'a le capitaliste d'aujourd'hui. *Vers une contre-culture* de Theodore Roszak fut publié en 1969 : c'était le résumé contemporain le plus intelligent de l'attaque de l'establishment dans les années 60. Comme Whyte, Roszak a décrit une Amérique dominée par de grosses sociétés. Comme Whyte, il a analysé les blessures psychologiques endurées par ceux qui vivent et travaillent dans ces bureaucraties qu'il préférait appeler des technocraties. Ils exercent une douce tyrannie sur leurs victimes, écrivit-il, se facilitant la vie et la ternissant, tout en étouffant l'individualité, la créativité et l'imagination. Comme Whyte, Roszak a condamné l'éthique sociale qui valorisait les personnalités sympathiques et les relations sociales tièdes.

Il existe une différence majeure entre Whyte et Roszak. Whyte était reporter au magazine *Fortune*. Roszak était un radical de la contre-culture. Si Whyte laissait planer une ambivalence sur les valeurs bourgeoises, Roszak critique l'organisation avec force et violence. Il affirme que le problème de la société n'avait rien à voir avec telle ou telle théorie du management ni avec telle ou telle façon de recruter les employés. Les structures de l'entreprise sont les symptômes d'une maladie culturelle bien plus profonde. Pour Roszak, le véritable problème est toute cette mentalité rationaliste qu'il appelle conscience objective.

« Si nous examinons la technocratie et le pouvoir particulier qu'elle exerce sur nous, soutenait Roszak, nous arrivons au mythe de la conscience objective. Mais il n'y a qu'une seule façon d'accéder à la réalité — d'après ce mythe — et c'est pour cultiver un état de conscience purifié de toute distorsion subjective, de tout investissement personnel. Ce qui émane de cet état de conscience peut être qualifié de savoir et rien d'autre ne peut le remplacer. C'est la base sur laquelle les sciences naturelles se sont construites et tous les domaines du savoir, envoûtés, s'efforcent de devenir scientifiques. » Roszak décrit la mentalité de percepteur du comptable, la froideur du scientifique, le caractère calculateur de l'homme d'affaires, la dureté du bureaucrate, l'étroitesse d'esprit de l'ingénieur. L'apothéose de cette conscience, écrivit Roszak, c'est la machine. « La machine est la norme en fonction de laquelle chaque chose doit être évaluée. » Dans l'esprit du technocrate, les entreprises, les universités, et même les nations doivent fonctionner aussi parfaitement qu'une machine bien huilée.

Il n'est donc pas étonnant que, dans les organisations, les gens deviennent de simples rouages, à l'instar des machines. Pour bien insister sur ce point, Roszak fait référence à l'écrivain français Jacques Ellul :

« La technique implique la prévisibilité, et surtout, l'exactitude de la prévision. Il est donc nécessaire que la technique l'emporte sur l'être humain. Pour la technique, c'est une affaire de vie et de mort. La technique doit réduire l'homme à un animal technique, le roi des esclaves de la technique. Le caprice humain s'effondre devant cette nécessité, il ne peut pas y avoir d'autonomie humaine face à l'autonomie technique. L'individu doit être façonné par les techniques... afin d'effacer les tâches que sa détermination personnelle introduit dans la conception parfaite de l'organisation. »

C'est la critique constante des bohèmes. Nous pouvons percevoir la vérité et la beauté si seulement nous cessons de percevoir le monde qui nous entoure, mais au contraire, nous devenons les esclaves de dieux artificiels. Nous nous enchaînons à des structures sociales étouffantes et à des façons de penser inhumaines. Les bohèmes se sont rebiffés contre ces modes de pensée rationalistes depuis l'époque de Flaubert et de sa bande à Paris. Ils ont cherché, comme les transcendantalistes, des modes de perception plus imaginatifs, mytho-poétiques, intuitifs. Comme un siècle de bohèmes avant lui, Roszak prône la libre expression au lieu de la maîtrise de soi. Il croit que le développement personnel est l'objectif de la vie. « Ce qui compte avant tout, écrit-il, c'est que chacun d'entre nous puisse devenir une personne, une personne totalement finie dans laquelle se manifeste le sens de la variété humaine authentiquement expérimenté, la sensation d'avoir accepté une réalité infiniment immense. »

Et la solution de Roszak au problème de la technocratie est également bohème. « Le développement de la personnalité n'a rien à voir avec un entraînement spécial mais avec une ouverture naïve à l'expérience. » Il pense que ceux qui vivent dans des sociétés capitalistes industrielles ont besoin de redécouvrir des modes de perception plus naturels et plus innocents. « Nous devons nous préparer à espérer que le développement d'une personnalité sera plus beau, plus créatif, plus humain que peut arriver à le faire la recherche de la conscience objective. » Une approche de la vie plus espiègle, croyait-il, pourrait transformer la réalité qui nous entoure. « Voici, comme je vous l'ai dit, le principal projet de notre contre-culture : proclamer un nouveau paradis et une nouvelle terre, si vastes, si merveilleux que les revendications démesurées de la compétence technique devraient obligatoirement se retirer en présence d'une telle splendeur dans un recoin marginal et subordonné de la vie des hommes. Créer et diffuser une telle conscience de la vie n'entraîne rien d'autre que la volonté de nous ouvrir à l'imagination visionnaire dans ses propres exigences. »

En fait, cela n'allait jamais marcher. S'il devait y avoir une solution aux problèmes que Whyte et Roszak identifiaient comme des problèmes de structures organisationnelles aux États-Unis, elle ne serait pas trouvée en créant une conscience cosmique qui transformerait en soumission le mode de pensée rationaliste. Roszak était bien trop grandiose. Mais ce n'est pas pour autant que lui et Whyte ont tort lorsqu'ils critiquent les technocraties ou l'éthique sociale artificielle et conformiste qu'elles engendrent. Il fallait tout simplement un écrivain plus terre à terre pour fournir une solution plus pratique et repenser les organisations et les structures sociales.

Jane Jacobs, proto-Bobo

En fait, lorsque Roszak était en train d'écrire ses œuvres, les graines de ce nouveau mode de pensée étaient déjà plantées. En 1961, Jane Jacobs publia *Déclin et survie des grandes villes américaines,* le livre qui aura le plus d'influence sur la façon dont les Bobos voient les organisations et les structures sociales.

Jane Jacobs, fille de médecin et d'institutrice, est née à Scranton en Pennsylvanie en 1916. Après le lycée, elle travaille comme reporter au *Scranton Tribune.* Elle y reste un an puis s'aventure à New York où elle exerce différents métiers — sténographe, écrivain free-lance — avant d'occuper un petit poste éditorial à l'*Architectural Forum.* En 1956, elle fit une conférence à Harvard où elle exprima son scepticisme quant à la philosophie d'urbanisation hypermoderne qui rase des quartiers entiers et les remplace par des rangées et des rangées d'immeubles de logements symétriques, chacun étant battu par les vents et entouré d'un parking généralement désert.

William H. Whyte lui propose de transformer sa conférence en un article pour *Fortune* qui, après avoir quelque peu énervé les cadres de Time Inc., fut publié en tant qu'essai et sous le titre *Downtown Is for People.* Jacobs développe ensuite son argumentation dans *Déclin et survie des grandes villes américaines.* Il y est surtout question d'urbanisme, mais la vision de Jacobs va bien au-delà d'un simple projet d'urbanisation. Elle décrit la vie idéale selon elle, vision qui séduit de plus en plus de monde chaque année et qui attire des partisans dévoués tant chez les bohèmes que chez les bourgeois.

À première vue, Jacobs semble une bohème pure et dure. C'est un écrivain qui vit au cœur de Greenwich Village, la Mecque des bohèmes. Elle s'insurge contre les rationalistes, les gros promoteurs immobiliers qui veulent raser des quartiers entiers et soumettre des projets de construction de logements sociaux, bien programmés, des parkings et des voies express high-tech. Elle se rebelle contre la monotonie, l'uniformité et la standardisation. Elle est consternée par les goûts riches et monumentaux de l'establishment. En attendant, elle glorifie le don de faire par hasard d'heureuses découvertes. Comme tout bohème, elle est attirée par l'exotisme, les sculptures africaines ou les maisons de thé romaines. Elle est anticonformiste et s'habille dans ce style de « café de centre-ville » qui depuis est revenu à la mode. En fait, ses détracteurs, les promoteurs de l'époque, la prenaient pour une bohème folle à lier et condamnèrent « ses radotages de bistrot ».

Arrêtons-nous sur *Déclin et survie des grandes villes américaines.* Qui sont les héros de la communauté idéale ? Les passages les plus beaux et qui eurent le plus d'influence sont ceux qui décrivent sa vie dans son petit pâté de maisons de Hudson Street à Greenwich Village (pages 65-71 de l'édition Modern Library). Et les gens qui rendent la vie dans cette rue tellement exceptionnelle étaient des petits commerçants — Joe Cornacchia, propriétaire de l'épicerie fine du coin, M. Koochagian, tailleur et M. Goldstein, quincaillier. Napoléon pense avoir inventé le comble du dénigrement antibourgeois en traitant l'Angleterre de nation d'épiciers. Dans la littérature bohème, le petit homme d'affaires est considéré comme l'exemple type des valeurs bourgeoises mesquines. Mais Jacobs ne méprise pas les marchands pour leur laborieux matérialisme. C'est justement leurs activités ordinaires qu'elle admire : leur affairement, leur propreté, leurs rapports simples de bon voisinage. L'un garde les clés des voisins. Un autre échange les commérages du coin. Ils ont tous un œil dans la rue. C'est justement leurs vertus bourgeoises qu'admire Jacobs.

Cette charmante scène lyrique décrit l'épicier, le teinturier et les passants comme des danseurs dans un ballet. Elle assimile leurs faits et gestes à du grand art. Un marchand de fruits apparaît en faisant un signe de la main, le serrurier le rejoint et jacasse avec le propriétaire du magasin de cigares, les gamins font du patin à roulettes, des gens se réunissent devant la pizzeria. « Le ballet ne s'arrête jamais, écrit-elle. Mais l'ambiance générale est paisible et le cours des événements encore plus calme. » Difficile de trouver une autre prose qui décrive aussi joliment le monde quotidien de la rue ordinaire avec ses magasins ordinaires et ses rituels ordinaires.

Le ton de Jacobs participe en fait au secret de son succès. Il n'a rien d'alambiqué ni de théâtral, comme l'étaient les styles des écrivains contemporains comme Jack Kerouac et des radicaux qui suivirent, notamment Theodore Roszak. Il n'est ni pompeux ni directif, comme tant d'œuvres intellectuelles des années 50. Jacobs rejette totalement l'utopie et l'extrémisme qui faisaient partie intégrante du romantisme. Elle rejette la notion d'intellectuel qui se retire du monde quotidien pour vivre dans un monde d'idées. Résultat : elle est détendue et a la conversation facile. Elle observe les choses sans quitter des yeux chaque détail terre à terre — rien d'étonnant donc à ce que ce soit une femme qui incarne cette façon si particulière d'observer la réalité. L'urbanisation de l'époque a beau indigner Jacobs, elle ne foudroie pas pour autant ses ennemis. Pour elle, la solution n'est pas dans les grandes théories, ni dans la rébellion, mais tout simplement de s'asseoir tranquillement et d'être réceptif à ce qui nous entoure. L'épistémologie bourgeoise faisait souvent appel à la raison. L'épistémologie bohème, à l'imagination. Jacobs nous demande de goûter à ce mode de perception faisant appel tant au sens qu'à la sensibilité. À la connaissance pratique du marchand et à la conscience sensible de notre environnement que l'on peut attendre d'un peintre ou d'un romancier.

Mais surtout, Jacobs réconcilie l'amour qu'ont les bourgeois pour l'ordre et celui qu'ont les bohèmes pour l'émancipation. La rue d'une ville, affirme-t-elle, nous semble chaotique mais en réalité, elle est très ordonnée. « Sous le désordre apparent de la vieille ville, écrit-elle, et partout où la ville fonctionne bien, se cache un ordre merveilleux, dans la mesure où il permet à la sécurité de régner dans les rues et à la liberté de régner dans la ville. Cet ordre est complexe. Son essence est intrinsèque à l'utilisation des trottoirs accompagnée d'un constant défilé de regards. Cet ordre est composé de mouvement et de changement, et bien que ce soit de la vie, pas de l'art, nous pouvons faire preuve d'imagination et le qualifier de forme artistique urbaine, l'assimiler à la danse. » Ce passage résume les réconciliations clés : liberté et sécurité, ordre et changement, vie et art. Elle laisse entendre que la vie idéale est constituée de flux, de diversité et de complexité mais, en dessous de tout cela, se cache une harmonie intérieure.

Les urbanistes qui ont rasé ces quartiers n'ont pas vu cela car leur conception de l'ordre était mécanique. Les promoteurs et les Modernistes comme Le Corbusier considéraient la ville comme une machine

— une usine engendrant de la circulation — et ils ont cherché à réduire la ville à un mécanisme qui serait simple et répétitif. Mais quand on lit la description que fait Jacobs de la rue, il saute aux yeux qu'elle ne parle ni d'une machine ni même d'un endroit aux connotations de rush ou de tension que beaucoup associent à la vie en ville. Elle décrit quasiment une forêt. Les marchands sortent sur les trottoirs pratiquement comme des feuilles choisissant le meilleur angle pour capter le soleil. Les passants vont et viennent comme des animaux, chacun rendant service à sa façon et inconsciemment à l'écosystème. Jacobs considère la ville en termes organiques et non en termes mécaniques. Elle adopte le point de vue pastoral d'Emerson et de Thoreau et le réconcilie avec la vie urbaine moderne. On a toujours considéré la vie comme le désaveu ultime de la nature, mais Jacobs assimile quasiment une ville saine à une œuvre de la nature.

Pour que l'écosystème puisse fonctionner, il doit comporter de nombreux protagonistes différents. Il doit être diversifié. Le mot diversité, qui est devenu l'un des mots clés de notre époque, était le pivot de *Déclin et survie des grandes villes américaines*. La deuxième partie de ce livre s'intitule « Conditions de la diversité d'une ville ». C'est la complexité qu'elle admire, les petites niches imprévues où peuvent fleurir des activités spécialisées. Ce sont des endroits dont l'usage n'est pas déterminé d'en haut mais qui se développent à partir de petits besoins particuliers.

Dans les années qui suivirent la sortie de *Déclin et survie des grandes villes américaines,* il fut prouvé maintes et maintes fois que la vision des choses de Jacobs était la bonne. Les projets d'urbanisation qu'elle critiquait sont maintenant injuriés de tous côtés. L'échec désastreux des projets d'ingénierie sociale dans les pays industrialisés montre l'orgueil démesuré des technocrates qui pensaient qu'ils pouvaient refaire le monde. L'échec des économies communistes planifiées nous apprend que le monde est trop compliqué pour être organisé et dirigé de façon centralisée. Nous sommes, avec Jane Jacobs, bien plus modestes quant à nos connaissances, bien plus sceptiques quant aux urbanistes et aux bureaucrates. Nous préférons faire confiance à des individus sans prétention comme Jane Jacobs qui prennent le temps de s'asseoir tranquillement et d'observer la réalité de près.

L'organisation pastorale

Revenons au travail aujourd'hui. Prenons les actuels théoriciens du management ou les restructurations instituées par les entreprises de technologie de pointe et nous sommes immédiatement frappés par la profonde influence qu'ont eue sur eux les objections soulevées par Whyte et Roszak; puis par la vision qu'a Jacobs d'une communauté saine. Les cadres d'aujourd'hui vous répéteront sans cesse, jusqu'à ce que vous vous bouchiez les oreilles avec du coton, avec quelle ferveur ils ont rejeté les modèles de l'Homme de l'organisation. « Les organisations sont en train de disparaître ! » hurle Tom Peters lors de ses audiences. « Chez HP, nos employés ne deviennent pas les rouages d'une machine dans une entreprise géante » peut-on lire dans les annonces de recrutement de Hewlett Packard. « Dès leur première journée de travail chez nous, nos employés se voient confier d'importantes responsabilités et leur promotion est encouragée. » En effet, les sociétés glorifiées par les gourous du management sont celles qui ont démoli l'Homme de l'organisation. Des entreprises comme Dream Works rejettent les intitulés de poste car ils sont trop hiérarchiques. D'autres se targuent de réduire leurs hiérarchies de management de sept à trois, de quatorze à quatre. Aujourd'hui, les entreprises, comme dit le mantra, doivent penser biologiquement. Elles doivent créer des systèmes de participation étroits, décentralisés et informels. Elles doivent détruire les structures rigides pour faire fleurir la nouveauté. La machine n'est plus considérée comme la norme que doivent émuler des organisations saines. Aujourd'hui, c'est l'écosystème. Un réseau organique en mouvement perpétuel, tel est le modèle des organisations saines à l'expansion spontanée et aux interconnexions infiniment complexes et dynamiques.

Les grosses entreprises se morcellent en petites équipes flexibles pour créer ce que certains spécialistes appellent « l'individualisme collectif ». Pitney Bowes Credit Corporation a conçu ses bureaux de telle sorte qu'ils ressemblent à un petit village : tapis décorés de pavés ronds, fausses lampes à gaz, horloges de grand-place et panneaux à l'intersection des couloirs — la Main Street croise la Center Street, etc. Chez AOL, centre créatif n° 1, les bureaux sont tous à proximité les uns des autres et les employés font donc le brainstorming d'un projet avec leurs voisins au beau milieu de sculptures de Silly Putty et de litres de breuvages caféinés. Chez Inhale Therapeutic Systems, Robert Chess, le P.-D.G., a supprimé les bureaux réservés aux cadres : aujourd'hui, tout le monde travaille dans de grands espaces, les « bullpens », où chacun peut échanger des idées toute la journée. L'entreprise d'appareils acoustiques Oticon a mis sur roues les bureaux de tous ses employés afin qu'ils puissent virevolter dans leur vaste espace de travail et se réunir en fonction de l'aménagement d'ensemble du moment. (Oticon est l'une des nombreuses entreprises qui expérimentent le concept des écoles sans murs qui plut tant aux éducateurs progressistes des années 60.) Chez Procter & Gamble, les ascenseurs, censés détruire les conversations et échanges d'idées, sont out alors que les escalators, censés les améliorer, sont in. Nickelodeon a installé des escaliers extra-larges pour encourager échanges et bavardages. IDEO, une autre société de design, a recouvert ses tables de conférence de longs rouleaux de papier de boucherie pour le brainstorming et le gribouillage. Toutes ces sociétés et des centaines d'autres essaient de recréer les petits environnements de Jane Jacobs qu'elles complètent par des réunions fortuites, des échanges spontanés, des petits endroits de réunion et cette flexibilité constante qui constitue un véritable ordre dynamique.

Dans l'ancienne organisation, c'était le système qui était roi. Aujourd'hui, à ce qu'on nous dit, ce sont les relations qui comptent. En 1967, Kenneth Keniston publiait *Young Radicals,* étude sur la contre-culture des années 60 où il observa que « dans leur comportement et leur style, ces jeunes radicaux sont extrêmement "humains", se concentrent sur les face-à-face, les relations directes et ouvertes avec les autres, hostiles aux rôles structurés en bonne et due forme et aux modèles bureaucratiques traditionnels de pouvoir et d'autorité ». Excellent résumé de la philosophie du management qui domine aujourd'hui l'Amérique des affaires. De nos jours, les entreprises organisent des séminaires qui leur coûtent les yeux de la tête et où les employés jouent à des jeux bon enfant ou à des Jeux Olympiques farfelus dans le but de construire ces relations.

Les sociétés de l'ère de l'information essayent également de promouvoir un certain mode de pensée. Les analyses scientifiques et les spécialisations bornées d'antan ont disparu. Les rationalistes du style Robert McNamara [1] aux chemises bien blanches ont disparu. Aujourd'hui, on admire les bureaux en désordre et les génies aux cheveux ébouriffés assis derrière. Les entreprises engagent des motivateurs hyperactifs pour faire office de Ken Keseys et de Merry Pranksters internes et enthousiastes. Gordon MacKenzie est un hippie grisonnant qui porte des chemises bariolées tie-dyed [2], des jeans et qui fait le

1. Secrétaire d'État de John F. Kennedy.
2. Méthode consistant à cacher certaines parties du tissu en le nouant ou en le liant.

tour des entreprises en les exhortant à « graviter autour de la boule de poils géante ». La boule de poils, dans son langage, est la bureaucratie et graviter signifie se ménager un royaume individualisé de vigueur créative. MacKenzie a travaillé pendant trente ans chez Hallmark où il a fini au poste qu'il a inventé lui-même, le « paradoxe créatif ». Aujourd'hui, il est consultant pour IBM, Nabisco et le FBI — pas vraiment ce que l'on associe au romantisme de Byron. La créativité est aujourd'hui considérée comme la nouvelle clé de la productivité, remplaçant la vertu de l'Homme de l'organisation, l'efficacité.

ZEFER, entreprise de consulting Internet sise à Boston, soumet les candidats à l'embauche à des tests « Lego Play-Doh » pour évaluer leur créativité. Kodak a des « pièces d'humour » avec des jeux, des jouets et des vidéos des Monty Python. Ben & Jerry's a un Comité des Fêtes pour mettre de l'ambiance dans l'entreprise. Rosenbluth International a un « théâtre de pensées » où les employés peuvent regarder des vidéos sélectionnées par le manager pour développer leur culture. Paul Birch avait un poste d'« amuseur d'entreprise » chez British Airways. En attendant, chez Xerox Business Services, un « savant » a lancé une session « apprentissage de Woodstock » qui a lieu dans une pièce sombre avec des étoiles, des lunes et des planètes suspendues au plafond.

La plupart de ces activités, surtout les extrêmes, sont idiotes. Mais les meilleures technologies de management suivent les traces épistémologiques de Jane Jacobs. Elles reposent sur l'idée que la meilleure façon d'apprendre et de penser consiste non pas à réduire des problèmes à leur spécialisation pure et dure, comme le fait un technocrate, mais, au contraire, à être sensible aux flux et aux rythmes de la situation. Ces techniques encouragent les employés à voir de vieux problèmes sous un nouveau jour, à être imaginatifs, à avancer intuitivement vers une plus grande compréhension de la réalité à laquelle ils sont confrontés. Le marché ne doit pas être conçu comme une machine mais comme un organisme rempli de mécanismes de feedbacks, d'interconnexions et de flux.

Metis (savoir-faire)

En d'autres termes, les entreprises essaient de cultiver chez leurs employés une faculté qui, à l'époque classique, était appelée *metis.* C'est un terme de la Grèce Antique repris par un anthropologue de Yale, James C. Scott. En français, *metis* se traduit par savoir-faire. Nous pourrions l'appeler connaissance pratique, habileté ou don. Dans l'*Odyssée*, Ulysse est le type même d'individu doté de metis, par sa capacité à improviser dans des situations inattendues. Scott définit la metis comme « un ensemble impressionnant de connaissances pratiques et d'intelligence acquise face à un environnement humain et naturel changeant constamment ».

On ne peut ni apprendre ni mémoriser ce trait de caractère. Il ne peut être que transmis ou acquis. Le philosophe Michael Oakeshott dirait que vous pouvez étudier la grammaire dans une salle de classe mais que le don de parler ne peut s'acquérir que lentement, par expérience. De même, la metis ne s'acquiert qu'au fur et à mesure d'acquisitions aléatoires qui ne forment un tout que progressivement. Les gens qui partagent la metis ne font pas de grands discours, ils conversent. Ils travaillent côte à côte. Pour acquérir la metis, une personne ne doit pas seulement voir, mais voir et comprendre. Il ou elle doit observer minutieusement pour absorber les conséquences pratiques des choses. Il ou elle doit pouvoir sentir le déroulement des choses, leurs relations entre elles. Celui qui acquiert la metis doit apprendre en accomplissant quelque chose, pas en raisonnant, ni en rêvant.

Par exemple, un apprenti peut apprendre les règles

de cuisine mais seul un grand chef sait quand les appliquer, et quand on peut faire une entorse. Un étudiant diplômé peut lire un livre de pédagogie mais seul un professeur doté de metis pourra faire cours et guider ses élèves. La metis n'existe que quand on s'en sert, et souvent celui qui l'a ne trouvera pas les mots pour expliquer son art ou ses méthodes. C'est la conscience du flux des choses, savoir quelles choses vont ou n'iront jamais ensemble, comment réagir face à l'inattendu. Cela veut dire que nous devons distinguer ce qui est vraiment important de ce qui n'est que pure distraction. Isaiah Berlin a découvert la metis en écrivant son essai classique *The Hedgehog and the Fox* : « Ce n'est pas une connaissance scientifique mais une sensibilité spéciale aux circonstances que nous vivons, c'est la possibilité de vivre sans se mettre à dos une condition ou un facteur permanent qui ne peuvent être altérés, voire intégralement décrits ou calculés. » Cette sorte de connaissance consiste en une improvisation perpétuelle. Rejetant les solutions universelles, celui qui fait grand cas de la metis accueille à bras ouverts une diversité d'approches, pour reprendre le terme si cher à Jane Jacobs et à tous les Bobos qui lui succédèrent.

Dans cette ambiance, le leadership est également perçu différemment. Le P.-D.G. n'est plus considéré comme le grand maître des échecs, comme un personnage imposant et distant qui déplace des pions sur un échiquier. Aujourd'hui, on peut le ou la décrire — et il ou elle peut se décrire — comme quelqu'un qui suscite l'inspiration, la motivation ou comme un chef d'orchestre. Les P.-D.G. d'aujourd'hui se vantent d'essayer d'inspirer la créativité chez les autres. Vaccinés contre le sectarisme et les structures autoritaires, ils ne parlent que de stimuler les relations de collaboration. Les bons P.-D.G. ne dominent pas tant que ça, ils n'ont pas le rôle principal ou ne sont pas, par exemple, des artistes en chef dans un atelier. Je traînais depuis quelques jours au siège de Restoration Hardware à Marin County quand je fus frappé par le nombre de fois où les employés louaient leur P.-D.G., Stephen Gordon, disant de lui qu'il était « cool » ou « vrai ». Ses associés se souviennent avec joie du jour où Gordon a lancé une bataille de ballon à eau et un jeu de Red Rover lors d'un séminaire à la campagne. La tenue de Gordon est aussi décontractée que celle de ses employés. Son bureau n'est pas particulièrement plus grand ni plus beau que les leurs. La société a adopté une politique canine libérale : quand les employés emmènent leurs clebs au bureau, ils peuvent se balader dans les locaux aussi librement que n'importe qui. Deux fois par semaine, les acheteurs de Restoration se réunissent pour déterminer les nouveaux articles à mettre dans leurs magasins. Respectant le génie social quasi égalitaire des entreprises Bobos, chaque participant à la réunion vote mais, quoi qu'il en soit, c'est le vote de Gordon qui est décisif. Les acheteurs reconnaissent joyeusement que, malgré toute la créativité dont chacun d'entre eux fait preuve dans son travail, ils ne font qu'appliquer la façon de voir de Gordon. Et nous arrivons donc à l'un des paradoxes des entreprises de l'ère de l'information : bien qu'ils écrasent les hiérarchies et encouragent l'égalité, les P.-D.G. d'aujourd'hui tendent à avoir une influence dans leurs sociétés encore plus grande que dans les entreprises d'antan. Dans les sociétés décrites par Whyte, c'est le génie social de l'organisation qui menait la danse; aujourd'hui, c'est la vision du dirigeant charismatique. Comme l'a déclaré John Seely Brown de Xerox au magazine *Fortune* : « Le boulot de dirigeant aujourd'hui ne consiste pas uniquement à faire de l'argent. Il doit aussi vouloir dire quelque chose. »

Un égoïsme plus raffiné

Comme dans bien des domaines de la vie des Bobos, tout ce qui était profane est devenu sacré. Les hommes d'affaires parlent comme des artistes. Les entreprises sont emballées par leurs missions sociales. Les managers insistent sur la créativité et la libération. Des consultants d'entreprise au succès phénoménal comme Stephen Covey ressemblent davantage à des conseillers spirituels qu'à des experts en efficacité. En attendant, dans ce monde capitaliste transparent, les employés du service marketing disent combien ils détestent le marketing. Le P.-D.G. se dit ambivalent quant au développement. Les multimillionnaires prétendent qu'ils sont pour la libre expression, pas pour l'argent. « L'argent ne change rien », a déclaré Rob Glaser de RealNetworks dans une interview au *Wall Street Journal.* « L'argent n'a rien changé dans ma vie », a affirmé Steve Case d'America Online dans une autre interview au *Wall Street Journal.* « L'argent n'a rien changé dans ma vie », a certifié Jeff Bezos d'Amazon.com dans une troisième interview.

Les employés de ce monde spiritualisé du capitalisme Bobo ne sont pas des bourreaux de travail. Ce sont des créateurs. Ils flemmardent, font des expériences et rêvent. Ils cherchent à explorer puis à dépasser les limites extrêmes de leurs capacités. Et si une entreprise commence à les ennuyer ou à les étouffer, ils s'en vont. C'est le signe ultime du privilège — pouvoir mettre les voiles à la recherche d'un nouveau sens, dès que le petit papillon de nuit s'écrase contre la porte. L'autoculture est impérative. En insistant bien sur « auto ».

Il ne s'agit donc pas d'un égoïsme grossier et vulgaire, d'un intérêt personnel borné, d'une accumulation stupide. Il s'agit d'un égoïsme bien plus raffiné. Vous devez être sûr que vous donnez le meilleur de vous, que vous faites un métier dans lequel vous vous accomplissez spirituellement, qui est socialement constructif, varié du point de vue des expériences, émotionnellement enrichissant, renforçant votre ego, constamment stimulant et éternellement exemplaire. Il s'agit d'apprendre. Il s'agit de travailler dans une entreprise aussi cool que vous. Il s'agit de trouver une société remplissant vos besoins créatifs et spirituels. Lorsque Anne Sweeney a envisagé de prendre la direction de Disney Channel, elle n'a pas pensé en termes financiers ou de C.V. Elle s'est demandé : « Est-ce que ce travail fera chanter mon cœur ? » Et elle a décidé que oui. L'entreprise de relations publiques Porter Novelli ne recrute pas ses employés en faisant appel à un intérêt personnel vulgaire. Au contraire, elle passe des annonces dans différents magazines montrant une jeune femme en jeans assise sur une plage rocailleuse. L'annonce dit : « Que voulez-vous ? » La réponse, exprimée par la femme, est la suivante :

« Je veux donner le meilleur de moi-même. La haute technologie est un domaine grand ouvert. J'aide à créer des programmes de relations publiques pour les sociétés qui sont à la pointe du développement informatique. Ce que j'apprends, c'est à faire une fabuleuse carrière. Je veux aller à la plage. J'ai grandi sur la Côte Ouest. L'océan a toujours été mon second chez-moi. Chaque fois que je réfléchis, voilà ce que je conclus. Je veux continuer à grimper. Chaque année, mon rôle est de plus en plus important. Mes managers me soutiennent grâce à des programmes de développement professionnels et de mentoring. J'ai l'impression d'être de retour à l'université. Je veux aller en Afrique. L'année prochaine, j'espère (à propos, notre régime d'assurance santé est fantastique). Je veux donner le meilleur de moi-même. S'il y a une limite à ce que je suis capable d'entreprendre, je ne sais pas où elle est ni quand je l'atteindrai. Jamais, j'espère. »

C'est le capitalisme Bobo en bref. Université, apprendre, développement, voyage, grimper, autodécouverte. Tout y est. Et tout est ponctué par ce petit mot « je » qui apparaît quinze fois dans ce court paragraphe. L'Homme de l'organisation est renversé. Whyte décrivait un génie social qui plaçait le groupe en première position. Le génie social actuel place le « je » en première position.

Le travail devient donc une vocation, un métier. Et ce qui est étrange, c'est que dès que les employés se mettent à penser comme des artistes et des militants, ils travaillent en fait plus dur pour l'entreprise. Dans les années 60, la majorité des théoriciens sociaux prétendaient que plus on s'enrichissait, moins on travaillait. Mais si le travail prend la forme d'une libre expression ou d'une mission sociale, alors vous ne voulez jamais vous arrêter. Vous êtes animés d'une envie implacable de grandir, d'apprendre, de vous sentir encore plus vivants. Les cadres qui rêvaient de devenir des gentlemen raffinés devaient attacher une grande importance au temps libre, mais ceux qui aspirent à devenir des artistes font grand cas du travail. Les entreprises apprennent que les Bobos sont prêts à se mettre K.O. s'ils pensent que c'est pour leur soi spirituel, pour leur développement intellectuel. Lee Clow est P.-D.G. de l'agence de publicité TBWA Worldwide. Il institue un ensemble d'attentes professionnelles qui, il y a quelques décennies, auraient conduit à des grèves. Aujourd'hui, on les trouve avisées. « Rares sont les week-ends dans cette agence où personne ne travaille, confiait-il au *Wall Street Journal* il y a quelques années. Parfois, on me demande ce que je dis aux gens pour les faire travailler le samedi et le dimanche. Je ne dis rien du tout. Mais nos employés créatifs savent ce que l'on attend d'eux. Ils savent qu'ils ont une chance dans ce gros bac à sable. Il est conçu pour être un endroit stimulant, un endroit sympa, un endroit interactif, un endroit social. » Ne le traitez surtout pas de sweatshop [1] ! C'est un bac à sable ! Rien à voir avec les affaires ! C'est un jeu !

1. Atelier ou usine où les ouvriers sont exploités.

Les contradictions culturelles du capitalisme : résolues !

En 1976, Daniel Bell écrivit un livre fort influent, *The Cultural Contradictions of Capitalism.* Il affirmait que le capitalisme reposait sur deux élans contradictoires. Dans une société capitaliste, les gens doivent être autodisciplinés et quelque peu ascétiques ; ils arriveront donc à l'heure à l'usine et travailleront dur. Mais ils doivent aussi être âpres au gain et un peu hédonistes ; ils voudront donc constamment consommer de plus en plus les choses qu'ils font. À l'instar de Max Weber, Bell pensait que l'éthique protestante avait réconcilié depuis longtemps ces deux élans dans un système de croyance unique. Mais selon Bell, l'éthique protestante s'affaiblissait. Il prévoyait un monde dans lequel la retenue disparaîtrait. Il avait trouvé deux grands coupables : premièrement, la culture du romantisme qui cherchait à détruire l'ordre, la convention et la tradition au nom de la sensation, de la libération et de l'auto-exploration. Deuxièmement, le besoin du capitalisme d'alimenter continuellement des niveaux de consommation de plus en plus élevés. Il suffit que vous ayez un énorme crédit consommation sans éprouver de honte, affirmait Bell, pour que les gens découvrent qu'il vaut mieux consommer que se retenir et commencent à vivre de plus en plus pour le plaisir du moment. L'hédonisme l'emporterait haut la main sur la frugalité et l'exhibition remplacerait la modestie. Dans le monde futur de Bell, « la culture n'avait plus rien à voir avec une façon de travailler et de réussir mais avec une façon de dépenser et de se faire plaisir », écrivit-il.

Dans les années 70, Bell se voyait entouré d'anomisme, cette idée qu'il faut libérer les gens des lois et des contraintes en vertu de leur grâce personnelle. En effet, beaucoup pensaient que l'attitude moraliste envers le travail s'érodait et que l'échelle de l'ambition était délégitimée. La thèse de Bell toucha la corde sensible. Il semblait plausible de penser que le capitalisme déchaînerait les forces culturelles qui finiraient par le détruire.

Mais cela ne s'est pas passé. Au contraire, les plus négatifs aux forces culturelles romantiques décrites par Bell, les baby boomers style Berkeley, sont devenus des capitalistes qui travaillent dur, orientés vers le long terme. L'hédonisme de la mythologie de Woodstock est domestiqué et fait aujourd'hui office d'outil de management pour les cinq cents plus grosses fortunes. Les Américains n'ont même pas adopté les modèles de congés européens. Au contraire, ils travaillent la nuit chez Microsoft et les week-ends chez Ben & Jerry's. Et ceux qui parlent avec le plus de dévotion de détruire l'ordre et d'instituer une révolution perpétuelle — les capitalistes du monde des affaires — sont ceux qui font tout leur possible pour réussir. C'est le Modernisme des actionnaires. Bell regarda l'Amérique et y vit une culture qui mettait en valeur l'hédonisme antirationnel; il y vit une structure économique qui dépendait de la raison technocratique. Il en conclut que ces deux forces devraient se heurter. Au contraire, elles s'estompèrent pour créer quelque chose de nouveau.

Les capitalistes de la contre-culture ne sont pas freinés par le code protestant ni par l'ancien code puritain. Au contraire, ils construisent leur propre génie social qui crée un système de contrainte similaire et probablement plus rigoureux. Ils transforment le travail en une vocation intellectuelle et spirituelle, ils appréhendent leur labeur avec une ferveur d'artistes et de missionnaires. Leurs cols ne sont peut-être pas boutonnés et leurs bureaux ne sont pas ordonnés mais ils sont, tant bien que mal, plutôt autodisciplinés. Les membres de l'élite socioculturelle considèrent souvent le travail comme l'expression de leur être intégral et par conséquent, ils s'y consacrent avec une énergie phénoménale. Pour beaucoup, à aucun moment, ils ne sont pas au travail : ils sont toujours en train de penser.

Les occupants des micro-industries des Villes Latte ou les surfeurs des postes de travail de la contre-culture ne s'adonnent pas non plus à cette exhibition somptueuse et au mode de vie hédoniste qu'avait prévu Bell. Ils ont créé un génie social d'égalitarisme, de santé et d'environnementalisme, d'après lequel il est mauvais de vivre dans le style ostentatoire des nantis d'autrefois. Cela sert aussi de substitut au système de contrainte de l'éthique protestante tant controversée. Ces gens croient que vous devez prendre soin de votre corps — en d'autres termes, boire, se droguer et faire ribote ne sont plus à la mode. Les cafés ont remplacé les bars en tant que principaux lieux de rencontre. Comme nous le verrons plus en détail dans les chapitres suivants, les activités autodisciplinées comme le jogging ou le vélo sont à la mode ; en se défoulant, ces personnes ont même réduit leur temps libre à une forme d'autodiscipline.

Les années 60 ont déchaîné les forces libératrices sauvages dans la société américaine, mais l'anomisme a fusionné avec le génie social de l'entreprise que nous associons aux années 80. Cette fusion a légitimé le capitalisme chez ceux qui furent ses plus fervents détracteurs ; elle a aussi légitimé les attitudes propres à la contre-culture chez les élites du monde des affaires. Quels que soient ses défauts, le génie Bobo obtient de fantastiques résultats financiers. En Amérique, les affaires prospèrent depuis plus d'une décennie et la domination américaine gagne tous les secteurs. Les entreprises américaines sont créatives et efficaces à la fois. Bell pensait qu'il assistait à la fin de la bourgeoisie : la bourgeoisie s'est apparemment ragaillardie en absorbant — et en étant absorbée par — l'énergie des bohèmes.

4

LA VIE INTELLECTUELLE

En 1954, Irving Howe écrit un essai pour le *Partisan Review* intitulé *This Age of Conformity,* portant sur la dégradation de la vie intellectuelle américaine. « Les périodes les plus passionnantes de la vie intellectuelle américaine coïncident avec l'ascension des bohèmes », affirmait Howe. On donne alors libre cours aux idées et innovations, penseurs et artistes se détachent de la vie bourgeoise, de ses costumes bien portés, de ses conventions et vivent de leur côté dans le royaume de l'art, des idées et de l'esprit. Mais Howe sentait que la notion de bohème commençait à perdre de sa force. Et le coupable était l'argent. « Certains intellectuels, affirmait Howe, sont "sold out [1]" et nous pouvons tous montrer des exemples du doigt, probablement les mêmes », observait Howe. « Mais ce qui est bien plus courant et bien plus insidieux, c'est la lente usure qui détruit l'aptitude de chacun à tenir bon et à rester seul : les tentations d'un meilleur niveau de vie. » Pour reprendre l'expression de Howe, les intellectuels ne tenaient plus bon et ne restaient pas seuls. Ils travaillaient pour des organismes gouvernementaux. Ils faisaient partie de comités publics, se lançaient dans des tournées de conférences, écrivaient pour des magazines

1. Renoncent à leurs rêves pour vendre leur âme au diable ou au capitalisme.

grand public et donnaient des cours du soir. Somme toute, ils mettaient un pied dans le monde du commerce et de la politique.

Ce qui se perdit dans ce processus, ajoutait Howe, « ce fut toute la vocation intellectuelle — l'idée d'une vie consacrée à des valeurs, probablement pas réalisables par une civilisation commerciale ». En rejoignant la culture bourgeoise dominante, les intellectuels, d'après Howe, abandonnaient toute leur liberté. Ils se dévalorisaient. En effet, écrivit Howe, en le déplorant, « les écrivains aujourd'hui n'ont d'autre choix, assez souvent, que d'écrire pour des magazines tels que le *New Yorker,* et pire, bien pire ». Certains survécurent, leur indépendance intacte, conclut-il, mais « pour un romancier qui a survécu au *New Yorker,* on en compte une douzaine dont l'œuvre devint triviale et gelée après qu'ils aient écrit pour ce magazine ».

Si ce qui se passait en 1954 rendait malade Irving Howe, heureusement qu'il n'est plus là pour voir ce qui se passe aujourd'hui. Nous ne pensons même plus à avoir peur pour l'âme d'un auteur si nous découvrons qu'il écrit pour le *New Yorker.* Nous ne trouvons pas qu'un auteur est *sold out* s'il a commis un best-seller. Nous ne voyons pas d'objection à ce que des professeurs titulaires fassent des tournées de conférences lucratives. Mieux vaut que ce soit eux qu'une autre escouade d'orateurs venus nous expliquer comment améliorer notre rendement professionnel et personnel. Aujourd'hui, nous avons pratiquement perdu la croyance — si répandue à l'époque de Howe — d'après laquelle les intellectuels devraient rester hors des circuits commerciaux et des tentations de la pop-culture. Tout comme les forces culturelles de l'ère de l'information créent des hommes d'affaires qui s'identifient à des semi-artistes et des semi-intellectuels, les intellectuels d'aujourd'hui s'apparentent davantage à des hommes d'affaires. Nous utilisons des phrases comme « le marché des idées », « propriété intellectuelle » et « économie d'attention » pour mélanger le royaume de l'esprit et le royaume du marché. Les intellectuels ont assisté à la transformation de leurs profils. Autrefois à l'écart, ils se mêlent aujourd'hui au reste de l'élite socioculturelle, produisant un nouveau genre d'intellectuels pour la nouvelle ère Bobo.

Vu la position avantageuse d'aujourd'hui, le paysage intellectuel des années 50 nous semble étrange et peu familier. Si vous relisez les œuvres de Lionel Trilling, Reinhold Niebuhr, Sidney Hook, William Barrett, Hannah Arendt et de la horde qui a participé à la *Partisan Review*, vous êtes immédiatement frappé par le ton archi-sérieux qui dominait. Ces intellectuels adoraient les essais portant sur des thèmes du style « Le Monde dans tous ses aspects » que la plupart des auteurs d'aujourd'hui considéreraient comme pompeux. Niebuhr écrivit un livre intitulé *The Nature and Destiny of a Man* qui traita sûrement d'un large éventail de questions. Ils adoptaient des styles de prose qui, bien que clairs et élégants, étaient aussi pompeux et remplis d'autorité et de science.

Ils n'hésitaient pas à parler de leur propre importance. Ils passaient un temps fou à signer des pétitions, faire des déclarations, se réunir en assemblées ou à prendre « position ». Leurs mémoires sont remplies de mélodrames intellectuels. Lorsque Edmund Wilson publiait une critique, se rappellent-ils, nous savions que la vie ne serait plus jamais la même, comme si une critique de livre pouvait changer la réalité, ce qui était probablement le cas à cette époque. Ils se prenaient pour les modeleurs de l'histoire — et peut-être l'étaient-ils. « Une seule touche de peinture, marouflée par du travail, et un esprit qui a compris sa puissance et ses implications, pourraient rendre à un homme la liberté qu'il a perdue en vingt ans d'excuses et de manœuvres de subjugation » écrivit le peintre Clyfford Still, apparemment sans s'exposer aux railleries. Ils adoraient les majuscules. « Ces trois grandes forces de l'esprit et de la volonté

— l'Art, la Science et la Philanthropie — sont devenues, c'est clair, les ennemis de l'Intellect », a déclaré Jacques Barzun en 1959. Ils émettaient ce style de jugements grands et vaporeux qui aujourd'hui nous frappent par leur ridicule. Voici une citation de Bertrand Russel qui figurait sur la couverture de *Dissent* à l'automne 1963, sur ce ton de dénonciation héroïque propre à qui est puissamment conscient de sa majesté prophétique :

« Kennedy et Khrouchtchev, Adenauer et de Gaulle, Macmillan et Gaitskell poursuivent tous le même objectif : anéantir les droits de l'homme. Vous, votre famille, vos amis, et vos pays allez tous être exterminés par la décision commune de quelques hommes cruels mais puissants. Pour séduire ces hommes, toutes les affections privées et les espoirs publics, tout ce qui a été réalisé dans les domaines de l'art, du savoir et de la pensée et tout ce qui pourrait être réalisé par la suite, devra être détruit pour toujours. »

Au cœur de ce style figurait la vision idéaliste du rôle social de l'intellectuel. Selon ce point de vue, l'intellectuel est quelqu'un qui vit en marge de la société, renonçant à certains avantages matériels et servant plutôt de conscience de la nation. Les intellectuels sont les descendants de Socrate, exécuté à cause de sa quête impitoyable de la vérité. Ils s'inspirent du *J'accuse* d'Émile Zola qui défiait l'orthodoxie et l'autorité au nom de la justice supérieure. Ils sont influencés par la notion russe d'intelligentsia, sacerdoce séculier d'auteurs et de penseurs qui participaient à la vie de la nation en vivant au-dessus, dans une sorte d'espace universel de vérité et de désintéressement, rendant des jugements moraux sur ceux d'en dessous. L'une des descriptions les plus influentes du rôle olympien de l'intellectuel — conception qu'avaient les intellectuels eux-mêmes — fut écrite par Edward Shils dans un essai de 1958,

The Intellectuals and The Powers : Some Perspectives for Comparative Analysis.

« Dans toute société... il y a certaines personnes dotées d'une sensibilité inhabituelle pour le sacré, d'un caractère réfléchi hors du commun envers la nature de l'univers, et les règles qui gouvernent leur société. Dans toute société, il y a une minorité de personnes qui, plus que le commun des mortels que sont leurs concitoyens, est curieuse et désireuse d'être fréquemment en communion avec des symboles qui sont plus généraux que les situations immédiates et concrètes de leur vie quotidienne, et est en marge du temps et de l'espace. Dans cette minorité se trouve le besoin d'externaliser la quête dans des discours oraux et écrits, dans la poésie et l'art plastique, dans la réminiscence ou l'œuvre historique, dans des rituels et des cultes. C'est ce besoin intérieur d'aller au-delà de l'écran de ces expériences concrètes et immédiates qui indique l'existence des intellectuels dans toute société. »

C'est une division sociale absolue. D'un côté, la vaste majorité qui vit dans un monde de « situations concrètes » et de l'autre, cette minorité dont les vies sont définies par leur « sensibilité pour le sacré » et leur « caractère réfléchi envers la nature de l'univers ». Mais ce fossé était absolument indispensable aux intellectuels de l'époque, en Europe et dans une moindre mesure, aux États-Unis. Car ce n'était qu'en restant en marge de la société qu'ils pouvaient la voir en toute clarté et honnêteté, ou du moins, c'est ce qu'ils croyaient. Dans un livre publié plus tard, *La Vie de l'esprit,* Hannah Arendt exprima son opinion en citant une parabole imputée à Pythagore : « La vie est comme un festival de poésie, certains rivalisent, d'autres ne font qu'exercer leur métier mais les meilleurs viennent en tant que spectateurs. Ainsi dans la vie, les hommes serviles partent en chasse de la gloire ou du gain, et les philosophes en chasse de la vérité. » Seul le penseur qui se libère des grandes organisations et des alliances matérielles peut espérer percevoir la vérité, affirmait C. Wright Mills dans *Power, Politics and People.* « L'artiste et l'intellectuel indépendants font partie des quelques personnalités armées pour résister et lutter contre la mort stéréotypée des choses authentiquement vivantes. »

Les intellectuels des années 50 semblaient parfois cultiver le conflit avec le sentiment d'être constamment attaqués par le monde vulgaire du commerce. Ils s'armèrent contre les invasions du journalisme, de la publicité et du star-système, repoussant les Babbitts — les Américains moyens — et les philistins. « L'hostilité du commun des mortels envers l'intellectuel existe partout, en tout temps », écrivit Jacques Barzun dans *The House of Intellect. Anti-Intellectualism in American Life* de Richard Hofstadter fut une salve dans la guerre entre l'esprit et la matière.

L'argent et ses tentations représentaient la plus grosse menace contre l'intellectuel indépendant. Le commerce était l'ennemi de l'art. Norman Mailer eut de gros problèmes avec ses amis intellectuels lorsque son roman *Les Nus et les morts* devint un best-seller. Son succès commercial était un commencement de preuve que quelque chose n'allait pas. Et la culture commerciale ne s'est pas uniquement attaquée de front à l'intellectuel avec des offres financières grossières. Elle est apparue sous la forme d'un cheval de Troie avec la culture « intellectuellement moyenne ».

Il est difficile aujourd'hui de comprendre la férocité dont ont fait preuve les grands intellectuels des années 50 contre l'intellectuel moyen. La culture intellectuellement moyenne était constituée d'œuvres, d'art et de musique populaires et modérément intellos, qui figuraient dans des magazines tels que le *Saturday Review,* — sous des titres ampoulés du style « L'Avenir appartient à l'Homme Cultivé » et « L'art : donateur de vie et de paix » — ou dans des livres recommandés par le Book-Of-The-Month

Club, voire dans des pièces de Thornton Wilder. Les intellectuels moyens consommaient une vaste culture, avec un air autosatisfait, car c'était bon pour eux.

Mais les grands intellectuels purs et durs des années 50 ne le voyaient pas de cet œil; ils attaquaient avec une méchanceté à couper le souffle. Même combat pour Virginia Woolf qui, quelques décennies plus tôt, avait qualifié les intellectuellement moyens de « bave gluante » et de « peste pernicieuse ». Clement Greenberg les appelait « force insidieuse » qui « dévaluait ce qui était précieux, infestait ce qui était sain, corrompait les honnêtes gens et abrutissait les sages ». Dwight Macdonald écrivit la plus célèbre attaque dans son essai intitulé *Masscult and Midcult* dans lequel il attaquait violemment « la boue tiède » du Musée d'Art Moderne et l'Union américaine des Libertés Civiques et assimilait la culture intellectuellement moyenne à « un danger... l'ennemi derrière le mur... le marécage ».

Les intellectuels moyens ne souhaitaient pas rejoindre le sacerdoce séculier de l'intelligentsia. Au contraire, ils voulaient investir le royaume des idées et le ramener sur terre, entre les griffes de la bourgeoisie américaine et de la médiocrité commerciale. Ils voulaient coopter l'intellect et lui faire servir les intérêts utilitaires et les amusements de la bourgeoisie. Ils voulaient lire les grands textes pour impressionner leurs amis et apporter un peu d'esprit à leurs conversations. Les intellectuels devaient se sortir des tentacules de la culture commerciale, même s'ils commençaient à supporter tout doucement les reproductions des œuvres de Michel-Ange.

Les entrepreneurs intellectuels

Il y a quelque chose d'admirable et en même temps de prétentieux et d'illusoire dans l'image que véhiculaient d'eux les intellectuels de cette époque.

Qui ne voudrait pas vivre dans un engagement aussi passionné pour ses idées ? Et en vérité, à cette époque, les livres et les idées semblaient avoir bien plus d'importance. En même temps, la suffisance de ces penseurs était souvent difficile à accepter. En se coupant des politiciens, les intellectuels se coupaient de la réalité qui les entourait. Ils inventaient des conspirations, ils osaient des déclarations qui, après coup, apparaissaient absurdes et fumeuses. Aujourd'hui, les intellectuels ont tendance à minimiser ou à nier le fossé entre eux et les autres et non à l'exalter. La caractéristique principale de l'ère de l'information est qu'elle réconcilie le tangible et l'intangible. Elle a transformé les produits de l'esprit en produits commerciaux. Les lointaines dialectiques des années 50 nous semblent archaïques. Aujourd'hui, un jeune diplômé qui souhaite devenir un intellectuel ne trouve dans le monde qui l'entoure aucune critique littéraire impressionnante ayant l'envergure d'un Edmund Wilson ou d'un Lionel Trilling. Il ou elle découvre des douzaines de stars intellectuelles, des gens qui brouillent les cartes en réussissant dans les cercles intellectuels mais aussi à la télé, dans des entreprises privées de consulting ou dans les chroniques et commentaires des journaux, des hybrides quasi institutionnels qui n'existaient pas dans les années 50. Le jeune intellectuel verra des célébrités millionnaires comme Henry Louis Gates, professeur de Harvard animé de l'esprit d'entreprise qui fait aussi des documentaires pour PBS, écrit pour le *New Yorker* et *Talk,* et semble produire en série une variété infinie de conférences, encyclopédies et autres projets ; Henri Kissinger, qui passa des études de Metternich à la politique et au consulting économique ; Duke's Stanley Fish que l'on voit souvent dans des tournées de conférences avec un homologue conservateur ; E. J. Dionne, qui sert d'intellectuel public issu du monde toujours croissant des groupes d'experts ; et Esther Dyson qui délaye ses théories lors de conférences technologiques hors de prix.

Dans les années 70, un groupe d'intellectuels conservateurs a élaboré la théorie de la Nouvelle Classe dont le principe était le suivant : une petite classe intellectuelle, politiquement libérale, exerçait une influence disproportionnée sur la culture américaine en occupant les hautes sphères du monde académique, médiatique et culturel. Mais avec l'ascension d'une élite socioculturelle de masse, il devient de plus en plus difficile de tracer une frontière entre le monde de l'intelligentsia et le reste de l'Amérique. Le fossé existant entre les intellectuels et les autres est à présent un continuum. Le paysage culturel est peuplé de personnages quasi savants, quasi politiciens et quasi riches. Daniel Yergin, universitaire de Harvard, ayant écrit quelques livres sur l'histoire du pétrole, a sauté sur l'occasion et ouvert une boîte de conseil pour les entreprises pétrolières (Cambridge Energy Research Associates, dont le chiffre d'affaires annuel dépasse les 75 millions de dollars). Strobe Talbott s'intéressait à la Russie et mit ensuite cette passion au service du *Time.* Il écrivit des livres sur les affaires diplomatiques, publia des poèmes et devint vice-ministre. Avec l'économie de l'ère de l'information, il s'avère que ceux qui ont un don pour la recherche, l'analyse, les mathématiques, l'écriture ou tout autre domaine intellectuel se voient offrir de bonnes carrières n'exigeant pas d'études poussées — dans la finance, à Silicon Valley, ou dans les multiples royaumes où le commentateur est roi : journalisme, groupes d'experts, fondations, gouvernements, etc. Les boulots non universitaires et pour des publications autres que les petits magazines payent souvent mieux. Les promotions arrivent plus vite. Et la stimulation intellectuelle est tout aussi intense, les expériences encore plus excitantes. Le penser et le faire se sont rapprochés.

Le sens même du mot intellectuel a changé au cours de ces cinquante dernières années, tout comme celui du mot gentleman avait changé cinquante ans plus tôt. Autrefois, « intellectuel » faisait référence à un petit groupe fermé, puis la qualification s'est appliquée à de plus en plus de monde. Aujourd'hui, le mot a quasiment perdu son sens premier, vu la diversité des gens qui se disent intellectuels.

La petite intelligentsia raffinée qui vivait en communauté dans les quartiers bohèmes de New York, San Francisco et Boston n'est plus. À présent, c'est une classe massive d'analystes cultivés et de « leaders d'opinion » qui ont rendu les vieux quartiers bohèmes inabordables pour quiconque n'a ni stock-options ni royalties. Aujourd'hui, les universités faxent à tout va des communiqués informant les reporters que les membres de leur corps enseignant sont disponibles pour commenter les controverses du jour dans un talk-show d'une chaîne câblée. Aujourd'hui, les écrivains et professeurs d'études culturelles embrassent la culture de masse et consacrent leurs conférences à Madonna ou à Marilyn ou à Manson ou à Marilyn Manson. Dans les années 50, il fallait faire partie de la sphère des critiques littéraires pour connaître la gloire à son apogée. Aujourd'hui, la gloire est en première classe des vols transatlantiques où les universitaires aéroportés volent de conférences en conférences, collectionnant les coupons-kilomètres et comparant les duty-free. Les intellectuels des années 50 discutaient de *Huis clos*. Les intellectuels contemporains discutent de SICAV.

Mais le changement crucial ne réside pas uniquement dans le fait que plus d'argent s'offre à ceux qui savent mettre leurs idées en pratique. Il est dans la façon dont se conçoivent les intellectuels. Edward Said, professeur à Columbia, n'apprécie guère cette tendance et décrit ce bouleversement dans *Des Intellectuels et du pouvoir* : « Ce qui menace surtout l'intellectuel aujourd'hui, ce n'est ni l'académie, ni les banlieues ni le mercantilisme épouvantable dont font preuve les journalistes et les maisons d'édition, mais plutôt une attitude que je qualifierai de professionnalisme. Par professionnalisme, j'entends, penser à votre travail comme à quelque chose d'intellectuel que vous faites pour vivre entre neuf heures du matin et dix-sept heures en gardant un œil sur votre montre et l'autre sur ce qui est censé être le comportement professionnel adéquat — ne pas jouer les trouble-fête, ne pas s'écarter des paradigmes ou limites approuvés au préalable, faire de vous quelqu'un de commercialisable et, surtout, de présentable. »

Les intellectuels en sont arrivés à voir leurs carrières en termes financiers. Ils recherchent des créneaux. Ils rivalisent pour être le centre d'attraction. Ils prenaient autrefois leurs idées pour des armes mais sont, à présent, bien plus enclins à les considérer comme une propriété. Ils élaborent des stratégies de marketing, des stratégies pour faire grimper les ventes de leurs livres. Norman Podhoretz fut incendié pour avoir reconnu dans ses mémoires de 1967, *Making It,* qu'il était, comme d'autres écrivains, dévoré par l'ambition. Le livre fit scandale dans les milieux littéraires et suscita une profonde gêne chez les amis de Podhoretz. À présent, la notion d'ambition est tout aussi présente dans le business des idées que partout ailleurs. Aujourd'hui, Henry Louis Gates, président du Département des études afro-américaines de Harvard, confie à un reporter du magazine *Slate* : « Impulsivement, je suis un chef d'entreprise. Si je n'étais pas universitaire, je pourrais être P.-D.G., Quincy Jones est mon héros. J'ai une photo de Vernon Jordan au mur juste au-dessus de celle de John Hope Franklin. »

L'économie de l'échange symbolique

La seule surprise aujourd'hui, c'est que les universités n'ont pas ouvert d'écoles de commerce pour intellectuels en herbe. Les écoles expédient les étudiants en marketing et en finance sur le marché du travail avec une formation complète sur la meilleure façon de diriger une entreprise et de grimper. Mais les intellectuels doivent faire leur trou sur le marché du travail sans avoir suivi de formation officielle sur le meilleur moyen d'accumuler des subventions de fondations, ni de cours sur la présentation des livres de leurs collègues, ni d'études de cas sur le lancement d'un best-seller sur le marché, ni de modèles quantitatifs sur la manière de déterminer quand un sujet sera porteur et pendant combien de temps. Aujourd'hui, les intellectuels apprennent leurs stratégies de carrière de la même façon que les gamins de neuf ans apprenaient leur sexualité : grâce aux vilains garnements dans les salles de bains.

Si l'université offrait un cursus sur le marché des idées, un auteur serait au cœur du programme : Pierre Bourdieu. Bourdieu est un sociologue français très influent chez ses collègues mais, en raison d'un style hermétique, son œuvre n'est pratiquement pas lue en dehors de l'Académie. L'objectif de Bourdieu est de développer une économie d'échanges symboliques, de redessiner les règles et les modèles du marché intellectuel et culturel. Sa thèse de base est que tous les protagonistes culturels et intellectuels entrent sur le marché, dotés de différentes formes de capital. Ce peut être un capital universitaire (les diplômes qu'il faut), un capital culturel (connaissance d'un domaine ou d'une forme d'art, don pour les convenances adéquates), un capital linguistique (capacité d'utiliser la langue), un capital politique (situation ou affiliations qu'il faut) ou un capital symbolique (prix ou titre de membre d'une société savante célèbre). Tout au long de leur carrière, les intellectuels essaient d'augmenter leur capital et de transformer une forme de capital en une autre. Un intellectuel essaiera de transformer son savoir en un métier lucratif; un autre de convertir son capital symbolique en des invitations à des conférences exclusives dans des endroits chics; un troisième tentera d'utiliser ses capacités linguistiques pour détruire la réputation de ses collègues et pour devenir célèbre ou, tout au moins, controversé.

Finalement, écrit Bourdieu, les intellectuels rivalisent pour gagner le monopole sur le pouvoir à consacrer. Certaines personnes et institutions à la tête de chaque spécialité ont le pouvoir de conférer prestige et honneur à des individus, des sujets et des styles de discours privilégiés. Les détenteurs de cette consécration du pouvoir influencent les goûts, privilégient certaines méthodologies et définissent la limite de leur discipline. Être consécrateur en chef est le rêve des intellectuels.

Bourdieu ne se contente pas d'examiner la position que peut occuper un intellectuel à un moment donné ; il examine son parcours professionnel, les attitudes, positions et stratégies successives qu'adopte un penseur en grimpant les échelons ou en étant en concurrence sur le marché. Un jeune intellectuel peut entrer dans le monde uniquement armé de convictions personnelles. Il ou elle sera confronté(e), d'après Bourdieu, à un domaine varié. D'un côté, il y aura des magazines radicaux audacieux, des journaux modérés de l'establishment de l'autre, des maisons d'édition dépourvues d'intérêt mais dignes et des entreprises avant-gardistes sans le sou. L'intellectuel sera confronté à des rivalités entre des écoles et entre des figures établies. Les relations complexes entre ceux-ci et les autres protagonistes du marché constitueront l'environnement mouvant et plein de pièges dans lequel l'intellectuel essaiera de se faire un nom. Bourdieu fait preuve d'une grande rigueur quant à l'interaction de ces forces, élaborant un graphique minutieux des différents domaines de la vie intellectuelle des Français, indiquant les niveaux de prestige et de pouvoir de chaque institution. Il identifie quelles institutions ont un pouvoir consacré sur telles ou telles parties du domaine.

Les jeunes intellectuels devront savoir comment investir leur capital pour en tirer un « profit » maximum et devront mettre au point des stratégies pour leur promotion — qui embrasser et qui critiquer pour grimper les échelons. Les œuvres de Bourdieu détaillent un tas de stratégies éblouissantes dont se servent les intellectuels pour avancer. Bourdieu ne dit pas que les domaines symboliques renvoient systématiquement à des principes économiques ; souvent, dit-il, c'est la règle du « qui perd gagne » qui s'applique. Ceux qui renoncent avec le plus de virulence et en public à la réussite matérielle gagnent prestige et honneur qui peuvent être transformés en lucre. Bourdieu ne prétend pas non plus que toutes ces stratégies sont conscientes. Pour lui, tout intellectuel possède un habitus, une personnalité ou une disposition qui le ou la conduit dans certaines directions et vers certains domaines. De plus, l'intellectuel sera influencé, souvent sans qu'il ne le sache ou ne s'en rende compte, par le magnétisme des rivalités et controverses du domaine en question. Des professions vont s'ouvrir à lui, des subventions vont apparaître et les violences vont se déchaîner. D'une certaine façon, c'est le domaine qui domine et l'intellectuel y est aspiré.

Bourdieu ne s'est pas vraiment fait une réputation d'Adam Smith de l'économie symbolique. Et ça ne servirait probablement pas à grand-chose à un jeune intellectuel de le lire dans l'espoir de piquer des trucs de carrière, comme s'il s'agissait d'un Guide Machiavélique pour les futurs Prix Nobel. Au contraire, Bourdieu est bien plus utile car il met en prose certains concepts qu'ont observés la plupart des autres intellectuels sans les avoir systématisés. La vie intellectuelle est un mélange de carriérisme et d'altruisme — comme bien d'autres professions. Aujourd'hui, l'intellectuel Bobo réconcilie la quête du savoir et la quête du don de soi, de la convivialité.

Comment devenir un Intellectuel Géant

Examinons comment le monde considère aujourd'hui une jeune femme fraîchement diplômée d'une université chic qui rêve de devenir le Henry Kissinger de sa génération. Elle sort de la fac criblée de dettes mais pourtant elle se retrouve en stage à peine rémunéré dans une entreprise, comme la Brookings Institution [1]. Elle commencera par faire des recherches Nexis [2] pour un ancien ministre du commerce qui passe ses trois heures de travail quotidien à préparer des réunions-débats sur un thème du style « Où va l'OTAN ? ». Son humeur oscille entre euphorie et désespoir. Stendhal a écrit : « La première histoire d'amour d'un jeune homme entrant dans la société est généralement une histoire d'ambition. » Et cela est valable pour quiconque entre sur le marché intellectuel. Son célèbre chef peut l'envoyer sur le chemin de la gloire et de la fortune — s'il fait ce qu'il faut pour elle auprès du rédacteur en chef du *New York Times* — ou, s'il ne l'aime pas, il peut l'empêcher d'entrer dans le monde des commentateurs et la forcer à postuler dans des facultés de droit. La stagiaire meurt d'envie qu'il lui donne son feu vert, rayonnant si c'est le cas et tombant au trente-sixième dessous s'il ne le lui donne pas.

Au nom de sa dignité personnelle, elle s'adonnera à de minuscules rébellions après le travail. Avec des amis, elle ridiculisera amèrement son chef qu'elle souhaite tant impressionner. Dans les dédales des fondations, des groupes d'experts, des maisons d'édition, des journaux et magazines, les jeunes stagiaires se livrent à des imitations acerbes de leurs supérieurs. Se moquer du patron est la forme du blasphème du carriériste. Les jeunes serfs des organisa-

1. Institut de recherche indépendant et très influent de Washington D.C.
2. Institut de recherche fournissant des informations sur le droit, le gouvernement, la technologie, les affaires...

tions intellectuelles se réunissent autour des tables des cocktails littéraires et des réceptions de conférences, dévorent à belles dents des crevettes gratuites tout en commérant méchamment sur leurs supérieurs qui se trouvent en lieu sûr. Si une bombe venait à exploser dans l'un de ces endroits, les rapports d'experts seraient bourrés de coquilles pendant des mois.

Heureusement, cette première période de tourments et d'angoisses ne dure pas. Si la jeune intellectuelle grimpe un échelon, elle commence à ressentir ce sentiment de suffisance démesuré qui sera la principale satisfaction du restant de sa vie. C'est en qualité de larbin qu'elle effectuera son premier travail à temps plein. Cela a l'air rabaissant mais, en réalité, ça ne l'est pas.

Dans la plupart des organisations intellectuelles, le dur labeur de recherche, de réflexion et d'écriture est confié à ceux qui sont trop jeunes pour y échapper. Un système des deux tiers se met en place. Il y a les « travailleurs de l'ombre » — les jeunes intellectuels arrivistes qui lisent et écrivent — et ceux qui ont la vedette — les intellectuels déjà célèbres, les attachés de gouvernement, les rédacteurs en chef de magazines, les présidents d'université, les dirigeants de fondations, et les hommes politiques dont le principal boulot consiste à faire des apparitions, à fournir les résultats des recherches, donner des discours et poser les points sur lesquels ont cogité pour eux les travailleurs de l'ombre. Les vedettes vont à des réunions, font l'émission Nightline, parlent dans des dîners organisés pour collecter des fonds, participent à des réunions-débats et donnent des interviews sur NPR. Ils s'attribuent le mérite de tout et n'importe quoi. Quand ils ne montrent pas leurs visages aux photographes de U.S. News et de World Report, ils parlent au téléphone. En effet, leur travail consiste parfois à se rendre sur leur lieu de travail, discuter au téléphone pendant trois heures, sortir déjeuner et discuter au téléphone pendant quatre heures de plus. Quand ils sont au téléphone, ils se disent combien ils attendent le week-end avec impatience, quand enfin ils pourront lire. D'une certaine manière, pratiquement contre leur volonté, leurs vies sont sens dessus dessous.

Les vedettes ont la gloire et les contacts, les travailleurs de l'ombre contrôlent la substance de ce qui se dit. À ce stade de sa carrière, la jeune intellectuelle va rédiger des notes de service acerbes et des chroniques et commentaires fustigeant ceux qui sont de quarante ans ses aînés pour leur ignorance et leur lâcheté : « Retrait du financement de la campagne : une lâcheté scandaleuse ! » C'est elle qui évalue les idées de principe, les textes, les candidatures dans une entreprise, les demandes de postes avec possibilité de titularisation qui atterrissent sur le bureau de la vedette. Quelque part, elle est au maximum du pouvoir qu'elle détient en réalité. Ainsi, il y a quelques années, un de mes amis avait servi de nègre, rédigeant des chroniques et commentaires pour un cadre supérieur sur un projet de loi devant passer devant le Congrès et qui fut publié dans un magazine national. Mon ami travailla ensuite pour un candidat à la présidence. Le cadre supérieur envoya les chroniques et commentaires au candidat. Et mon ami dut écrire une lettre au nom de cet homme politique faisant l'éloge des chroniques et commentaires qu'il avait lui-même écrits pour le cadre supérieur.

Comme pénitence pour de telles gratifications, la jeune travailleuse de l'ombre est obligée de subir des humiliations superficielles. Elle n'a qu'un rôle purement consultatif dont elle doit se contenter en suivant sa vedette qui se balade dans les couloirs comme ces petites stars de quatre ans qui détestent aller seules n'importe où. De plus, les vedettes, qui n'ont rien à porter, marchent très vite pour montrer leur vitalité. Les travailleurs de l'ombre, qui portent leurs documents et ceux de la vedette, doivent les suivre à toute vitesse — ridicule — pour ne pas être à la traîne. Parfois, la vedette sort d'une pièce ou monte dans une voiture en fermant la porte derrière elle. La pauvre travailleuse de l'ombre doit alors jongler avec ses dossiers et rouvrir la porte pour montrer à la vedette qu'elle existe.

Mais cette étape de carrière consistant à jouer les larbins est très importante car c'est alors que notre jeune intellectuelle apprend un tas de choses sur les protagonistes, sur le terrain. Elle sait désormais qui est important et qui ne l'est pas. Grâce à la place qu'occupe son célèbre chef, elle a accès à des lieux et à des personnes qui lui seraient interdits si elle n'était pas affiliée. Elle pourra contacter tous les rédacteurs en chef et autres gardiens du temple publicitaire à connaître si elle veut faire carrière en tant qu'intellectuelle dans la pub. Les difficultés surgissent quelques années plus tard, à 28 ans, quand il faut couper le cordon avec la vedette et devenir soi-même une vedette. Si elle n'arrive pas à se sevrer, elle se retrouvera réduite à jamais au statut de larbin. Son aptitude à penser indépendamment de la vedette se détériorera. Elle dira *nous* quand on lui demandera son avis : « Nous avons écrit un essai là-dessus il y a quelques années. » Elle en confondra son propre statut et celui de son chef — l'auto-ennoblissement est l'opium de l'anonyme.

Créneau

Une fois libérée, elle devra définir son domaine de spécialité dont l'objectif est de lui procurer un créneau. Ainsi, lorsque des responsables de talk-shows, des rédacteurs en chef ou des comités de recherche chercheront quelqu'un qui connaît les programmes des missiles chinois, penseront-ils à elle. C'est un choix difficile. Les jeunes intellectuels doivent deviner les besoins futurs du marché — des centaines d'intellectuels maîtrisaient le domaine obscur du contrôle des armements pour, au bout du compte, se retrouver avec un créneau en perte de vitesse après la guerre froide. Les jeunes intellectuels doivent aussi deviner l'offre du marché. Si 10 000 jeunes intellectuels décident d'écrire des livres sur le communautarisme et la société civile, voudrait-elle être l'une d'entre eux ? Il faut faire preuve de perspicacité car, dans l'arène intellectuelle, il est parfois préférable de suivre le mouvement. Plus il y a de spécialistes en société civile, plus il y aura de conférences organisées sur la société civile. Plus on discutera de la société civile, plus on aura besoin d'experts capables d'argumenter ou de réfuter ces arguments. Comme chaque spécialiste d'un domaine lira (un peu) plus qu'il n'écrit, chaque nouveau venu dans cette spécialité fera augmenter les besoins en critiques et en membres de commissions d'enquête. C'est la Loi du Dire. Plus l'on dit de choses, plus il y a de choses à dire.

Notre jeune intellectuelle doit encore évaluer le prestige et la visibilité de son créneau. Au cours de la guerre froide, trouver des spécialités intellectuelles prestigieuses n'avait rien de difficile. Vous pouviez élaborer un graphique en haut duquel vous intégriez des questions de politique étrangère impliquant forcément des banques. Si les flux de capitaux Est-Ouest étaient votre domaine de spécialité, vous étiez sûrs et certains de passer le plus clair de votre temps à des conférences dans des hôtels Kempinski à 300 dollars la nuit à Budapest et à Djakarta. Plus vous vous éloigniez des politiques étrangères et des banques, moins votre domaine de spécialité était prestigieux. Des domaines, sans aucune connotation financière, tels que l'avortement ou l'aide sociale, étaient en queue de liste. Si vous participiez à une conférence sur l'une de ces spécialités, vous étiez entouré de gens en veste de sport qui leur allait mal, aux doigts boudinés et avec des poils sur le visage. Mais avec la fin de la guerre froide, tout cela a été chamboulé. Les questions de politique étrangère ont perdu de leur prestige alors que les questions familiales comme l'éducation ont de plus en plus de poids. Un expert de l'Amérique latine peut passer des années sans recevoir de coup de fil du producteur de *The NewsHour with Jim Lehrer*. Des spécialistes de problèmes racistes, quant à eux, ne vont passer qu'un mois sans recevoir de subvention extraordinaire de la fondation MacArthur.

Notre jeune intellectuelle doit choisir une spécialité d'actualité dans les médias. Elle peut choisir le budget fédéral car le budget est présenté tous les ans. Mais il faut admettre qu'elle a peu de chances de sortir de l'orbite PBS/NPR et de gagner celle de ABC/CBS/NBC. Elle pourrait devenir spécialiste du Moyen-Orient, mais imaginons la paix au Moyen-Orient, désastre pour elle. Certains jeunes intellectuels élaborent un programme — comment restructurer les Nations unies ou le système de prêt universitaire — mais c'est encore une erreur car personne ne s'intéresse à la politique universitaire et, constamment rejetés, les intellectuels à programmes deviennent des arrivistes et des casse-pieds. La tentation contraire consiste à devenir expert dans un domaine qui est trop sous les feux de l'actualité. Certains intellectuels se lancent et deviennent des spécialistes de matières attrayantes pour les médias, par exemple la sexualité des adolescents. Mais les intellectuels qui font ce genre de choses apparaissent avides de publicité. C'est le genre de personnes à mettre les lettres Ph. D. après leurs noms sur les pages de titre de leurs livres. Mieux vaut posséder une spécialité dans un domaine prestigieux pour feindre d'apporter un brin de respectabilité au débat sur la sexualité des adolescents dans une émission prime-time.

Notre jeune et prometteuse intellectuelle doit en même temps reconnaître qu'avoir une spécialité n'est qu'un outil de débutant — les agrès du discours — lui permettant d'avancer. Une fois célèbre, plus besoin de spécialité pour que les rédacteurs en chef ou les animateurs de talk-shows l'appellent. Ils la voudront pour son nom. Elle pourra alors abandonner sans problème son domaine de spécialité. Elle devra faire des commentaires sur n'importe quel sujet. En fait, c'est le marché qui l'obligera à le faire. On lui posera des questions sur tout. Si elle refuse de répondre, ne maîtrisant pas le sujet, elle s'apercevra que le public se sent insulté. Et la prendra pour une prétentieuse.

Comportement de l'intellectuel

Après avoir trouvé sa spécialité, notre jeune intellectuelle devra se pencher sur la conduite à adopter. On peut réussir sur le marché des idées avec n'importe quel type d'idées — il y a autant de modérés à la réussite fabuleuse que de radicaux à la réussite fabuleuse. Et on peut réussir en adoptant n'importe quel type de conduite. Des gens heureux réussissent, des gens en colère aussi. Mais vous ne pourrez pas réussir si vos idées sont incompatibles avec votre personnalité. Vous ne pouvez pas être un radical relax ni un modéré en colère. De telles créatures attirent très peu de spectateurs.

La tâche principale des radicaux, du style Noam Chomsky ou G. Gordon Liddy, consiste à aller d'une salle de conférence miteuse à une autre rappeler à leur public que, même si la culture dominante les méprise ou les ignore, ils ont raison sur tout. La carrière d'un radical repose sur la supposition d'après laquelle le monde va mal, dirigé par un establishment fourbe qui escroque le peuple en émettant des idées fausses. Pour prospérer, le radical doit aller mal. Son public exigera de lui de la vigueur, une once de paranoïa, une omniscience — l'intellectuel doit être capable de discerner la vérité dans le tissu de mensonges de l'establishment — et la volonté de véhiculer son courageux esprit de contradiction.

Pour être qualifié de héros, le radical doit prouver qu'il est ringard. Pour cela, il portera des chemises marron ou des bottes excessivement lourdes, des costumes qui ne sont plus à la mode chez Brooks Brothers et donc de rigueur chez les lecteurs et consommateurs radicaux sérieux. De plus, les radicaux doivent trouver des personnages vénérés à attaquer pour prouver qu'ils ont vraiment l'intention de rester ringards, malgré les contrats qu'ils ont signés avec des magazines tels que *Vanity Fair*. Pour la même raison, des universitaires confirmés sont obligés de trouver des sujets encore plus transgressifs à étudier — sado-masochisme, études homosexuelles. Les artistes doivent trouver des thèmes encore plus choquants. Les radicaux qui deviennent brusquement à la mode sont immédiatement considérés comme des arrivistes lâches. Ils perdent le standing qu'ils ont auprès de leur public et la plupart des subventions de fondations ainsi que leurs perspectives de carrière.

De plus, l'intellectuel radical ne peut pas construire sa carrière seulement en répétant ce qu'aiment ses supporters ; il doit dire ou faire des choses que détestent ses adversaires. S'il se contente de flatter son public, sa réussite ne sera que modeste. Si, par contre, il est calomnié par ses adversaires, alors son public, ses mécènes et divers attachés de fondations se rallieront. Il deviendra une cause à défendre, une personne que son public portera dans son cœur. Son public sera prêt à dépenser de grosses sommes pour acheter ses livres ou assister à ses conférences. Ils lui feront des standing ovations lorsqu'on le présentera car l'idée même de son personnage est devenue sacrée dans leurs esprits — il ne se fera souvent qu'applaudir tièdement après avoir terminé ses conférences car dans le combat intellectuel, c'est du combat dont a soif le public, pas du rôle joué par l'intellectuel.

Pour être sûrs d'être calomniés, les intellectuels radicaux et les personnages publics doivent se mettre par paires avec des homologues du camp adverse — Jerry Falwell [1] et Norman Lear [2], des militants gays et Operation Rescue. En adhérant à ces relations symbiotiques de pères fouettards, les deux bords peuvent amasser de l'argent et supporter la bassesse de l'autre. Ils font tout ce qu'ils peuvent pour choquer leurs adversaires — collent un crucifix dans un pot d'urine ou un autre comportement du genre. Pendant deux semaines, ils se lancent des accusations dans des talk-shows, ce qui ragaillardit les troupes. Chaque bord prétendra être moins à la mode que l'autre et cette course à qui sera le plus persécuté devient le centre de la dispute.

Alors que l'intellectuel radical se doit d'être véhément, querelleur et malheureux, l'intellectuel modéré doit être civil, tranquille et parler lentement. Les modérés séduisent les consommateurs satisfaits de la façon dont tourne le monde en général et, par conséquent, dérangés par les commentateurs qui génèrent agitation et discorde. Les publics des modérés veulent assister à un échange civil de points de vue et sont bien plus impressionnés par des propos subtils que par des attaques rhétoriques cinglantes et audacieuses. Ils sont attirés par des intellectuels géniaux qui font des déclarations du genre : « Je voudrais m'associer aux remarques qu'a fait monsieur Moyers au cours de son intervention. » L'intellectuel modéré pensera, à son tour, qu'il est tellement important qu'il n'a pas besoin d'être intéressant. Il parlera doucement et prudemment, comme s'il le faisait depuis de hautes sphères. Plus tard, on le prendra pour un homme réfléchi, mais personne ne se souviendra de ce qu'il a dit.

1. Révérend américain, leader du Mouvement Chrétien, ayant accusé la série TV « Teletubbies » d'être une icône homosexuelle, l'un des personnages étant mauve, couleur symbolique du mouvement gay.
2. Ex-star de sitcom américaine.

Marketing

L'intellectuel d'aujourd'hui ne débarque pas avec une spécialité et un comportement pour ensuite les commercialiser auprès du grand public cultivé. La production et le marketing évoluent simultanément, chaque processus influençant l'autre en boucle. À peine trentenaire, notre jeune intellectuelle passe encore le plus clair de son temps à écrire. Avant de pouvoir passer à la TV ou d'intégrer les tournées de conférences, elle doit avoir publié suffisamment d'œuvres pour que son nom dise quelque chose. Alors que débute sa carrière dans l'édition, elle s'imagine qu'un seul essai remarquable dans une publication prestigieuse suffit pour se faire un nom. Elle apprendra que c'est faux. Le jour où son premier grand essai est publié — peut-être s'appellera-t-il « Le Déclin du Discours », dans *Harper's* — elle s'imagine que sa vie va changer. Mais les autres continuent à vivre leurs vies comme avant et la traitent exactement de la même façon. Bon nombre d'entre eux n'ont pas remarqué son œuvre — qui fait l'objet de toute son attention fiévreuse depuis plusieurs semaines — et ceux qui l'ont remarquée la traitent comme un confetti de plus dans le carnaval des médias.

Il faut pourtant continuer à être publiée. Le *New York Times,* le *Wall Street Journal,* le *L.A. Times,* et autres journaux et magazines reçoivent des centaines de milliers de propositions chaque année et c'est en faisant des apparitions régulières dans ce genre de magazines que les intellectuels rappellent aux autres et à eux-mêmes qu'ils existent. Et dans les quelques heures qui suivent un gros coup médiatique, comme une décision judiciaire au sujet d'un mariage gay, notre intellectuelle va appeler la bonne secrétaire de rédaction s'occupant de la bonne chronique pour dire que ces ignares de commentateurs TV sont à côté de la plaque. Les journalistes de la presse écrite aiment s'entendre dire ce genre de choses : cela signifie qu'ils n'ont pas été pris de court par Geraldo Rivera [1]. Elle dira qu'elle est amie avec l'éditeur du journal — le rédacteur doutera de la véracité de ses propos sans toutefois en être sûr. Au baratin, elle convaincra le rédacteur que « son article fera vraiment avancer le débat ». Elle lui expliquera comment intégrer une référence de pop-culture dans son article en comparant la Cour Suprême à la créature du film du moment.

Une fois que le rédacteur en chef a donné son feu vert, notre jeune intellectuelle dispose de quatre heures pour l'écrire, ce qui ne laisse pas beaucoup de temps pour des raclements de gorge à la Edmund Wilson. Pourtant, elle doit structurer son article comme si elle suivait le plan de la cathédrale de Chartres. Le style devra être homogène et rigoureux tout en paraissant léger. Les deux premiers paragraphes feront office de façade — éblouissants et contenant l'essentiel. Les paragraphes suivants devront ressembler à la promenade dans l'abside : aller directement vers un point culminant attendu, tout en offrant des vues obliques sur d'intéressantes chapelles latérales. Enfin, le dernier paragraphe devra correspondre à l'arrivée dans le transept, la lumière jaillissant de tous côtés. Et comme le conseille le journaliste Michael Kinsley, ne pas utiliser de points virgules, trop prétentieux.

L'article devra contenir des références autobiographiques obligeant le lecteur à baisser les yeux pour lire les notes en bas de page. Si l'article mentionne des célébrités — un homme politique qui vient de mourir —, l'auteur évoquera des détails anodins, la dernière fois qu'elle l'a rencontré, son émotion à l'annonce du décès, etc.

Pour attirer le maximum d'attention, l'article devra contenir quelques inexactitudes. Les articles

1. Animateur de reality-show aux États-Unis qui fut obligé de changer le ton de son émission sous la pression d'hommes politiques et de téléspectateurs scandalisés.

logiques sont lus et compris immédiatement. Mais un article inexact ou erroné incitera des douzaines d'autres auteurs à réagir et à répondre, faisant ainsi du battage autour de l'auteur. Paul Kennedy, professeur à Yale, avait à son actif une carrière remarquable mais peu glamour lorsqu'il écrivit *Naissance et déclin des grandes puissances,* où il prédisait le déclin de l'Amérique. Ses prédictions s'avérant inexactes, des centaines d'autres commentateurs réagirent et le rendirent célèbre, faisant de son livre un best-seller. Francis Fukuyama a écrit un essai intitulé *La Fin de l'Histoire et le Dernier Homme* qui semblait erroné à ceux qui ne lisaient que le titre. Des centaines d'essayistes expliquèrent que l'Histoire n'était pas finie et Fukuyama fut célèbre dans le monde entier.

Après la publication de son article, notre jeune intellectuelle voudra que le rédacteur en chef sache quel impact a eu l'article sur la Maison-Blanche, la Banque centrale, l'industrie du film ou toute autre cible. Si elle entretient de bons rapports avec d'autres intellectuels, elle sera couverte de louanges. Les compliments sont la monnaie des classes pensantes. Dans les années 50, les intellectuels semblaient toujours se jeter des anathèmes, aujourd'hui, ce sont des louanges sans fin. Et comme faire des compliments n'a jamais rien coûté à personne, à part gagner de l'affection, les louanges sont prodiguées à foison gratuitement et on assiste à une inflation de louanges. La valeur de chaque unité de flatterie est en baisse et très vite, les intellectuels doivent faire circuler une brouette remplie de louanges juste pour payer un compliment. Pour mesurer avec précision combien les gens aiment son travail, notre jeune intellectuelle aura la sagesse de mettre au point une formule de déflation des louanges. Si quelqu'un déclare qu'il a aimé un article, cela signifie qu'il l'a vu mais ne l'a pas lu. S'il dit qu'il a adoré l'article, cela veut dire qu'il l'a lu jusqu'à la moitié mais ne peut se souvenir de ce dont il parlait. S'il dit qu'il est brillant, cela signifie qu'il l'a fini. Mais l'auteur n'est sûr à 100 % de la sincérité du lecteur que lorsqu'il lui fait ce genre de louanges, le meilleur des compliments : « C'était un article absolument remarquable. Ça fait des années que je me dis exactement la même chose. »

Si notre jeune intellectuelle réussit son article, elle se verra proposer une chronique dans un journal. Ça a tout l'air d'être le top du top mais si une douzaine de personnes deviennent riches et célèbres en écrivant des chroniques, des centaines d'autres besognent comme des esclaves, obligées de s'entraîner intensivement une ou deux fois par semaine comme des animaux de cirque. Ceux qui réussissent ont une superbe connaissance d'une chose : leur esprit. Ils savent ce qu'ils pensent et ont une confiance immense en leurs jugements. Ce n'est pas aussi simple que ça en a l'air car la plupart des gens ne sont pas conscients de leurs opinions jusqu'à ce que quelqu'un d'autre doive mettre des mots dessus. Mais un chroniqueur peut lire un article sur la chirurgie cérébrale pendant vingt minutes puis aller donner une conférence à des spécialistes en chirurgie cérébrale et leur dire ce qui ne va pas dans leur profession.

Pour les intellectuels privés de ce don et qui veulent grimper les échelons, la prochaine étape consiste à écrire un livre. À part ce qui compte le plus dans un livre — qui l'auteur va trouver pour en faire la promotion — il y a trois facteurs importants dont doit se préoccuper l'auteur : la maison d'édition, le titre et une phrase dont on se souviendra. On peut repérer la carrière d'un auteur à ses maisons d'édition. Son premier livre rigoureux sera édité chez University of Chicago Press ou une autre maison de ce type. Son deuxième livre sérieux chez W.W. Norton. Son troisième livre prestigieux et hautement intellectuel chez Simon & Schuster ou Knopf et à la fin de sa carrière, son mémoire à grand succès, lorsqu'elle aura enfin persuadé un éditeur de mettre sa photo sur la couverture, chez Random House. Le titre de son premier livre commencera par « La Fin de... ». L'avantage du mot fin réside dans sa finalité dramatique; peu de monde se souviendra d'un livre intitulé *L'idéologie périclite.* Mais des décennies après sa publication, le titre *La Fin d'une idéologie* servira toujours de référence — même si son contenu sera complètement oublié. Quand on écrit un livre dont le titre contient le mot fin, la difficulté est de trouver des choses qui ne sont pas déjà terminées. L'histoire, l'égalité, le racisme, la tragédie et la politique ont tous déjà été pris et *La Mort de...* englobe quasiment tout le reste. *La Fin du Jardinage* n'a pas l'étoffe d'un best-seller.

Si la stratégie du mot fin ne marche pas, l'auteur peut tenter l'approche que Leon Uris fut l'un des premiers à utiliser dans une série de romans best-sellers et qui fut reprise par Thomas Cahill dans le domaine de la non-fiction : le léchage de bottes ethnique. Pour ce faire, vous devez donner à votre livre un titre comme *Les Irlandais sont Merveilleux mais les Anglais craignent* et le faire suivre d'un autre livre intitulé *Les Juifs sont fantastiques.* Un auteur peut passer des décennies entières sans manquer de groupes démographiques susceptibles d'acheter ses livres à flatter (*Les lecteurs sont vraiment intelligents*) et où le *New York Times Book Review* pourrait-il trouver une critique osant dire le contraire? Une âme avisée a déclaré un jour que le pouvoir ultime de l'écrivain était de choisir par qui il pouvait être coopté. En choisissant le sujet de son premier livre, un écrivain peut sélectionner le public qu'il continuera à flatter pendant le reste de sa carrière. Toutefois, si l'on prend en compte le nombre de lettres de fans qu'il recevra parmi les adorateurs d'animaux domestiques, un écrivain doit avoir l'estomac bien accroché pour lancer sa carrière avec un livre intitulé *Les Douleurs secrètes des chats.*

Les intellectuels qui font la promotion de leurs livres auront besoin d'un slogan accrocheur que les présentateurs des talk-shows devront lire attentivement puis utiliser pour lancer la conversation. Pour le public cultivé, ce slogan accrocheur pourra être un paradoxe sophistiqué et faisant appel au désir du Bobo de réconcilier les extrêmes. Un auteur pourra donc dire que son livre est un argument pour un développement durable, un individualisme de coopérative, le marché social, le management de libération, le conservatisme compatissant, un idéalisme pratique ou un engagement flexible. L'oxymore qui a le plus de succès, *L'Abondance dans la simplicité,* a déjà été pris par Sarah Ban Breathnach dans son méga best-seller du même titre. Et *La Pauvreté dans la complexité* ne marcherait probablement pas...

Si notre auteur ne trouve pas de phrase, elle devra probablement se mettre à nu, à moins qu'elle ne soit déjà une célébrité de la TV. Se mettre à nu ne signifie pas que l'auteur devra littéralement faire un strip-tease — même si cela a déjà été fait par Elizabeth Wurtzel et d'autres. Mais tout comme les stars du cinéma en pleine traversée du désert poseront sans aucune honte pour *Vanity Fair,* histoire de faire redémarrer leur carrière, les auteurs accepteront parfois la gêne de l'exhibitionnisme pour attirer l'attention. Ils expliqueront comment ils atteignent l'orgasme ou, même mieux, comment le faisaient leurs beaux-pères prédateurs. S'ils ont la chance d'avoir décroché un boulot dans une industrie glamour, comme Hollywood ou Wall Street, ils divulgueront les secrets gênants des mentors qui leur ont donné leur première chance ou des sociétés qui les payaient ou, à la rigueur, de leurs épouses qui les aimaient.

Conférences

Les auteurs qui écrivent pour des magazines prétendent parfois que ça ne sert à rien d'écrire un livre car un article de magazine peut toucher des millions de personnes de plus et ne leur coûte qu'une partie infime des efforts. Mais écrire un livre — mis à part les plaisirs que l'on peut tirer de la connaissance parfaite de son sujet au lieu de ne le potasser que quelques jours — transforme l'auteur en chair à canon de réunions-débats. Un intellectuel en milieu de carrière devra assister, dans le mois, à au moins trois réunions-débats car à la fin de sa vie, c'est l'intellectuel qui aura participé au plus de débats qui gagne.

Ce quota est facile à remplir parce que les conférences sont omniprésentes dans l'ère de l'information. Difficile d'imaginer Andrew Carnegie et John D. Rockefeller assis entre des bouteilles d'eau minérale et discutant de « L'Avenir de la responsabilité des entreprises » avec Mark Twain dans le rôle d'un modérateur célèbre. Mais aujourd'hui, nous sommes tous des intellectuels et les intellectuels doivent participer à ces réunions-débats. Même les shows promotionnels de l'industrie du revêtement de sol se sont pourvus de tout l'attirail universitaire de, par exemple, la Modern Language Association — tandis que les conférences savantes comme celles de la MLA ressemblent à des shows promotionnels. Les grands hôtels sont compartimentés en salles de séminaire microscopiques. Les fontaines à café sont disposées sur des tables dans les halls, agrémentées de saladiers de fruits et de petits feuilletés aux fruits secs pour les experts qui participent à ces réunions et qui s'y retrouvent au moment de la pause. Et partout sont présentés des sujets à la mode, quels qu'ils soient, de la musculature de la cheville aux menus des dîners des romans de Henry James.

Quels que soient les autres objectifs que servent ces conférences — et elles instaurent réellement une solidarité entre les gens qui ont les mêmes centres d'intérêt, elles offrent aux entreprises un forum dans lequel elles peuvent flatter leurs donateurs, elles donnent aux intellectuels la chance d'aller dans des endroits comme Orlando ou San Francisco sans leurs familles —, l'objectif principal d'une conférence est de servir de Bourse de statut. À partir du montant d'attention et de flagornerie qu'attire un participant à cette conférence, elle peut évaluer où se trouve le prix de ses actions par rapport au reste du marché. Si elle fait une présentation brillante et se frotte comme il faut au gratin de la société, elle peut réévaluer son estimation et la faire monter en flèche, et par là même, tâter le terrain pour les futures offres d'emploi et autres opportunités.

Être un expert est la première tâche à accomplir dans une conférence. Si notre intellectuelle en milieu de carrière ne fait pas partie du comité d'experts, elle n'assistera probablement pas à la conférence car les non-experts sont des agneaux de conférence et les agneaux apprennent très vite que les lions de conférence ne traînent qu'entre eux. Deuxièmement, elle devra être l'expert le moins célèbre de son comité — exactement comme dans l'immobilier où il vaut mieux acheter la maison la moins chère dans un quartier cher. Déjà, il sera plus facile de briller parmi des sommités intellectuelles plus âgées. Elles vivent probablement sur un capital culturel passé et arrivent donc à cette conférence sans avoir fait aucune préparation. Quand sa session démarrera, elle passera les toutes premières minutes à compter le nombre de personnes dans la salle et à le comparer à celui des autres réunions-débats. Puis les participants à ces symposiums écouteront attentivement leurs présentations. L'organisateur — qui s'attribue en général le rôle de modérateur pour avoir une compensation publicitaire pour le travail qu'il a fait — veillera à bien faire ressortir l'intelligence de chaque expert comme pour faire jaillir la gloire sur sa capacité à attirer de grands noms. Écouter la présentation dithyrambique qu'il fait d'elle sera probablement le moment le plus agréable de toute la conférence. Cette joie n'est gâtée que si le modérateur est trop long. J'ai assisté un jour à une conférence où le modérateur n'en finissait pas et un membre du public a dessiné un graphique à main levée comparant la longueur de ces présentations à celle de l'Alexanderplatz de Berlin.

Le succès d'un symposium passe obligatoirement par des blagues pré-approuvées faites en début de conférence. Lors d'une conférence d'économistes, il faudrait commencer par raconter celle qui parle de quelques milliards par-ci, quelques milliards par-là et on se retrouve bien vite à parler véritablement argent. Ou de celle sur ces centaines d'économistes que vous étendez côte à côte sans jamais arriver à une conclusion. Ou de celle sur les économistes qui recherchent des clés sous un lampadaire parce que c'est là qu'est la lumière. Au moins une oratrice par réunion-débat doit citer Yogi Berra [1] et tout le public doit glousser de rire pour montrer qu'il n'est pas prétentieux du tout. Puis l'oratrice devra évaluer dans quelle mesure elle peut se permettre d'être ennuyeuse. Des experts très éminents sont censés être ennuyeux vu que leurs mots véhiculent des pensées profondes. Les hauts fonctionnaires, les présidents d'université et les chefs d'entreprise sont censés adopter un langage très recherché, un vocabulaire si dense et au contenu si vague que le public ne peut que rester bouche bée, le regard vitreux. Mais les intellectuels en pleine ascension ne peuvent se permettre d'avancer à la cadence de ces beaux parleurs grisonnants. Il n'y a rien de plus rébarbatif qu'un jeune intellectuel qui présume avoir gagné le droit d'être ennuyeux sans avoir réellement acquis l'éminence ou les responsabilités nécessaires. Ceux qui n'ont pas reçu de prix prestigieux ou qui n'occupent pas de poste à haute responsabilité ne devraient pas utiliser de phrases du style « J'aimerais suggérer... » ou « Je soutiens donc que... ».

Le public moyen ne se souvient que d'un seul point abordé dans chaque présentation. L'expert avisé fera donc en sorte qu'elle soit assez variée pour

1. Grand joueur de base-ball ayant disputé cent quarante-huit matchs d'affilés sans commettre la moindre erreur.

produire une réaction minimale chez son public. Le moyen le plus sûr d'engendrer un enthousiasme minimum est de faire des prévisions d'avenir surprenantes mais d'une manière socialement acceptable. Des futurologues purs et durs sont considérés comme des charlatans. Il existe deux façons d'éviter cela. La première est un déterminisme historique imparable : vous devez affirmer que c'est le courant de l'histoire qui engendre certains changements cruciaux. L'ère du PC est révolue, celle de la renaissance socialiste nous guette, l'expansion du christianisme évangélique aura des conséquences merveilleuses sur le secteur des services financiers. La deuxième technique consiste à faire preuve d'un parallélisme historique confus. Vous observerez que la période actuelle ressemble à une autre date importante : le climat politique de 1929. Un autre expert contre-attaquera alors en affirmant que la comparaison correcte est 1848 et un autre observera d'une manière impressionnante que le vrai parallélisme à faire est avec le Saint Empire romain en 898.

Ces acrobaties chronologiques ont pour but de susciter des questions pendant le débat. Il n'y a rien de pire pour un intellectuel en pleine ascension que de devoir rester assis en silence pendant la dernière moitié de la session alors que toutes les interventions questions/réponses vont aux autres experts. Cela signifie que la Bourse est en pleine chute. Mais si un expert avance une théorie inexacte et hâtive, cela provoquera des réfutations. Pour se protéger de ceux qui trouvent ses idées absurdes, elle insistera sur le fait que ce qu'elle vient d'avancer est quelque chose qu'elle ne fait que tester, bien que ces paroles équivoques aident rarement. La protection la plus intelligente est de mettre à profit le temps qui lui reste en citant somptueusement ses homologues experts. Trois citations tirées d'une œuvre d'un de ses collègues est ce que les comportementalistes du paon appellent une démonstration d'amour.

Lorsque la session touche à sa fin, chaque personne dans la salle se précipitera tel un sprinter vers la fontaine à café où se dérouleront enfin, pour de bon, la conférence et les bavardages. Si vous regardez les bulletins des universités ou d'organisations professionnelles, vous remarquerez une série d'étranges photos en noir et blanc qui montrent trois ou quatre personnes rassemblées en un joyeux demicercle et serrant des verres de vin ou des tasses de café contre leurs bedaines. Ce sont des intellectuels pris en flagrant délit de léchage de bottes. Ils prennent un grand plaisir à faire une activité combinant délicieusement travail et détente, réconciliation caractéristique de la classe Bobo. Ceux qui figurent sur ces photos ont l'air jovial, en partie car ils savent qu'ils sont pris en photo — « Tout le monde est une célébrité » est le slogan de notre époque — et en partie car ils sont heureux d'être en compagnie de gens aussi importants qu'eux. Au cours du premier rush de la session de léchage de bottes, si quatre lions de conférence ou plus se réunissent en un seul endroit, ils rayonnent de bonheur, tellement ils sont heureux d'être ensemble, et vont même rire pendant dix à quinze secondes d'une blague que personne n'a pris la peine de raconter.

Un intellectuel qui se fraye un chemin à coups de tutoiements dans un cocktail et fait preuve de bonne volonté pendant un dixième de seconde envers chacune de ses connaissances, sans même être tenté de s'arrêter et de leur porter une attention plus soutenue, est soit un intellectuel superstar, soit un haut responsable de la Fondation Ford. D'un autre côté, une personne obscure qui ne prend pas la peine de se présenter lorsqu'il rencontre quelqu'un, supposant que cette personne doit déjà le connaître, va dépérir. Celui qui interrompt l'histoire de quelqu'un d'autre pour partir à la recherche d'une compagnie plus prestigieuse est un idiot. Mais celui qui interrompt sa propre histoire pour parler à de plus grosses stars est une charmante force de la nature. Celui qui distribue ses articles pendant la session léchage de bottes risque de perturber l'échange alors que celui qui se comporte comme si le premier amendement de la Constitution avait été inventé pour qu'il puisse placer dans la conversation sa vieille amitié avec Bobby Kennedy risque d'avoir autant de problèmes.

Celui qui reste bloqué en dehors de ces papotages et qui n'arrive à convaincre personne de reculer pour le laisser entrer dans le ring est dans une situation difficile. Ceux qui se trouvent de l'autre côté du ring des papotages assistent à son exclusion sociale et constatent qu'il lui manque le kilowattage de célébrité nécessaire pour convaincre inconsciemment ses pairs de reculer pour le laisser entrer. Ce ne sera pas difficile pour une intellectuelle en herbe d'évaluer sa valeur boursière en regardant qui s'arrête pour faire attention à elle, pendant combien de temps, s'ils la regardent quand ils lui parlent, et combien des meilleurs consécrateurs de ses domaines de spécialité ralentissent en se rendant compte qu'elle existe. Il faut déchiffrer ces signes tout en faisant semblant de ne pas le faire ; en faisant, au contraire, comme si ce qui était le plus important était de piquer avec sa fourchette un morceau de poulet sur le chariot roulant du serveur, le tremper dans de la sauce à la moutarde et mettre ce morceau à sa bouche en veillant à ne pas renverser son verre ni à se mettre de la sauce sur le menton.

Télévision

Écrire des livres et participer à des réunions-débats est une bonne chose mais ceux qui ne passent pas à la télévision trouvent qu'au bout du compte, leur vie n'a pas de sens. L'époque où pour devenir un intellectuel géant, il vous suffisait d'écrire un chef-d'œuvre de la littérature, du style *Guerre et paix, L'Être et le Néant,* est révolue. Aujourd'hui, vous devez absolument promouvoir vos idées auprès de Barbara

Walters et de Katie Couric. Plus l'intellectuel d'aujourd'hui devient éminent, plus il doit apparaître un peu partout. Ainsi, une carrière qui commence par un minuscule colloque avec des philosophes barbus devra finir, si tout va bien, sur le plateau de *Tonight Show*.

Pour arriver à ce niveau, l'intellectuel devra d'abord attirer l'attention des producteurs TV. Ces bookeurs sont tiraillés entre les exigences de leurs hôtes vaniteux et capricieux et celles des retraités grincheux, qui constituent le gros de leurs téléspectateurs : ils sont donc sans cesse à la recherche de quelqu'un qui pourrait leur simplifier la vie. Une intellectuelle en pleine ascension pourra se lever tôt le matin, formuler les petites phrases ou expressions qu'elle prononcera dans l'émission, puis appeler les responsables des talk-shows de MSNBC pour les informer qu'elle est disponible — particulièrement au mois d'août où ils recherchent désespérément des invités. Si les producteurs sont intéressés, ils lui feront passer un pré-entretien par téléphone au cours duquel elle émettra ses amorces d'idées d'une voix aussi gutturale que possible. Parfois, ces responsables la rappelleront plus tard dans la journée pour lui dire : « Nous avons décidé de donner une autre direction à notre émission. Nous n'aurons donc pas besoin de vous. » Ce qui signifie qu'ils ont trouvé un commentateur plus célèbre pour dire exactement la même chose.

S'ils décident de faire appel à elle, elle devra se rendre en voiture à Fort Lee dans le New Jersey ou là où se déroulent des talk-shows pour une chaîne câblée qu'elle ne regarderait pour rien au monde, même sous la menace. On l'attendra à l'entrée du studio pour la conduire dans une pièce verte qui est une minuscule salle avec une TV réglée sur la chaîne en question qui diffuse inlassablement des publicités pour des crèmes pour entretenir son dentier. Le producteur prendra tout son temps pour lui donner deux types d'instructions contradictoires : « N'ayez pas peur d'interrompre, nous aimons quand nos invités sèment la pagaille. » Et « Il s'agit d'une émission sophistiquée. Nous ne sommes pas au McLaughin Group ici ». Puis une jeune femme viendra la chercher pour l'emmener dans la salle de maquillage où notre intellectuelle bavardera inlassablement pour prouver qu'elle n'a pas le trac. Quand elle retournera dans la petite pièce verte, elle trouvera un auteur en train de faire la promo de son livre sur les camps de la mort de Staline, un messie d'un culte religieux et un astronome pensant qu'il passe à la télé pour minimiser l'importance des risques qu'un astéroïde touche la terre mais qui, au dernier moment, cédera à la pression et finira par inquiéter tout le monde. Les chaînes câblées produisent des commentateurs en série, autant qu'il y a de changements de position dans un match de hockey, car les intellectuels-troubadours constituent le moyen le plus économique de remplir le temps d'antenne. Espérons pour notre intellectuelle que les invités utilisent des coton-tiges car bien souvent les chaînes de TV ne prennent pas la peine de changer les oreillettes entre chaque commentateur.

On l'emmènera dans un petit studio et elle s'assiéra sur une chaise devant une vieille photo de New York. Un cameraman, qui a un mépris de classe ouvrière pour quiconque venant pontifier à la TV, fera rouler sa caméra devant elle et tout ce qu'elle aura à faire au cours des minutes qui suivent est de faire croire qu'elle couche avec le carré en verre noir qui cache son objectif. Une fois qu'elle l'aura fait assez souvent, elle deviendra avec succès une caricature d'elle-même, clé de la réussite télévisuelle. Si elle est blonde, elle deviendra une blonde décolorée. Si elle est partisane, elle deviendra féroce. Si elle est réfléchie, elle se dotera de tout l'attirail verbal des professeurs de finance des films des Marx Brothers. Et comme la télé est un média visuel, elle se parera d'une signature audiovisuelle bien à elle : quelque chose comme le costume blanc de Tom Wolfe, la veste de Robert Novak ou les jambes d'Anne Coulter.

L'ironie et le sarcasme ne marchent pas à la télévision. La meilleure tactique que doit adopter notre intellectuelle est de faire croire qu'elle est en train de passer le plus beau moment de sa vie. Quand son hôte lui posera une question, son visage s'épanouira en un éclatant sourire. Elle lui répondra en souriant et agrémentera sa réponse d'un autre sourire de trois secondes. Elle laissera tout le monde radieux. La TV est un média d'attention, pas un média de persuasion. Les gens se souviendront qu'elle a participé à bien des émissions mais ne se souviendront absolument pas de ce qu'elle a dit. Le contenu n'est donc pas toujours vital mais ce qui compte, c'est qu'elle fasse des tas de mouvements avec ses mains — pour l'intérêt visuel — et qu'elle parle sur le ton de celui qui vient de finir sa troisième tasse de café.

L'animateur aura été briefé sur les petites phrases et expressions que comptait dire son invitée et bien souvent, il les lui aura volées. Si elle avait prévu de dire que l'Amérique subissait une perte communautaire sans précédent depuis le début de l'ère industrielle, la première question de l'animateur sera : « Vous savez, l'Amérique subit une perte communautaire sans précédent depuis le début de l'ère industrielle. N'êtes-vous pas d'accord ? » Si l'invitée essaie de trouver autre chose à dire, sa tentative sera entravée par l'expérience surnaturelle que vivent bien des gens lors des toutes premières secondes de leur apparition à la télé. Le cerveau s'élève vers le plafond et regarde le corps qui essaie frénétiquement de trouver quelque chose à dire. Le cerveau dira malicieusement au corps qu'un « putain » ou un « merde » conduira sa carrière au désastre, à l'autodestruction.

Pourtant, c'est la TV qui présente les intellectuels au monde magique du show-business. Dans le meilleur des cas, elle lui offre toute l'attention et le brouhaha d'une activité intellectuelle — adrénaline, gloire et influence — mais rien à voir avec la réalité. Après une douzaine d'apparitions dans *Nightline* ou

Charlie Rose, on l'arrêtera dans les aéroports et on la reconnaîtra dans les restaurants, plaisir que n'ont probablement jamais connu Lionel Trilling ou Irving Howe.

La convergence de la réussite

Dans l'ère pré-méritocratique, la vie sociale d'une personne reposait surtout sur la proximité. Les gens se liaient d'amitié avec leurs voisins, les personnes qu'ils rencontraient à l'église, au travail ou dans les clubs privés du quartier. Mais pour de nombreux membres de l'élite socioculturelle, la vie sociale repose sur la réussite. Les invitations s'arrêtent tant au métier qu'à la personne : plus une personne a une position sociale élevée, plus elle recevra d'invitations à des dîners, des réceptions et autres réunions. Et ce, malgré le fait que dans toute l'histoire de l'Amérique, il n'y ait jamais eu d'exemple manifeste d'une personne qui soit devenue plus charmante parce qu'elle réussissait plus.

À la tête de la vie intellectuelle se trouvent des institutions semi-professionnelles et semi-sociales, comme des week-ends Renaissance, des conférences de Jackson Hole, des brins de causette technologiques TED et la Conférence du Colorado sur les Affaires Mondiales. Elles réunissent des personnes qui, la plupart du temps, sont des étrangers. La réussite est la seule chose qu'ont en commun ces participants. Ces meetings font office de Versailles méritocratique, de communautés exclusivement réservées aux aristocrates cultivés qui se réunissent et discutent des honoraires qu'ils ont touchés pour leurs diverses conférences. Mais au lieu de voir à ces meetings Lord Untel discuter avec le duc Machin Chose, Mikhail Gorbatchev s'entretiendra dans un coin avec Ted Turner, Elie Wiesel avec Richard Dreyfuss, et George Steiner discutera à bâtons rompus avec Nancy Kassebaum Baker. Ces institutions sont dirigées par les nouveaux détenteurs du prestige social, les attachés de fondation. Les chargés de programme de fondation sont comme les hôtesses des salons français, ils se félicitent de leur aptitude à reconnaître la réussite.

Si notre intellectuelle a réussi grâce à ses articles, ses livres, ses réunions-débats, ses conférences et ses apparitions à la TV, elle se verra invitée à des séminaires dans une station balnéaire rocheuse d'Arizona. On lui demandera d'assister à des conseils d'administration organisés par des associations, des universités et des entreprises — qui, par les temps qui courent, tiennent à la présence de quelques penseurs intelligents, si ce n'est pour meubler les conversations. Si on l'estime suffisamment sociable, elle sera invitée à des conférences uniquement sur invitation, pour discuter du prochain millénaire. Elle pourra rejoindre les clubs Alpha, le Conseil des Relations Extérieures, les réunions de Bilderberg et les conférences de Ditchkley Park à Oxfordshire. Il y aura des groupes de travail, des commissions présidentielles et des groupes de recherche spéciaux. Son premier voyage dans l'un de ces regroupements ressemblera au premier bal de Natacha dans *Guerre et Paix*. Elle fixera avec fierté son nom sur la liste, si intimement mêlé à de grands noms, du passé et du présent.

Notre brillante intellectuelle sera donc capable de dépasser ces efforts intellectuels pour gagner ce baldaquin social où tout le monde finit par baigner dans la lumière dorée des exploits de chacun. Elle se retrouvera invitée dans des dîners mélangeant l'élite financière, l'élite de la mode, l'élite de Hollywood et l'élite politique. Après avoir passé sa vie entourée de théoriciens, elle se retrouvera avec des groupes de gens qui n'ont pas honte d'être intéressés par le plaisir, qui portent des vêtements qui mettent bien en valeur leur taille et leurs épaules.

Notre intellectuelle se demandera pourquoi elle a négligé le plaisir toute sa vie. Elle découvrira de nouvelles joies à être entourée de gens qui se soucient de leurs vêtements et dont les joues sont creuses, prouvant qu'ils suivent un régime à base de sauce allégée. Et tout le monde sera tellement charmant ! Maintenant, cette familiarité lui aura permis d'avoir une vision blasée de ses pairs intellectuels. Mais, à être trop familière, les meilleurs spécialistes dans d'autres domaines l'éblouiront et l'impressionneront. Les grands hommes d'affaires lui paraîtront durs et équilibrés. Les réalisateurs de films lui seront étonnamment attachants. Les hommes politiques auront de merveilleuses histoires à raconter.

Et elle découvrira qu'ils sont comme elle. Autrefois, les intellectuels considéraient les hommes d'affaires comme des idiots illettrés ou les réalisateurs de film comme des meneurs glorifiés. Mais avec le triomphe de l'élite socioculturelle, notre jeune intellectuelle découvre qu'elle a des points communs avec quasiment tout le monde. Elle a fréquenté la même faculté qu'une star du cinéma, a grandi dans le même quartier de l'Upper West Side qu'un chercheur, a épousé le cousin d'un financier. Elle avait déjà rencontré la plupart de ses compagnons dans les petites pièces vertes de diverses chaînes de TV. De plus, elle découvre que même s'ils ont suivi des chemins différents, ils s'engagent aujourd'hui tous dans la même profession. Ils ont passé leur vie à se construire une réputation. Ils ont donc pratiquement la même culture (« Toni Morrison a dit quelque chose d'important l'autre soir dans *Charlie Rose...* »). Ils savent tous comment donner l'impression qu'ils vous connaissent lorsqu'ils vous serrent la main (« Oh ! Bien sûr ! Comment allez-vous ? »). Ils maîtrisent tous ce grand art qu'est la fausse modestie (« J'avais fait une proposition là-dessus il y a plusieurs années mais personne n'en avait tenu compte »). Et ils peuvent tous vous donner le taux de change de l'U.S. dollar.

Notre jeune intellectuelle découvrira qu'elle aussi peut être éblouissante en telle compagnie. Elle trouvera des gens qui ne la prendront pas pour une bouffonne quand elle citera Tocqueville et très vite, elle se mettra à énumérer ses citations préférées qu'elle place dans les conversations : une de Tocqueville, une de Clausewitz, une de Publius et une de Santayana par dîner. Elle découvrira les plaisirs de la pensée de bon goût. Très vite, elle annoncera qu'il est temps de rejeter les choix erronés que font la gauche et la droite. Nous devons aller plus loin que ces vieux partis fatigués que sont les libéraux et les conservateurs. « Les étiquettes n'importent plus », s'entendra-t-elle dire. Sa conversation aura ce ton de militantisme banal, rappelant les allocutions de ceux qui sont Gravement Concernés — par l'apathie publique, le déclin de la civilité et la baisse du niveau d'alphabétisation.

Lentement mais sûrement, elle sera absorbée, tant dans ses manières que dans son esprit, par le génie social des clubs Alpha. Elle découvrira que, tout en haut, l'élite socioculturelle réconcilie vraiment les anciennes divisions. Les hommes d'affaires peuvent se mêler aux intellectuels et découvrir que leurs politiques ne sont pas si éloignées que ça. Que leurs goûts ne sont pas si éloignés que ça. Que leurs visions du monde ne sont pas si éloignées que ça.

Mais cette fusion a, paradoxalement, créé une nouvelle tension. Il ne s'agit pas d'un profond abîme culturel, comme celui qui existait généralement entre les intellectuels et les hommes d'affaires. C'est davantage une contrariété sociale. Qui concerne ce sujet inéluctable qu'est l'argent.

Déséquilibre Statut/Salaire

Dans les années 50, lorsque les intellectuels se fréquentaient et ne restaient principalement qu'entre eux, ils ne souffraient pas de leurs revenus de classe moyenne. Les riches étaient à part. À cette époque, un banquier d'affaires était allé à Andover et à Princeton alors qu'un journaliste était allé à Central High et à Rutgers. Mais aujourd'hui, les financiers et les écrivains ont de fortes chances d'avoir tous deux fréquenté Andover et Princeton. L'étudiant diplômé de Harvard mention assez bien gagne 85 000 dollars par an comme un de ses homologues d'un groupe d'experts, alors que l'idiot à qui elle n'adressait même pas la parole pendant le cours de gym gagne 34 millions de dollars en tant qu'opérateur en bourse ou producteur TV. Le loser qui s'est fait virer de Harvard et qui ne se douchait jamais vaut deux milliards de dollars et demi à Silicon Valley. Très vite, les intellectuels qui réussissent remarquent que s'ils sont arrivés à être à égalité, d'un point de vue social, avec ces financiers, ils leur sont inférieurs financièrement.

Imaginez par exemple notre intellectuelle matérialiste, aujourd'hui la quarantaine et une bonne position sociale, se retrouvant à un dîner pour la Société pour la Préservation du Chicago Historique au Drake Hotel. Toute la soirée, elle raconte des histoires sur Ted Koppel — insistant bien sur sa dernière apparition dans l'émission *Nightline* — et Bill Bradley — racontant leur conférence commune à l'Aspen Institute en août dernier. Elle captive les avocats, les banquiers et les médecins qui sont à sa table. Ils s'en vont ensuite au bar de l'hôtel prendre des martinis à 7 dollars et un consultant chez Deloitte & Touche se joint à eux avec son épouse, associée chez Winston & Strawn, couple bi-esperluette. Elle est aussi divertissante que le bar, comblant les blancs avec des tuyaux sur l'industrie de l'édition et des potins de magazine. En veine d'effusions, elle décide de payer les verres avec sa propre carte de crédit, même si tous les autres auraient pu le faire. Et lorsque le groupe sort en titubant, elle est tellement sous le coup du triomphe de la soirée qu'elle lance : « Est-ce que je peux déposer quelqu'un ? Personne ne va vers le sud ? »

Il y a un silence gênant. Le couple esperluette

répond : « En fait, nous allons au nord, à Winnetka. » Un des médecins dit que lui aussi va au nord, à Lake Forest. D'un seul coup, elle se sent très mal. Elle sait à quoi ressemblent les quartiers de la North Shore de Chicago. Les maisons qui valent des millions de dollars s'étalent sur des kilomètres. Certaines sont de style Tudor, d'autres de style Prairie et Reine Anne mais elles sont toutes imposantes et immaculées. Il n'y a pas de mauvaise herbe qui pousse sur la North Shore. Chaque maison est entourée de pelouses parfaites qui s'étendent à perte de vue, de terrains conçus de main de maître par des paysagistes, avec des haies si joliment sculptées qu'on les croirait faites dans du marbre vert. Même les garages sont impeccables, des joggings de bébés sont bien accrochés aux patères et les petites voitures pour enfants Little Tikes sont parfaitement alignées. Les sols sont impeccablement balayés et nettoyés. Les rénovateurs de ces quartiers arrivent dans la maison tous les sept ans comme les cigales et changent les boiseries de la rotonde, de cerise à noix, ou leur rendent leur couleur initiale. Entre le moment où ces gens se réveillent le matin et mettent un pied dans leur salle de bains préchauffée, et le soir où ils éteignent la cheminée à gaz avec leur télécommande, ils se disent que la vie est belle, que l'Amérique est juste et qu'ils maîtrisent leur vie.

Mais notre intellectuelle doit regagner en voiture son quartier universitaire de Hyde Park. Elle doit passer devant les cités menaçantes et en rentrant chez elle dans la 47e Rue, elle se retrouve arrêtée à un feu rouge, voyant au loin un distributeur de billets jaune et une opération promotionnelle sur la vitrine d'un magasin proposant des communications téléphoniques à prix réduits pour le Salvador. Son immeuble, petit et écrasé, qui semble à peine la changer de la vie qu'elle menait lorsqu'elle était jeune diplômée, est fait de vieilles briques foncées. Le lopin de terre à l'entrée qui fait office de pelouse est quasiment dépouillé ; des barres en fer protègent les fenêtres, le portail est rouillé et branlant. Elle traverse le hall en marbre ébréché, avec son odeur à vous retourner le cœur, et monte un étage pour se retrouver dans son appartement. À Winnekta, les médecins et les avocats sont accueillis par un immense hall d'entrée, mais notre intellectuelle n'a qu'une toute petite entrée avec des chaussures et des bottes alignées contre le mur. Elle franchit le pas de la porte de son appartement pour se retrouver confrontée à une table en désordre et elle regarde dans la cuisine. D'un seul coup, elle se sent mal. Elle souffre du syndrome du Déséquilibre Statut/Salaire, maladie qui touche ceux dont les métiers leur donnent une position sociale élevée mais un salaire modérément élevé.

La tragédie des personnes touchées par le syndrome DSS est qu'ils passent leurs journées dans la gloire et leurs nuits dans la médiocrité. Quand ils travaillent, ils donnent des conférences — tous les yeux rivés sur eux — passent à la télé ou la radio (sur NPR), président des réunions. S'ils travaillent dans les médias ou dans l'édition, ils profitent de déjeuners somptueux en frais professionnels. Toute la journée, les messages téléphoniques qu'on leur laisse s'empilent sur leur bureau — des appels de personnes riches et célèbres cherchant des faveurs ou de l'attention — mais la nuit, ils réalisent que la salle de bains a besoin d'être nettoyée et qu'ils doivent donc sortir l'Ajax. Au travail, ils sont des aristocrates, les rois de la méritocratie, copinant avec George Plimpton [1]. Chez eux, ils se demandent s'ils peuvent vraiment se permettre d'acheter une nouvelle voiture.

Examinons la situation de notre intellectuelle ima-

1. Intellectuel américain diplômé de Harvard aux multiples casquettes et omniprésent dans le monde des médias : écrivain, rédacteur en chef et auteur de nombreux articles pour de multiples magazines, orateur brillant réputé pour son ton plein d'esprit et sa conversation, fondateur du *Paris Review*.

ginaire. Elle gagne 105 000 dollars par an, comme professeur titulaire d'une chaire à l'Université de Chicago. Son mari, qu'elle a rencontré quand ils étaient étudiants à Yale, est chargé des programmes d'une fondation branchée qui prend l'argent de Robert McCormick et s'en sert pour promouvoir les idées que McCormick méprisait. Il gagne 75 000 dollars par an. Dans leurs rêves les plus fous, jamais ils n'auraient imaginé pouvoir un jour gagner 180 000 dollars par an.

Ou être aussi pauvres. Leur fille a eu dix-huit ans l'année dernière et sa chambre universitaire et ses études à Stanford coûtent 30 000 dollars par an. Leur fils de seize ans a un don pour la musique et leur revient au moins aussi cher en frais de scolarité si vous additionnez le coût de l'école privée, les colonies de vacances de musique et les cours privés. Leur nounou, qui est chez eux depuis que leur progéniture de neuf ans rentre de la Lab School de l'Université de Chicago chaque après-midi, engloutit encore 32 000 dollars — ils la déclarent car notre intellectuelle rêve toujours d'un poste dans l'administration. Puis il y a l'argent qu'ils donnent aux œuvres de charité, ces frais sont élevés et ils n'ont pas à avoir honte quand ils se retrouvent face à leur comptable au mois d'avril chaque année (National Conservancy, Amnesty International, etc.). Tout cela leur laisse à peu près 2500 dollars par mois pour le loyer, la nourriture, les livres, le pressing et les dépenses courantes. On a l'impression qu'ils sont atrocement pauvres et naturellement, ils souffrent de l'amnésie de la tranche des revenus. Dès qu'ils se retrouvent dans une tranche de salaires, ils oublient comment était la vie dans les tranches de revenus inférieures et ne peuvent imaginer y retourner.

Les intellectuels modernes savent très bien se soucier de leur réputation. Mais celui qui souffre du syndrome du Déséquilibre Statut/Salaire passe énormément de temps à se soucier de l'argent. Et notre intellectuelle ne passe pas ses journées à penser à la vérité, à la beauté ou à d'autres évocations poétiques du printemps. Se dire qu'elle est au-dessus de toutes les pressions mondaines de l'univers ne compense en rien son maigre salaire de 105 000 dollars. Elle doit passer ses heures de travail à faire sa pub, à évaluer les besoins de son public, à se vendre à des producteurs, journalistes et collègues universitaires. Celui qui souffre du DSS et qui travaille dans l'édition passe ses journées à penser à des créneaux de marché, exactement comme le cadre propriétaire de chez AT&T. Il doit faire tout autant de léchage de bottes superficiel que les associés de Skadden, Arps ou les vendeurs de Goldman Sachs. C'est tout simplement qu'ils travaillent dans une grosse industrie financière et celui qui a le syndrome DSS dans une petite industrie financière.

Notre intellectuelle d'aujourd'hui est à l'opposé de la haute bourgeoisie. Elle est assez riche pour envoyer ses gosses dans des écoles privées et à Stanford mais la plupart des autres parents gagnent en un mois ce que sa famille gagne en un an. Les enfants de celui qui est atteint du syndrome du DSS finissent par se rendre compte de la différence de salaire entre leur famille et celles de leurs copains de classe. Ça se passe quand ils fêtent leurs anniversaires. Les autres enfants les fêtent chez Wrigley Field — ils ont acheté tout un rayon — ou chez FAO Schwarz — ils ont loué tout le magasin pour le dimanche matin. Le gamin DSS fête son anniversaire dans son séjour.

Lorsque la fille aînée de notre intellectuelle rentre chez ses parents à Noël, elle est invitée chez sa copine de fac de Stanford qui vit à Winnekta. En visitant la maison de son amie, elle remarquera que tout est très bien rangé. La maison est remplie de tables, de bars, de sols qui s'étendent à perte de vue, le tout d'un superficiel luxueux. Le superficiel est aussi la règle de mise au travail. Les membres de cette branche de l'élite socioculturelle ont de grands bureaux aux surfaces boisées. Et ils ont des secrétaires pour expédier le flux de paperasserie, les secrétaires ont des secrétaires qui classent les papiers, plus rien ne s'entasse et ne recouvre les vastes étendues du bureau du prédateur. Les porte-documents des Bobos des services financiers sont minces comme du papier à cigarette avec à peine la place d'y glisser un bloc-notes. Car ils maîtrisent tellement leur vie qu'ils n'ont pas besoin de trimbaler des choses partout où ils vont. Ils voyagent sans bagages à Londres car, après tout, ils ont une autre garde-robe dans leur appartement londonien.

La vie de la malade du DSS est au contraire désordonnée. Elle a un petit bureau enfoui en haut du bâtiment de sciences sociales. Et il y a des papiers partout : des manuscrits, des mémos, des journaux, des coupures de presse. Et chez elle, la DSS a des pots, des cafetières, qui encombrent la place qu'il reste sur le bar et des chopes qui pendent sur le porte-verres accroché au mur. Elle a des livres qui traînent dans le séjour, la plupart datant de ses années étudiantes — le *Marx-Engels Reader* par exemple. Et de vieux exemplaires du *New York Review of Books* sur sa table de nuit.

Lorsque notre intellectuelle au revenu familial de 180 000 dollars annuel entre dans une pièce remplie de types friqués gagnant 1,75 million de dollars par an, quelques règles sociales doivent être respectées. Tout d'abord, chacun fera comme si l'argent n'existait pas. Chacun, y compris l'intellectuelle qui ne peut pas payer sa facture de carte bleue dans son intégralité, prétendra que l'on peut aller en jet à Paris pour un week-end et que le seul obstacle, c'est le temps. Chacun fera l'éloge du quartier du Marais et on ne dira pas que l'analyste financier a un appartement dans le Marais ni que l'intellectuelle passe ses rares vacances dans un hôtel une étoile. L'intellectuelle remarquera que l'analyste financier passe beaucoup de temps à parler de ses vacances alors que ce dont elle veut parler, c'est du travail.

Lorsque notre intellectuelle entre dans une pièce remplie de prédateurs financiers, le doute persistera au fond de son esprit. M'aiment-ils vraiment ? Ou ne suis-je qu'un autre type de domestique, qui les divertit au lieu de leur faire leurs lits ? Ce qui est triste, c'est que les analystes friqués ont tendance à penser différemment. Les millionnaires sont tracassés par une peur, celle de ne pas être importants, malgré leur réussite. Ils sont atteints du DSS inversé — leur salaire est plus important que leur statut. Ils souffrent du syndrome du Déséquilibre Salaire/Statut. Après tout, ils n'ont pas fait tant de choses que ça dans leur vie qui leur permettraient d'explorer leur côté artistique, d'atteindre une immortalité intellectuelle, voire de briller dans les conversations. Les millionnaires constatent qu'ils doivent payer pour tous les dîners de fondations auxquels ils assistent alors que les intellectuels sont tellement importants qu'ils y sont invités gracieusement. Les riches sont les clients des groupes d'experts.

De plus, les intellectuels sont en effet payés pour être intéressants. Ils sont payés pour rester assis toute la journée à lire des choses qu'ils peuvent reformuler en une prose provocatrice et replacer dans leurs conversations — c'est hallucinant qu'il y en ait tant qui fassent ce métier si mal. Et les riches, pendant ce temps, sont pratiquement payés pour être idiots ; on leur donne d'énormes salaires pour des contrats obscurs, ce qui paralyserait les cerveaux de leurs compagnons de dîners s'ils venaient à l'apprendre. Enfin, les riches se sentent vulnérables car, malgré leurs immenses ressources, ils continuent à compter sur la machine publicitaire pour leur faire de bonnes réputations que contrôlent ces ironistes de dîners professionnels.

Ainsi, de nombreux millionnaires pensent que ce serait sensationnel d'être un auteur dont les idées seraient mises en doute dans l'émission *The NewsHour with Jim Lehrer.* Regardez Mortimer Zuckerman qui possède le *New York Daily News*, l'*U.S. News and World Report* et qui a pignon sur rue à Manhattan et à Washington. Il ira dans le New Jersey faire une prestation sur la chaîne câblée CNBC. Ça ne suffit pas d'avoir plus d'argent que certains pays. Zuckerman veut être un intellectuel public.

Les intellectuels réagissent de différentes manières au syndrome du Déséquilibre Statut/Salaire. Certains essaient de se faire passer pour la branche friquée de l'élite socioculturelle. Ils achètent ces chemises bleues à col blanc. Ils cirent leurs chaussures tous les jours. Les femmes de cette catégorie économisent assez d'argent pour s'acheter un tailleur Ralph Lauren ou Donna Karan. Et s'ils font partie, disons, du monde des médias, de l'édition, ou des fondations, ils profitent au maximum de leurs frais professionnels. Comme un asthmatique va se soigner dans une station balnéaire d'Arizona, une intellectuelle atteinte du syndrome DSS éprouvera un soulagement temporaire en voyageant en classe affaires. Elle séjournera au Ritz-Carlton dans une suite à 370 dollars la nuit avec des téléphones et des téléviseurs dans chaque pièce. Le nettoyage à sec de l'hôtel ne sera qu'une pacotille.

Mais ensuite, son voyage d'affaires se termine et elle revient sur terre. Ce qui explique pourquoi d'autres membres de l'intelligentsia réagissent différemment et montrent avec agressivité qu'ils sont toujours aussi fiers de leurs origines bohèmes. Vous les verrez porter des bottes Timberland avec leurs costumes, signe qu'ils continuent à se rebeller contre la culture financière. Leurs goûts en matière de cravates et de chaussettes frisent l'ironie : vous en verrez un avec une cravate ornée du logo d'un service d'hygiène publique local, un camion d'éboueurs roulant sur un arc-en-ciel.

Chez lui, ce malade du DSS se livrera avec délices à la pauvreté. Il se félicitera de vivre dans un quartier intégré, bien qu'il ne puisse s'offrir ces quartiers paradisiaques de Winnekta, Grosse Pointe ou Park Avenue. Et surtout, il se félicitera d'avoir choisi une profession qui ne lui offre pas de grosses récompenses financières pour ne pas consacrer sa vie aux magouilles financières. Il ne se dit pas qu'en fait, il n'a pas les compétences quantitatives qu'il faut pour devenir un banquier d'affaires et qu'il est incapable de se concentrer sur des choses qui l'ennuient, comme peuvent le faire les avocats. Il n'y a jamais eu de grande opportunité d'aller dans un domaine plus lucratif, il n'y a donc jamais eu de véritable moment de sacrifice délibéré.

Déclin et survie de l'intellectuel

Être atteint du syndrome DSS est douloureux mais en réalité le DSS est comme le coccyx. Comme le coccyx est censé être un vestige évolutionniste de l'époque où nos ancêtres primates avaient des queues, le DSS est un vestige de la lutte des classes entre les bourgeois et les bohèmes. Pendant des siècles, l'homme d'affaires bourgeois et l'intellectuel bohème se jetaient des regards noirs à distance et à travers des barricades. Mais, aujourd'hui, leur immense lutte des classes est réduite à de petits désaccords de dîners. À présent, ils se mélangent, ils ne s'assassinent plus. Leur grand conflit culturel est réduit à de petites magouilles pour avoir une bonne position sociale, chacun essayant de légitimer son type de réussite professionnelle.

Le rôle social de notre intellectuelle a donc subi un grand bouleversement. Autrefois membre d'un sacerdoce séculier à part, elle est aujourd'hui un membre inquiet mais plutôt à l'aise d'une large catégorie de personnes qui s'intéressent aux idées. Autrefois radicale cherchant à s'insurger contre le Veau d'Or, elle est aujourd'hui une protagoniste matérialiste qui se forge une réputation et qui grimpe les échelons de la réussite. Dites adieu à toutes ces querelles d'intellectuels égocentriques et à ces styles de vie de taudis aliénés : les intellectuels d'aujourd'hui savent reconnaître un château margaux d'un merlot.

Alors qu'avons-nous gagné et perdu ? D'un côté, il

est difficile de ne pas admirer la vie intellectuelle des années 50 — Hannah Arendt et Reinhold Niebuhr, les adeptes du *Partisan Review,* les poètes et critiques littéraires comme Robert Penn Warren, les sociologues comme David Riesman. Ces personnages vivaient pour des idées, des mots, des controverses. Leurs esprits brillaient de façon exceptionnelle ; ils reprenaient au pied levé des citations de Hegel et Aristote, de Schiller et Goethe. C'était l'ère qui précédait l'intellectualisme télévisuel et ses commentateurs, les chroniques et commentaires journalistiques, les conférences à tout va de la jet set. Le monde intellectuel semblait plus petit mais bien plus intense et indispensable.

Et pourtant. Pourtant, le monde intellectuel d'aujourd'hui mérite lui aussi d'être pris en compte et personnellement, je ne souhaiterais pour rien au monde revenir en arrière. Commençons par cette question : comment apprenons-nous ? S'assagit-on en restant assis dans un studio rempli de livres de Riverside Drive, en lisant Freud et les existentialistes, en s'engageant dans des débats intenses avec une foule bornée, composée de gens vivant dans très peu de mètres carrés ? Ou en ayant une plus grande expérience du monde, en s'intégrant dans la vie normale puis en discréditant ce qu'on y a trouvé ? S'assagit-on en vivant à l'écart et en jugeant le monde depuis de hautes sphères ? Ou en se précipitant pour pouvoir immédiatement palper la réalité puis en essayant de décrire ce que l'on a ressenti ? Les écrivains contemporains n'ont pas seulement des portefeuilles plus gros que les auteurs d'antan. Nous avons aussi des épistémologies différentes.

La raison pure, les abstractions ampoulées et les généralisations démesurées nous laissent bien plus sceptiques. Nous préférons marcher sur les traces de Jane Jacobs, qui ne connaissait pas bien Heidegger, qui n'aurait probablement pas pu égaler les acrobaties intellectuelles des adeptes du *Partisan Review,* mais qui connaissait parfaitement bien la vie de tous les jours. Dans le chapitre précédent, j'ai décrit la metis, le type de sagesse pratique que l'on atteint en ressentant et en faisant, et non en élaborant des théories. Nous, Bobos, attachons bien plus d'importance à la metis qu'aux raisonnements abstraits. Et nous avons raison. Nous avons raison de nous engager dans le monde, de grimper les échelons, de nous battre et d'expérimenter le superficiel et la bêtise de la vie de tous les jours, comme tout un chacun. Nos intellectuels comprennent bien mieux le monde s'ils vivent le même genre de pression que celle à laquelle sont confrontés la plupart des gens, les tensions entre l'ambition et la vertu, les distinctions entre un statut social agréable mais superficiel et une véritable réussite. Se détacher de la culture commerciale revient à se couper de l'activité principale de la vie américaine. Il est donc bien plus difficile de saisir ce qui se passe autour de nous. Mais notre intellectuelle, si elle est honnête quant à ses propres intentions et compromis, peut ressentir avec plus d'exactitude l'état du pays et du monde. Ses déclarations ne seront sûrement pas aussi profondes ni aussi prestigieuses que celles d'un intellectuel vivant en marge de la société de son plein gré et se révoltant du haut de sa falaise, mais elle connaîtra bien mieux que lui les sentiers vallonnés, ses descriptions seront plus exactes et ses idées plus utiles.

Revenons une fois de plus aux œuvres des années 50. La période de 1955 à 1965 constitue l'âge d'or de la non-fiction. J'ai déjà cité de nombreux livres écrits à ce moment-là et laissé de côté certains livres des plus influents comme *The Feminine Mystique* de Betty Friedan et *Printemps silencieux* de Rachel Carson. Et sans vouloir contredire des personnages comme Niebuhr et Arendt, les meilleurs livres et les œuvres les plus prestigieuses ont été écrits par des auteurs qui n'étaient pas considérés comme des intellectuels à cette époque : Jane Jacobs, William Whyte, Betty Friedan, Rachel Carson, et même Digby Baltzell. À certains égards, ces écrivains et journalistes ont bien plus de points communs avec les intellectuels d'aujourd'hui et les commentateurs matérialistes qu'avec l'intellectuel d'Edward Shils. Ces personnages sont de bien meilleurs modèles pour nous aujourd'hui que les grands intellectuels qui vivaient volontairement à l'écart, dans les hautes sphères de la grande Culture, des grandes Idées et de l'aliénation bohème.

Et ils ont réussi à accomplir quelque chose de décisif. Ils ont gagné un public. Les adeptes du *Partisan Review* étaient brillants mais ce journal était très peu distribué. Aujourd'hui, de plus en plus de moyens permettent de véhiculer des idées par millions, la radiodiffusion publique, la profusion de magazines, Internet. Les auteurs et les penseurs auraient tort de ne pas profiter des nouveaux médias pour diffuser leurs idées, même si cela signifie que l'on doit accorder plus d'attention aux exigences des différents formats et apprendre à sourire quand nous sommes filmés à la TV.

5

LE PLAISIR

Si l'envie vous prend de vous faire torturer et fouetter dans l'honneur et la dignité, vous avez tout intérêt à aller faire un tour du côté de la messagerie Internet d'Arizona Power Exchange, une officine sadomaso dont le siège social se trouve à Phoenix. Cette organisation propose toute une gamme de sévices et de services à ceux que l'on appelle communément les amateurs de cuir. Le 3 août dernier, par exemple, la lettre d'information de ce site nous invitait à participer à une séance de discussion et d'humiliation. Le 6 août à dix-neuf heures, à un atelier de pratique de la cravache. Le lendemain soir, le groupe d'évolution personnelle et le groupe de soutien sadomasochiste recevaient maître Lawrence, et le 10 août, Carla dirigeait une discussion sur le fétichisme du pied et des talons aiguilles. Une semaine plus tard, un intervenant extérieur faisait une conférence sur « les sports sanglants ». Toutes ces rencontres doivent être menées dans un esprit averti de compréhension que la profession de foi de cette organisation illustre parfaitement : « Traiter le sadomasochisme et le fétichisme avec tolérance, attention, dignité et respect. » La dignité et le respect sont des notions à ne pas négliger quand on se retrouve ligoté par terre en train d'embrasser le pied de la personne qui nous maintient dans cette position.

Un bureau directorial composé de sept membres

et une kyrielle d'administrateurs et d'employés assurent le fonctionnement de cette organisation qui se fait connaître sous l'acronyme d'APEX. Il y a un secrétaire, un trésorier, un archiviste, un conseiller d'orientation, un conseiller logistique et une équipe qui se consacre exclusivement à la conception et à l'actualisation du site Web à l'allure cent fois plus sobre qu'un site de Rotary Club par exemple. APEX sponsorise des œuvres de charité. Il y a un groupe de soutien pour les masochistes qui sont trop timides pour exprimer le genre de soumissions qu'ils souhaitent endurer, un séminaire sur les pratiques sadomaso et leurs limites légales ou un programme en douze étapes pour les sadiques et les masochistes qui se remettent d'un abus de substances toxiques. Un très gros effort est fait en vue d'établir des contacts et de créer des regroupements avec les autres organisations sadomaso américaines.

Si vous regardez attentivement le descriptif des différents ateliers que propose APEX, vous serez surpris par le souci aigu de satisfaire à la demande. Des thèmes comme le piercing des pointes de seins ou les séances d'étouffement devraient évoquer des images de débauche dignes du Marquis de Sade, mais tout cet étalage de sévices finit par ressembler à quelque chose d'aussi anodin que de regarder des petits oiseaux ou de goûter du vin. On se prend à imaginer des types du genre conseiller d'orientation scolaire se harnachant de guêpières en cuir et de tout un attirail orthopédique après le boulot pour discuter avec d'autres chochottes qui s'assument des mérites comparés des pinces à pénis américaines et étrangères. On entre dans un monde raisonnable de modération. Dans quelque chose d'extrêmement bourgeois.

Le sexe, les aventures sexuelles plus précisément, étaient auparavant considérées comme les actes les plus transgressifs. Les aristocrates aux mœurs dissolues entreposaient des fouets et des menottes dans les greniers de leurs palais. Les paysans lubriques s'immisçaient la bave aux lèvres dans les partouzes organisées par les précédents. Les bohèmes se débarrassaient des atours de la respectabilité pour explorer les plaisirs de l'amour libre.

Aujourd'hui tout cela est complètement obsolète. Il n'y a pas que des organisations comme APEX qui ramènent Éros à la norme en établissant un catalogue raisonné de toutes les perversions sexuelles pour l'édification de ses clients. Il y a aussi des entreprises florissantes qui s'adressent à ceux qui veulent du sexe moral. L'éditeur Barnes & Noble publie un nombre incroyable d'ouvrages consacrés au sexe dont le contenu est plus proche des manuels universitaires que du magazine *Hustler*. On trouve des magazines et des catalogues vertueux tels que *Good Vibrations, Sex Life* et la collection Xandria qui s'annoncent dans des magazines comme *Harper's* et *Atlantic Monthly*. (Ces publications orientées cul mais vertueuses sont faciles à reconnaître car pour éviter de commettre le péché d'ostentation, elles exhibent en couverture des gens laids en train d'avoir des rapports sexuels. Et pour mettre l'accent sur le fait que le sexe est un effort auquel il faut se consacrer toute la vie durant, elles s'étalent si complaisamment sur la sexualité du troisième âge qu'on imagine le tintement produit par les plaques d'identification médicale au cours de coïts entre grabataires.) Il y a tellement d'études sur les transgressions sexuelles pondues par des théoriciens académiques que les partouzes finissent par ressembler aux danses exécutées par les Apaches à la saison touristique, moins par plaisir que pour donner satisfaction à tous les professeurs de sociologie qui ont fait le voyage en avion jusqu'à eux pour plagier Derrida.

En bref, au cours des dernières années, l'élite socioculturelle a domestiqué la luxure pour en faire quelque chose de vertueux. Les Bobos se sont emparés du sexe, qui était considéré depuis des siècles comme quelque chose d'excitant, synonyme de péché, voire dangereux, pour en faire quelque chose de socialement constructif.

Les Bobos sont les ecclésiastes de la région pubienne. Les derniers vestiges de l'impudeur dionysiaque des années 60 ont pratiquement disparu. La littérature érotique sophistiquée d'aujourd'hui ne cesse de scander des slogans tels que « Faites l'amour sans prendre de risques » ou « Ayez un comportement sexuel raisonnable. » Ceux qui pratiquent le font comme autant d'exercices sains et les écouter décrire leurs expériences sexuelles donne l'impression qu'ils sont en train d'évoquer des séances de gymnastique plus ou moins acrobatique. Pour que tout soit raisonnable et contrôlé, les pratiques bizarres sont répertoriées, codifiées par des lois. Si on en juge par les groupes de rencontres sexuelles qui décrivent leurs activités dans des lettres publiées par la presse, les règles édictées lors d'une rencontre de groupe échangiste (à quel moment il est nécessaire de signer une dérogation, de mettre des gants en latex, il est possible de fumer) sont scrupuleusement suivies. Ce ne sont pas les mêmes que celles qui faisaient respecter l'étiquette dans les boudoirs du XIXe siècle, mais par leur injonction à la maîtrise de soi-même, elles s'apparentent étrangement à ce genre de code social.

Les Marquis de Sade d'aujourd'hui n'ont pas l'air de vouloir créer une société secrète immorale. Ils n'essaient pas de subvertir la normalité. Ils sont désireux d'en faire partie. Ils veulent être acceptés par la tendance dominante pour occuper un rang respectable au sein de la classe moyenne. « Nous affirmons que le fait d'aimer plus d'une personne est l'expression naturelle d'une bonne santé, représentative du plaisir et de l'intimité. C'est une façon d'aimer qui mérite l'appellation de non-monogamie raisonnée », telle est la profession de foi que l'on peut lire dans *Loving More magazine,* la revue des amours plurielles. Chaque « groupe d'affirmation » (comme on les appelle maintenant) cherche à se faire une place dans un monde de surenchère perpétuelle : la communauté zoophile, les nécrophiles, les fétichistes du cigare, les amants de l'orthodontie, les amateurs de piercing, de broyage (les gens qui aiment regarder des femmes casser des choses), et les macrophiles (ceux qui fantasment sur des femmes qui démolissent des immeubles à coups de nichon.)

Par un étrange phénomène, ces gens sont d'une moralité irréprochable. Aujourd'hui, on considère généralement les déviations sexuelles comme le moyen d'accéder à une compréhension morale plus profonde. Le moine réformé Thomas Moore, auteur de *Soigner son âme,* a écrit dans la foulée du premier *L'Âme du sexe,* un livre parmi les milliers ayant pour sujet le sexe moral qui ont vu le jour ces dernières années. D'autres choisissent de fréquenter l'église Tantrique qui propose des cours comme « Le sexe tantrique : un chemin spirituel vers l'extase ». D'autres se servent de leur vie sexuelle pour faire avancer le progrès social. Pour lutter contre l'ethnocentrisme, les partouzes organisées sous l'égide de magazines de cul pour intellos se veulent aussi diversifiées du point de vue racial que les castings des émissions pour enfants de PBS [1] : un Asiatique, un Latino-Américain, un Afro-Américain, un Caucasien et un Indien. J'imagine que dans une pièce remplie de gens occupés à se tartiner les uns les autres avec leurs excréments, si quelqu'un avouait tout à coup à voix haute qu'il ne trie pas ses ordures ménagères pour le recyclage, il se ferait immédiatement virer du groupe et ne serait plus jamais admis. Cela peut sembler une version étrange de la bienséance, mais ça n'en est pas moins de la bienséance.

Les Bobos ne se contentent pas de rendre moral ce qui fut autrefois subversif. Ce sont des adeptes du mérite de A à Z. Il ne leur suffit pas d'avoir un orgasme, ils accomplissent un orgasme. La nouvelle littérature sexuelle est une véritable pédagogie, il n'y

1. Public Broadcasting Service.

est question que de progrès et d'épanouissement personnel. Le nombre d'ateliers, de séminaires, d'instituts et d'académies que l'on trouve pour satisfaire les gens qui veulent avoir une meilleure connaissance de leur corps est proprement hallucinant. Que nous propose l'Institut de la Conscience Humaine, par exemple ? Son site Internet nous dit : « Faites votre examen de conscience et débarrassez-vous des notions limitatives sur l'amour et la sexualité. Faites-vous des relations et communiquez plus efficacement avec les autres. Améliorez votre relation avec vous-même. Soyez plus aimable et plus ouvert avec les autres. Faites des choix excitants et enrichissants dans votre vie et dans vos relations. » L'amant de Lady Chatterley est devenu le conseiller d'épanouissement personnel de Lady Chatterley.

Les Bobos font des efforts méritoires pour améliorer leur potentiel et maîtriser de nouvelles techniques. Ils ne se contentent pas des vulgaires pratiques de l'onaniste en chambre. Il leur faut un diplôme. JoAnn Loulan, l'auteur de *Lesbian Passion : Loving Ourselves and Each Other,* propose les exercices suivants : « Regardez vos organes génitaux dans un miroir tous les jours... Dessinez vos organes génitaux... Écrivez-leur une lettre... Passez une heure ininterrompue de sensualité avec vous-même... Regardez-vous dans un miroir pendant une heure. Parlez avec toutes les parties de votre corps... Touchez vos organes génitaux pendant une heure sans essayer d'atteindre l'orgasme... Masturbez-vous pendant une heure. » Le simple fait de lire cette liste est suffisant pour générer une crise aiguë d'autocritique.

Le Bobo n'entreprend rien à la légère. Les activités les plus primaires sont accompagnées de modes d'emploi, de cassettes vidéo explicatives et d'articles de presse rédigés par des personnes hautement diplômées. On parle de tout. On partage toutes les expériences. La masturbation même est mesurée et notée suivant le barème établi par des connaisseurs en la matière. Et il n'y a pas que les techniques sexuelles sur lesquelles il faut travailler en vue d'obtenir un progrès, les perceptions et le savoir qui en découlent peuvent également être approfondis et affinés. Le sexe ne se limite pas à une partie de rigolade sous la couette. Il faut que ce soit quelque chose de puissant, qui incite à la réflexion. Quelque chose de sain, raisonnable et socialement constructif. On peut affirmer sans crainte que l'hédonisme n'est plus ce qu'il était.

La guerre des plaisirs

Il ne s'agira pas ici de discuter de la fin que la révolution sexuelle aurait dû connaître. Après tout, elle plongeait ses racines dans un mouvement romantique qui se voulait l'expression d'une rébellion contre les attitudes répressives de la bourgeoisie. L'historien Peter Gay avait intitulé « guerre des plaisirs », les querelles sans fin qui opposaient les sensualistes bohèmes aux conventions de la classe moyenne. Les bohèmes étaient ceux qui raillaient un Charles Bovary jugé balourd et coincé. C'étaient ceux qui portaient aux nues les journaux d'Anaïs Nin et les romans audacieux d'Henry Miller. Ils partaient en croisade contre les censeurs de la littérature et de l'art sexuellement explicites.

Dans ce mouvement d'avant-garde, la liberté était prônée, le plaisir était accessible. Quand il évoque ce courant underground dans son livre de souvenirs *Down and In : Life in the Underground,* Ronald Sukenick cite le journaliste Howard Smith : « Je suis venu à Greenwich Village parce que le sexe y avait droit de cité dans les années 50. Je voulais tirer mon coup. Je voulais rencontrer des femmes prêtes à me répondre si je leur adressais la parole. Je voulais rencontrer des femmes qui ne portaient pas de soutiens-gorge à armatures avec une combinaison par-dessus et un pull pour dissimuler le tout... J'allais traîner mes guêtres au Pandora's Box parce qu'il y avait une serveuse qui se penchait pour prendre les commandes en disant "Et avec ça ?" alors qu'elle portait une robe largement décolletée sans soutien-gorge en dessous ce qui me faisait presque tomber de ma chaise à chaque fois. »

Dans les années 60, les hippies tournèrent en ridicule les « blue meanies [1] », les méchants voleurs de plaisir de Yellow Submarine. Les étudiants célébraient la perversité sous toutes ses formes et condamnaient la « désublimation répressive », une des expressions de Marcuse qui tendait à prouver qu'on avait toutes les raisons d'être en colère et de se rebeller. « Plus je fais la révolution, plus je fais l'amour », déclaraient les radicaux. Dans les années 60 et 70, la nudité était jugée révolutionnaire et les rock stars avaient vraiment l'air radical quand elles chantaient des hymnes au sexe, à la drogue et au rock and roll. Elles donnaient à penser que l'hédonisme brut et la révolution étaient parfaitement synonymes, ce qui était peut-être effectivement le cas. Et il y avait une analyse raisonnée romantique derrière cette façon de vivre vite : *Le dérèglement de tous les sens**. Les grandes vérités jaillissent au milieu de sensations fortes. Le moment présent doit se vivre avec passion. Ceux qui en ont le courage vivent librement, rapidement, et de ce fait pénètrent au cœur de mondes intenses.

Dans les années 70, aucun doute n'était permis quant aux gagnants de cette guerre des plaisirs. Bouger, ou à tout le moins parler de bouger était « in ». C'est dans ces années-là que Gay Talese écrivit *La Femme du voisin,* une chronique des gens qui bou-

1. Dans le dessin animé *Yellow Submarine* (1965) de George Dunning dont les Beatles sont les héros, les ennemis du Pepperland (le pays où vivent harmonieusement des gens épanouis qui apprécient la musique du Sergent Pepper Lonely Hearts Club Band) s'appellent les « blue meanies ». Leur chef, qui se fait appeler « votre bleue noirceur » par ses sujets déclare : « Pepperland est une puce joyeuse et sautillante, une offense à notre univers morne et bleu. »

geaient et qui paradoxalement semblaient passer tout leur temps à se réunir pour se mettre à poil, s'asseoir en cercle et explorer de nouvelles zones érogènes. Des romanciers vénérés comme John Updike ou Philip Roth décrivaient les activités du mouvement underground dans des termes que des pornographes n'auraient pas osé utiliser vingt ans auparavant. *Les Joies du sexe* d'Alan Comfort fut un immense best-seller. Il y eut au moins cinq comédies musicales dénudées qui passèrent à New York. Quand elles firent l'affiche, tous ceux qui se disaient « cool » devaient absolument les avoir vues. Erica Jong acquit une grande notoriété grâce à ses descriptions de sexe qui ne s'embarrassaient plus d'agrafes et de fermetures Éclair. Les films de cette époque vantaient les mérites de la drogue. L'un d'entre eux, *Black and White,* s'annonça même comme « Le film de l'ère de la défonce ». On trouvait dans le *New York Times* des pages et des pages de publicité pour des films pornos et des bars de strip-tease, et on pouvait tomber comme ça sur une pub pour *Gorge Profonde* [1] imprimée juste à côté d'une autre pour *La Mélodie du bonheur* [2], un signe certain qu'on ne savait plus très bien où se trouvait la limite entre décence et indécence et même si cette limite existait toujours.

Les forces qui luttaient pour l'émancipation remportaient triomphe sur triomphe. Il y avait des endroits où on encourageait les enfants à explorer leur sexualité pour apprendre à mieux se connaître. Une école du New Jersey publiait l'annonce sui-

1. Film à caractère pornographique réalisé en 1972 par Jerry Gerard dans lequel l'héroïne interprétée par Linda Lovelace ne parvient à atteindre l'orgasme qu'en pratiquant la fellation car son clitoris est situé au fond de sa gorge.

2. Film de Robert Wise réalisé en 1965 qui raconte l'histoire vraie d'une famille d'Autrichiens qui vinrent se réfugier aux États-Unis pour fuir le régime nazi. Cette adaptation d'un spectacle produit à Broadway connut un immense succès populaire et fut récompensée par cinq oscars dont celui du Meilleur Film.

vante : « Les adultes oublient parfois de dire à leurs enfants que le fait de se toucher peut procurer du plaisir, surtout quand c'est une personne qu'on aime qui nous touche. Et il n'y a aucun mal à se donner du plaisir à soi-même. » Les vieux tabous tombaient. Les anciennes structures familiales apparaissaient comme dépassées. Les anciens codes de comportement appartenaient définitivement à la préhistoire. Les réticences passaient pour de l'hypocrisie. La révolution sexuelle, du moins dans le discours public, était en marche.

De fait, certains critiques en sociologie continuent à penser que la révolution sexuelle n'a pas connu de défaite jusqu'à aujourd'hui. En 1995, George Gilder écrivait : « Les valeurs bohèmes prévalent sur les valeurs bourgeoises pour ce qui touche à la morale sexuelle, au rôle de la famille, à la culture, à la bureaucratie et à la vie universitaire, à la culture populaire et à la vie publique. Il en résulte que la vie culturelle et familiale connaissent un profond chaos, les villes grouillent de maladies vénériennes, les écoles et les universités sombrent dans l'obscurantisme et la propagande, les cours de justice ressemblent à un carnaval d'avocats véreux. » En 1996, le best-seller de Robert Bork *Slouching Towards Gomorrah : Modern Liberalism and American Decline,* établissait que le courant des années 60 avait répandu la pourriture culturelle dans la mentalité dominante de l'Amérique. En 1999, William Bennett prétendait : « Notre culture célèbre l'autogratification, la chute de toutes les barrières morales et maintenant la destruction de tous les tabous sociaux. »

Mais si on observe l'élite socioculturelle américaine, on n'y rencontre pas que chaos et amoralisme, même chez les avant-gardistes du sexe d'Arizona Power Exchange. Ce qu'ils font est étrange, voire dégoûtant, mais s'inscrit à l'intérieur d'un cadre de discipline rigoureuse. Et l'étude de la mentalité des Bobos ne permet pas de déceler des signes de corruption hédoniste ou de décadence totale. On ne fume plus. On ne boit plus. Les gens divorcent de moins en moins. Les rock stars propagent des messages à haut contenu moral (dans la tradition des chanteurs folk des années 50) dénués de la moindre connotation de rébellion hédoniste.

La régulation des sens

Il n'est plus de mise de prétendre qu'un courant de laisser-aller parcourt l'Amérique (si tant est qu'il l'ait jamais parcourue). Non, le tableau est bien plus complexe et déroutant. Au niveau de l'humour, par exemple, nous tolérons les plaisanteries à caractère sexuel mais nous sommes extrêmement intolérants en ce qui concerne les blagues racistes. Nous sommes beaucoup plus relax au niveau du maintien et de l'habillement, mais en contrepartie beaucoup plus restrictifs vis-à-vis des éclats de colère en public, des crachats et de la cigarette. Nous sommes plus tolérants pour parler ouvertement de sexe en public mais nous condamnons les plaisanteries lourdement obscènes et tout ce qui s'apparente de près ou de loin à du harcèlement. On trouve des revues de sexe d'un haut niveau intellectuel dans les meilleures librairies, mais des publications qui étalent des poitrines généreuses dans le style de celles que publiait Harold Robbins sont complètement passées de mode. Les universités autorisent les tatouages et le piercing qui auraient été interdits dans les années 50, mais elles ne tolèrent plus les rituels de beuverie entre camarades qui étaient alors monnaie courante. Nous avons l'impression que nous sommes moins stricts avec nos enfants, mais en fait, nous intervenons beaucoup plus dans leurs vies que ne le faisaient les parents des années 50. Dans *Tom Sawyer,* par exemple, Tante Polly essaye de dresser Tom en lui infligeant des corrections et en l'obligeant à se tenir correctement à table, mais elle l'autorise également à se promener librement dans la campagne des heures entières. Nous n'utilisons pas les méthodes de Tante Polly aujourd'hui mais nous n'autorisons pas non plus nos enfants à se promener seuls et sans surveillance. Nous préférons les trimbaler d'une activité encadrée par des adultes à une autre tout au long de leurs jours de repos.

En bref, les codes moraux ne surgissent et ne disparaissent pas d'un seul coup, par un mouvement de piston alternant vice et vertu. La réalité ressemble beaucoup plus aux transactions mixtes sur les marchés des changes, avec des valeurs qui montent à un endroit en même temps qu'elles descendent ailleurs, ce qui rend très difficile le diagnostic quant à un resserrement ou un relâchement. En 1999, l'historien Peter N. Stearns a publié un livre intitulé *Battleground of Desire : The Struggle for Self-control in Modern America,* dans lequel il décrit les différentes méthodes de maîtrise de soi qui ont eu cours en Amérique tout au long du XXe siècle. Stearns conclue que s'il est certain que nous ne nous comportons pas comme les Américains de l'ère victorienne, par exemple, il n'en est pas pour autant évident que nous soyons plus permissifs ou licencieux. Il faudrait plutôt dire que nos tabous et nos restrictions « sont différents et incluent une gamme de tolérances et de restrictions qui, d'une certaine façon, exigent une plus grande vigilance ».

Ce qu'il faudrait dire en fait, c'est que les Bobos ont établi de nouveaux codes sociaux qui synthétisent de façon caractéristique la maîtrise de soi des bourgeois et l'émancipation des bohèmes. Nous disposons donc d'une nouvelle échelle de valeurs pour distinguer plaisirs permis et plaisirs interdits. Nous disposons d'un nouveau code social visant à réguler les sens.

Les plaisirs utiles

Si vous voulez avoir un aperçu de ce nouveau code, il vous suffit d'aller faire un tour dans un parc à côté de chez vous par une belle journée d'été. Vous y verrez des femmes qui font du jogging en soutien-gorge de sport et short ultra moulant. Imaginez la réaction d'un puritain s'il avait pu être témoin d'un tel spectacle ! Des femmes en train de courir en sous-vêtements en public. Il aurait immédiatement évoqué Sodome et Gomorrhe. Même un historien cosmopolite comme Edward Gibbon se serait mis à spéculer sur le déclin des grands empires s'il avait posé les yeux sur une telle scène. Mais regardez ces femmes en soutien-gorge d'un peu plus près. Ce n'est pas une expression d'impudeur hédoniste qui est peinte sur leurs visages. Elles ne se montrent pas ainsi dans un but exhibitionniste. L'impact érotique de leur tenue vestimentaire est contredit par leur expression de détermination farouche. Elles sont en plein effort. Elles travaillent. Elles se construisent des muscles. Elles essayent d'atteindre les objectifs qu'elles se sont fixés. On ne les voit jamais sourire. Tout au contraire, certaines d'entre elles semblent même souffrir. Ces femmes pratiquement nues sont l'incarnation de l'autodiscipline — il faut souffrir pour réussir — et la raison pour laquelle elles sont à moitié nues, elles vous la donneraient elles-mêmes, c'est parce que ce style de vêtements est plus pratique pour faire du sport avec acharnement. Ce que nous voyons dans les parcs ressemble à la nudité, mais c'est une nudité qui sert à la concrétisation d'un objectif. Dionysos, le dieu de l'abandon, s'est réconcilié avec Prométhée, le dieu du travail.

Les Bobos ont une vision utilitaire du plaisir. Tout plaisir sensuel visant à l'éducation ou à l'amélioration personnelle est encouragé. D'un autre côté, tout plaisir improductif ou dangereux est sévèrement rejeté. Faire du sport est bien vu, mais fumer est considéré comme un péché pire qu'au moins cinq des dix commandements. Le café est la boisson qui correspond à l'époque parce qu'il stimule l'activité mentale, alors que l'alcool n'est plus au goût du jour parce qu'il altère les facultés mentales. On peut aller sur une plage vêtu d'un string minimaliste, c'est normal, mais si on oublie de s'enduire de crème solaire pour prévenir le cancer de la peau, les gens sont sidérés. Il faut manger sain et le terme culpabilité revient beaucoup plus fréquemment quand il est question de nourriture réputée mauvaise pour la santé — les graisses animales, l'abus de sel, l'abus de calories — que quand on aborde n'importe quel autre sujet. Les plaisirs contemplatifs comme le fait de s'attarder voluptueusement dans son bain, par exemple, sont admis, mais les plaisirs dangereux comme se laisser griser par la vitesse sur une moto, sont traités avec dédain. Conduire sans mettre de ceinture est carrément immoral. Il y a un engouement très fort pour des sports comme le ski ou le roller, mais les sports qui n'ont pas un effet notoire sur le système cardio-vasculaire, comme la natation, le bowling ou le ping-pong sont jugés vulgaires. Le simple fait de passer un après-midi à jouer avec ses enfants est considéré comme « un bon truc » parce que ça implique d'aider les plus jeunes à développer la palette de leurs talents (il faut voir les parents Bobos prendre part aux jeux de leurs rejetons...) ou au moins à mieux communiquer avec les autres et à avoir une meilleure estime de soi (« Bravo ! C'est bien mon poussin ! »).

Nous autres Bobos avons adopté l'impératif bourgeois du goût pour l'effort et la réussite et nous l'avons combiné avec le désir bohème d'expérimenter des sensations nouvelles. Le résultat obtenu est un cadre établi de règles sociales pour encourager les plaisirs qui sont physiquement, intellectuellement ou spirituellement utiles et pour stigmatiser ceux qui sont inutiles ou dangereux. C'est ainsi que l'éthique Protestante du Travail se trouve remplacée par l'éthique Bobo du Ludique qui est tout aussi contraignante. Tout ce que nous entreprenons doit servir la Mission de la Vie qui est celle de l'épanouissement culturel et de l'amélioration personnelle.

Il est intéressant de constater que les deux institutions de loisirs qui ont le plus prospéré au cours de l'ère Bobo sont les clubs de gym et les musées. Ces deux lieux offrent des satisfactions sensuelles dans un cadre exaltant. Dans les clubs de gym vous avez le plaisir de faire fondre noblement votre graisse. Vous en ressortez en sueur et exténué après 35 minutes de pur sport et vous avez alors le privilège de contempler dans les gigantesques miroirs du hall le reflet de votre vertueuse personne. Dans les musées, vous pouvez vous vautrer dans une véritable débauche sensuelle en admirant les couleurs, les formes et les matières des œuvres d'art tout en vous cultivant grâce aux casques audio et aux panneaux explicatifs qui vous fournissent les commentaires brillants et avertis de ces œuvres. Et dans le hall, vous trouverez de somptueuses librairies qui vous permettront de consolider vos connaissances et de continuer à vous cultiver de retour à la maison. Les clubs de gym et les musées sont devenus les cathédrales et les chapelles de notre époque. Les uns servent à améliorer son corps, les autres son esprit.

Il est également intéressant de constater que les Bobos se sont emparés d'un des derniers symboles de la décontraction dionysiaque, la fête, pour l'amalgamer à l'idée de travail. Il y a deux ans environ, James Atlas publiait dans le *New Yorker* un essai intitulé « Fini de rire », qui analysait avec beaucoup de perspicacité l'évolution des fêtes littéraires et faisait toute la lumière sur les fêtes organisées par l'élite socioculturelle d'une façon générale.

Comparés aux écrivains, poètes et essayistes des décennies précédentes, avançait Atlas, les créateurs d'aujourd'hui sont bien insipides. Il évoquait les géants de la littérature qu'il admirait quand il était étudiant à Harvard et qui n'hésitaient pas à boire et à faire la fête sans la moindre retenue. « Mes gourous étaient des écrivains célèbres pour boire comme des trous : je revois Robert Lowell qui traînait une perpétuelle gueule de bois en train de fumer cigarette sur cigarette à une rencontre littéraire au rez-de-chaussée de Quincey House, Norman Mailer saoul comme une barrique, brandissant une bouteille de whisky pour attaquer les corbeaux de Sanders Theatre, Allen Ginsberg interrompant bruyamment un dîner offert par la Signet Society pour scander ses poèmes en s'accompagnant du rythme hypnotique d'un harmonium. La poésie d'après-guerre était un hymne à l'excès. »

Ces artistes avaient un mode de vie bohème. Atlas décrivait aussi les rencontres avinées de ces gens de lettres, les fêtes parfumées au hachisch, les éclats plus ou moins gênants, les querelles amères et les ruptures qui s'ensuivaient. Les journaux de l'austère Edmund Wilson lui-même sont remplis d'histoires d'adultère et de beuveries obscènes ; ce pauvre Edmund confesse s'être réveillé un jour dans un lit où il a réalisé qu'il venait de se livrer à une authentique expérience de triolisme. La plupart de ces gens se sont en fait tellement défoncés qu'ils sont morts de bonne heure. Delmore Schwartz est mort à cinquante-deux ans, John Berryman s'est suicidé à cinquante-sept ans, Shirley Jackson est morte à quarante-cinq ans, Robert Lowell est mort à soixante ans ce qui constitue un véritable record de longévité pour ce groupe d'artistes.

Mais aujourd'hui, les gens qui choisissent de boire et de se défoncer à ce rythme-là se voient gratifiés de diagnostics médicaux — alcoolisme, toxicomanie, dépression nerveuse. Même dans ce qu'Atlas décrit comme les hauts lieux de la vie bohème, les jours de la picole et de la défonce sont définitivement révolus. Au lieu d'aller à des fêtes, on fait maintenant un « pot au boulot », on y boit un ou deux verres de vin, on fait un peu mumuse sur Internet avec les éditeurs ou les agents littéraires et puis on rentre bien sagement à la maison pour s'occuper des enfants. Quasiment plus personne ne boit d'alcool au déjeuner. Les gens ne se retrouvent plus autour d'une table de cuisine pour passer la nuit à boire en refaisant le monde. On est plus sain, plus organisé, plus avide de réussite.

Le même phénomène se retrouve dans d'autres cercles. Les journalistes avaient une solide réputation d'alcoolisme et de tabagisme. Aujourd'hui, comme ne manquent jamais de remarquer les reporters de la vieille école, les jeunes types qui couvrent les campagnes électorales sont tous bâtis sur le même modèle, fraîchement émoulus de leur école de journalisme et ne consommant exclusivement que de l'eau en bouteille. Plus personne ne se saoule aux réunions de presse. Celui qui le ferait serait immédiatement catalogué comme un loser. La vie sociale est de nos jours beaucoup plus sobre et dénuée de relief qu'elle ne l'était il y a une vingtaine d'années, nous apprennent les articles publiés par le *Chronicle of Higher Education*. Même Hollywood, qui reste l'épicentre de l'hédonisme, est envahi par cette obsession de vie saine, de carriérisme et de (relative) modération. À une fête de Bobos, ce ne sont plus des joints qui circulent de main en main, mais des cartes de visite professionnelles.

Pour en revenir à la consommation d'alcool d'un point de vue plus global, nous traversons certainement la période la plus sobre de l'histoire de l'Amérique depuis la Prohibition. Tout le jargon d'une époque est en voie d'extinction — le coup de l'étrier, cul sec, on the rocks, c'est ma tournée — excepté l'usage qu'en font quelques nostalgiques dans les bars Martini et les bars à cigares. Je suis récemment tombé sur un programme du câble qui rediffusait une vieille émission de *Match Game* de 1973. On demandait à six personnalités de l'époque de compléter l'expression « à moitié........, » et le candidat devait deviner comment elles avaient choisi de compléter. Il avait proposé « à moitié saoul ». Et c'était une bonne réponse puisque quatre des personnalités avaient choisi soit « à moitié saoul », soit « à moitié gaga ». Si on posait la même question à *Match Game* aujourd'hui, la réponse la plus probable serait certainement « moitié moitié ».

Si les bohèmes se montraient si sauvages et libres, c'est parce qu'ils se rebellaient contre les privilèges des bourgeois qu'ils jugeaient coincés. Mais une fois que la bourgeoisie eut assimilé la culture libérale des années 60, il ne restait plus grand-chose contre quoi se rebeller. Une fois que les symboles des bohèmes étaient récupérés par la tendance dominante, ils perdaient une bonne partie de leur panache avant-gardiste. Les romans d'Henry Miller étaient « cool » quand ils choquaient les lecteurs de la classe moyenne, mais ils n'ont plus aucun impact à l'heure actuelle. Les performances d'artistes nus ont pu sembler d'une nouveauté incroyable à une époque, mais elles ont perdu tout leur cachet quand elles sont devenues des arguments de vente d'agences de voyages. Quand les gosses de la génération disco et les yuppies de Wall Street des années 70 et 80 ont découvert de nouvelles drogues, ces dernières ressemblaient plus à des jouets de gosses dégénérés qu'à des outils propres à développer l'esprit. Le fait de vivre pour le plaisir ne correspond plus à la revendication culturelle de rébellion qu'il recouvrait auparavant.

Pour être plus précis, les loisirs des décennies précédentes s'apparentaient plus à l'idée de détente. Les gens ne trouvaient pas d'épanouissement personnel dans leur boulot et cherchaient à se changer les idées quand ils en sortaient. Ceux qui avaient des aspirations créatrices se sentaient coincés dans une société fade dont ils voulaient faire éclater le carcan normatif et régulateur. Mais pour les Bobos, le travail n'est pas une notion péjorative. C'est stimulant et intéressant. C'est sans doute ce qui fait que leurs loisirs ressemblent à s'y méprendre à du travail. Les Bobos sont des conciliateurs et il est sans doute inévitable qu'ils s'efforcent d'amalgamer travail et plaisir, donnant à l'un un aspect plus plaisant et affadissant l'autre.

Des vacances utiles

Assis à la terrasse d'un café de la Piazza della Serenissima dans une de ces petites villes toscanes perchées sur les collines, vous laissez décanter les vingt minutes d'extase que vous venez de passer en visitant un joyau de petite basilique loin des sentiers battus des circuits touristiques traditionnels. Vous avez accolé plusieurs petites tables métalliques de façon à pouvoir vous installer en compagnie des gens charmants que vous avez rencontrés à l'intérieur de la basilique, et, tandis que vous sirotez ce qu'en temps normal vous considéreriez comme du sirop contre la toux, vous vous mettez à échanger des anecdotes de voyage. Quelqu'un mentionne un récent périple dans la Vallée de Göreme en Turquie et la splendeur des grottes creusées par les Hittites dans la pierre volcanique, quand tout à coup, un homme vêtu d'une veste avec des poches partout s'incline vers l'arrière et déclare : « Hé oui ! Mais toute la région de Cappadoce a été défigurée par les touristes. »

Un peu plus tard, quelqu'un d'autre fait part des notions fascinantes qu'il a découvertes au cours d'un voyage organisé dans le sud du Belize. « Le pays n'est plus du tout le même depuis son électrification », déplore alors tout à trac l'homme bardé de poches. Vous venez de rencontrer un pur spécimen de touriste snob. Il existe ainsi un certain nombre de voyageurs sophistiqués qui exhibent leurs précédentes destinations comme autant de médailles. Leur plus grand plaisir dans la vie consiste à vous laisser comprendre par des allusions d'une colossale finesse que quel que soit le pays que vous ayez visité, eux aussi, mais bien avant vous, à une époque où ça méritait vraiment le détour. Comment ces gens trouvent le temps d'aller dans tous ces endroits reste pour moi un mystère, à moins qu'un philanthrope malveillant ne les finance pour voyager à travers le monde dans le seul but de rabaisser les autres voyageurs en leur faisant bien sentir que leur répertoire de destinations est d'une lamentable pauvreté. Ils sont passés maîtres dans l'art de poser des questions irritantes. « N'est-ce pas à cet endroit que l'attabey de Damas s'est arrêté en 1139 ? » demanderont-ils si on a le malheur d'évoquer en leur présence une lointaine oasis, avant de scruter toutes les personnes présentes, le regard chargé d'espoir à l'idée que tout le monde va abonder dans leur sens et confirmer ce nouvel étalage de leurs connaissances, qu'ils savent infinies de toute façon. C'est à croire qu'ils passent leurs soirées à bûcher sur d'obscurs groupes ethniques : « La tribu des Mobatis venait pêcher ici autrefois, il me semble, jusqu'à ce que les Contutis ne les repoussent en amont du fleuve. » Est-il besoin de préciser qu'ils ne peuvent pas s'empêcher de lâcher cette perle du touriste snob : « Vous vous débrouillez en chinois, évidemment ? » Ils ne disent jamais « je parle » telle ou telle langue. Ils disent « je possède le portugais » ou « je possède quelques-unes des langues romanes, bien entendu » sur ce ton de fausse modestie qui donne irrépressiblement envie de coller la tête de ces énergumènes dans un étau et de serrer jusqu'à ce que leurs yeux jaillissent hors des orbites.

Il ne se trouve malheureusement pas grand monde pour suivre ce noble instinct, même s'il est évident que dès qu'un représentant de cette engeance surgit, le syndrome du Vietnam n'est pas loin. C'est une psychose qui fait que les conversations des gens se mettent à converger vers un seul point : le voyage au Vietnam qui a radicalement changé leurs vies.

Le snob opère en douceur pour faire étalage de ses vantardises. Il glisse d'abord une ou deux allusions visant à laisser deviner son vaste capital culturel.

Puis, au fur et à mesure du déroulement de la conversation, il devient de plus en plus volubile. Il attend le moment propice pour vous aspirer dans le tourbillon de ses paroles. Il peut y avoir une lueur d'espoir si un membre du groupe embraye sur le mont Everest. Ah ! il va se la boucler, là, vous prenez-vous à espérer. Il ne va pas pouvoir afficher sa suffisance face à quelqu'un qui est allé au Tibet. Mais il a bien évidemment fait le Tibet avant *Into Thin Air* [1].

Et là, l'enfer commence. Il se lance dans le récit de son voyage sur la Piste Ho Chi Minh ou du trajet depuis Hue dans un train bondé sans air conditionné. Il s'étale dans la description des splendeurs du Vietnam du Nord, l'odeur de camphre, le tourbillon des bicyclettes. Vous prenez tout à coup conscience du bourbier dans lequel vous êtes en train de patauger. Et vous n'êtes pas encore au bout de vos peines. Il n'y a plus aucun moyen de faire honorablement machine arrière.

« Je n'aurais jamais cru que le fait de nourrir des oies puisse représenter une expérience spirituelle aussi enrichissante », continuera-t-il à pérorer en faisant circuler des photos de lui debout dans une rizière au milieu d'un groupe de villageois dans la région de My Lai (c'est lui, là, avec les lunettes de soleil). Il racontera cet ancien soldat anglais médaillé avec qui il a voyagé en char à bœufs à travers la vallée de la rivière Rouge. Dans ses histoires, il se dépeindra toujours comme un docteur Livingstone très sûr de lui, mais vous vous le représentez tout à fait entrant dans un village, perçu par la population locale comme un gros portefeuille bourré de dollars monté sur pattes. Si on retrouvait le corps de

1. Titre d'un livre de Jon Krakaeur, reporter américain qui accompagna en 1996 un groupe de riches touristes qui voulaient escalader l'Everest. L'expédition se termina de façon catastrophique, et Jon Krakaeur fut un des rares rescapés. C'est cette expédition qu'il relate dans son livre qui est un best-seller aux États-Unis tout comme son autre récit *Into Wild Life* qui fera l'objet d'une note ultérieure.

ce type avec douze couteaux à beurre plantés dans le nez, ce serait exactement comme dans un roman d'Agatha Christie : tout le monde aurait un motif de souhaiter sa mort.

Je crois que ce qui nous empêche de couper définitivement la chique au touriste vantard, c'est qu'en fait personne n'est tout blanc. Nous autres membres de l'élite socioculturelle sommes tous des snobs du voyage à un niveau ou à un autre. Nous nous contentons de nous montrer snobs vis-à-vis des hordes de touristes obèses qui sortent massivement de leurs cars pour aller s'entasser à Notre-Dame, alors que le vantard l'est vis-à-vis de nous. Il est un cran au-dessus de nous sur l'échelle du voyage sophistiqué.

Le code de plaisir utile signifie que nous évaluons nos vacances à l'aune du profit que nous en retirons — qu'avons-nous appris, quelles découvertes spirituelles ou émotionnelles avons-nous expérimentées, quelles nouvelles sensations ? Et la seule façon que nous ayons de nous accorder des points c'est en dégottant des endroits rares et en cultivant des plaisirs au-dessus de la moyenne. C'est ce qui explique que les Bobos choisissent des destinations aussi étranges, pour se distinguer des touristes passifs si peu productifs qui se contentent de grimper dans des cars pour en descendre chaque fois qu'ils passent devant un haut lieu du tourisme traditionnel. Étant donné que les touristes arborent fièrement leurs appareils-photo, les Bobos en voyage n'aiment pas s'en encombrer. Les touristes se posent toujours dans les sites les plus connus ? Qu'à cela ne tienne. Les Bobos, eux, passent la majorité de leur temps dans des lieux dépourvus du moindre intérêt touristique ce qui peut les amener à sombrer dans la contemplation de pépés en train de jouer à la pétanque.

Les touristes aiment se déplacer rapidement d'un endroit à l'autre ? Les Bobos choisissent les moyens de locomotion les plus lents. Ils visitent la vallée de la Loire en barque, emplis d'un profond mépris pour les hordes qui la sillonnent en voiture. Ils entreprennent la traversée de la Nouvelle-Zélande à vélo et dédaignent ceux qui choisissent le train. Ils pataugent à travers le Costa Rica en radeau, se sentant ainsi infiniment supérieurs à ceux qui le survolent en avion. Si les touristes se précipitent pour visiter un endroit, les Bobos mettront un point d'honneur à en fréquenter un autre. « La plupart des touristes de Tanzanie se rendent au Parc National Serengeti pour y observer les animaux sauvages alors que la Réserve de Selous Game qui est plus grande reste pratiquement déserte », nous apprend Bruce Stuts, collaborateur de la revue *Natural History* dans le plus pur style du voyageur cultivé. Il n'est absolument pas important de savoir s'il y a plus ou moins de choses à voir au Parc Serengeti. Le plaisir qu'éprouve le Bobo à faire les choses les plus tordues compensera largement cet aspect des choses.

Lewis et Clark [1] ne sont pas revenus de leur voyage en disant « Bon, c'est vrai qu'on n'a pas trouvé le passage vers le Nord, mais on s'est trouvés face à nous-mêmes ». Mais c'est tout à fait l'esprit du Bobo en voyage. Les dollars que nous dépensons en voyageant sont une sorte d'investissement visant à accroître notre capital humain. Nous ne voulons pas nous contenter de voir des sites prestigieux; nous voulons découvrir d'autres cultures. Nous voulons essayer des styles de vie nouveaux.

Mais pas n'importe quelles autres vies. Si on se penche sur les circuits empruntés par les Bobos et sur la littérature de voyage qu'ils affectionnent on y décèle aisément une gamme de préférences. Le Bobo, comme toujours, aspire à la tranquillité, il

1. L'auteur cite ici incomplètement les noms de deux explorateurs célèbres de façon à évoquer ceux de Loïs (Lane) et Clark (Kent), héros de *Superman*. Leurs noms complets sont Captain Meriwether Lewis et Captain William Clark. Ce sont des pionniers célèbres dans l'histoire des États-Unis pour avoir mené une expédition héroïque entre ce qui s'appelle aujourd'hui Wood River, dans l'Illinois, et l'Océan Pacifique de 1804 à 1806.

affectionne les endroits où les gens ont des racines profondément ancrées et répètent depuis des millénaires les mêmes rituels simples. En d'autres termes, les Bobos en voyage cherchent généralement à s'éloigner de leur identité de privilégiés pour tenter d'accéder à un monde supérieur, un monde qui n'a pas été trop influencé par la méritocratie dans laquelle ils baignent en permanence. Les Bobos ont une certaine tendance à apprécier « les gens qui connaissent vraiment la vie » (les petits artisans traditionnels, les gens qui entretiennent une tradition orale depuis des temps immémoriaux, qui ont des danses rituelles ou traditionnelles, qui écoutent de la musique traditionnelle). Tout le répertoire indigène/sauvage et fier de l'être/artisanat paisible les titille agréablement.

Par conséquent, les Bobos sont les proies idéales pour les paysans en costume traditionnel, les vieux fermiers, les pêcheurs aux mains calleuses, les artisans qui vivent en ermite, les retraités aux visages burinés, les cuisiniers régionaux équipés de toutes sortes d'ustensiles — quiconque est susceptible de n'avoir jamais entendu parler des voyageurs venus de loin. Les Bobos se ruent donc sur toutes les publications concernant les différentes localités qui continuent à vivre au rythme de traditions ancestrales où on peut rencontrer des tas de gens « simples » — l'arrière-pays provençal, la Toscane, la Grèce ou bien les sommets des Andes ou du Népal. Ce sont des lieux où les habitants n'ont pas recours aux crédits à la consommation et où relativement peu de gens arborent des T-shirts Michael Jordan. La vie semble s'y écouler suivant de vieux rites et la sagesse des temps anciens. Comparés à nous, ils ont l'air serein. Ce sont des gens plus pauvres que nous mais dont la vie semble plus riche que la nôtre.

Des choses insignifiantes — une oliveraie ou une petite chapelle — sont chargées d'un sens profond pour le Bobo en vacances. L'idéal pour les Bobos en voyage, c'est de pouvoir savourer chaque jour. Ils s'attardent paresseusement à la terrasse d'une trattoria tellement éloignée du cours des événements mondiaux que les habitués ne se sentent pas le moins du monde tenus d'avoir une opinion sur Bill Gates. Ils se délecteront d'une polenta moelleuse ou d'une soupe de tortue et s'évertueront même à accoutumer leur palais à un plat essentiellement composé d'os à moelle. Ils napperont leur café de crème directement sortie du pis de la vache et trouveront plaisante l'obésité de la paysanne qui s'activera aux fourneaux, pittoresques les murs à la peinture écaillée, chaleureux les sourires des autres dîneurs qui leur donneront tout à fait l'impression de leur souhaiter la bienvenue dans leur culture.

La vie s'écoule délicieusement dans de tels lieux. Mais la durée de la location n'est que de deux semaines, aussi les Bobos ont-ils tout intérêt à faire des progrès spirituels rapides. Certains ont leurs petits trucs pour accéder à d'authentiques moments de joie paysanne. Assister à des mariages traditionnels marche assez bien. Exagérer le lien généalogique qui les relie au pays au cours d'une conversation avec des autochtones est également une méthode payante : « En fait, le deuxième mari de ma grand-mère était portugais. » Effectuées avec soin, ces manœuvres peuvent apporter au Bobo en pèlerinage 6 moments inoubliables le matin, 2 expériences extatiques au déjeuner, 1,5 sentiments pénétrants l'après-midi (ce sont des chiffres moyens), et 0,667 fêtes à couper le souffle après le coucher du soleil.

Une misère enrichissante

Sur l'échelle des loisirs, les vacances qui permettent d'endurer une grande souffrance physique occupent le premier rang. Une excursion à pied à travers des glaciers ou une randonnée à travers des déserts arides, sur des chemins que les soldats d'Alexandre le Grand n'ont empruntés que pour échapper à la mort, par exemple. Ou bien du camping dans une forêt tropicale infestée de moustiques pour se rapprocher de la nature. Des vacances de ce genre ne sont pas très amusantes mais les excursionnistes Bobos ne font pas ça pour s'amuser. Ils souhaitent passer leurs précieuses semaines de congés à se torturer pour s'améliorer physiquement et intellectuellement. Les agences de voyages sélectionnent donc à leur intention des destinations correspondant à ces exigences de difficulté et d'inconfort. Ces séjours d'aventures ou les circuits écologiques sont les produits qui font fureur auprès de la clientèle touristique appartenant à l'élite socioculturelle.

Pour les générations précédentes, naturalisme signifiait renoncer aux ambitions personnelles et à la mobilité sociale. Les Bobos naturalistes, eux, ne se séparent pas de leur ambition. Ils ne se contentent pas de planter leur tente au milieu d'une forêt. Ils gravissent une montagne, pataugent dans une forêt tropicale, escaladent une montagne glaciaire ou franchissent à bicyclette la barrière continentale. Si la façade d'une montagne offre un accès facile, ils prendront systématiquement l'autre. Si un train peut vous emmener sans problème jusqu'à un endroit donné, ils feront le trajet à vélo sur une route en mauvais état. Ils se servent de la nature pour prendre une leçon de dépassement de soi, ils la voient comme une série d'épreuves et d'obstacles à surmonter. Ils vont dans la nature pour se comporter de façon antinaturelle. Dans la nature, les animaux craignent le froid et cherchent la chaleur et le confort. À l'inverse, les naturalistes Bobos craignent le confort et cherchent le froid et les privations. Ils agissent ainsi pour se sentir plus vivants, et puisque leur vie est une succession de tests de niveau, leurs vacances se doivent d'en être un aussi.

Jusqu'à présent, les cadres d'entreprise évitaient de raconter leurs souvenirs de guerre. Mais les cadres d'aujourd'hui vous bassineront avec leurs conquêtes des hauts sommets. Un bon quart d'entre eux donnent toujours l'impression de tout juste revenir d'une expédition glaciaire ou d'être en train de s'entraîner pour la prochaine. Vous feriez bien de ne pas vous mêler de la conversation si au cours d'un dîner en ville vous entendez les expressions « camp de base » ou « blizzard » proférées avec ostentation. Ce sont les signes avant-coureurs du moment où vous allez devoir tenir le crachoir au vacancier endurant. « Ce n'était pas seulement physiquement éprouvant. C'était mentalement éprouvant », pérorera-t-il pour un public de convives qui — les pauvres — n'ont pas l'habitude de passer des vacances qui nécessitent un mois d'entraînement préalable. Tout au long du récit qui s'ensuivra et durera plus longtemps qu'il n'a fallu à Peary pour atteindre le Pôle, il sera fait mention de guides de la région (dépositaires de la sagesse locale), de matériel abandonné (« La situation était désespérée, nous avons été obligés de nous délester de la machine à expresso »), d'orteils gelés (et immanquablement un compagnon de voyage en a perdu quelques-uns), et de jours entiers cloîtrés dans les tentes alors que le vent à l'extérieur souffle à une vitesse démoniaque, empêchant toute visibilité. On finit par avoir l'impression que tous les points du globe situés à plus de 3000 mètres d'altitude, regorgent de millionnaires vêtus de parkas rouge vif en train de se vautrer dans les souffrances imposées par l'air raréfié.

Embringué à endurer des péroraisons de ce genre, je me suis surpris à me demander pourquoi ces adorateurs de la Face Nord ne se contentaient pas de passer leurs deux semaines de vacances d'hiver à faire de la randonnée dans le Minnesota. S'ils étaient à la recherche de conditions de vie difficiles, d'héroïsme et de camaraderie de groupe, au moins au Minnesota ils auraient pu combler quelques nids-de-poule et seraient revenus avec le sentiment d'avoir souffert dans un but utile dont ils auraient pu se vanter. Mais les excursionnistes ne trimbalent pas leurs cartouchières jusqu'à l'autre bout de la planète pour le bien du service public. Ils sont à la recherche d'esthétique. Ils veulent expérimenter personnellement des paysages de cinéma. Souffrir n'est pas suffisant. Il faut souffrir dans un beau décor. Il faut endurer d'épouvantables tourments — que ce soit sur un sommet glacial ou au milieu d'une forêt tropicale infestée par la malaria — pour expérimenter la magnificence spirituellement enrichissante de la nature hostile. Il faut mutiler son corps pour être transcendé par l'environnement.

De la sorte, ces voyages représentent un moyen fantastiquement coûteux de renoncer aux plaisirs de la chair pour se purifier l'esprit. Au lieu de jeûner ou de se flageller — comme le faisaient par le passé ceux qui renonçaient aux plaisirs de la chair — il faut réunir entre 10 000 et 60 000 dollars, prendre l'avion jusqu'à un endroit particulièrement inhospitalier de la planète et se torturer au nom de la divine transcendance. Les moines qui construisaient des monastères inaccessibles sur les affleurements rocheux du pays de Galles étaient sans doute en quête de cette même pureté à l'état brut, mais eux vivaient reclus pendant plusieurs années, alors que les excursionnistes contemporains peuvent avoir une expérience taillée sur mesure pendant une ou deux semaines au choix et revenir sur leur lieu de travail frais comme des gardons le lundi matin. L'idée de base n'en reste pas moins la même. On est passé de l'hédonisme des drogues de Woodstock à l'ascétisme des excursions Bobos.

Des loisirs de pros

Ce type d'expéditions n'illustre pas à lui tout seul cette nouvelle tendance. Nous essayons tous de nous couler dans le moule d'une vie jalonnée d'épreuves. Nous portons des bottes qui ont été conçues pour escalader l'Himalaya. Nous sortons nous promener en automne vêtus de vestes prévues pour supporter des températures de 40 degrés en dessous de zéro. Nous achetons nos vêtements dans les pages du catalogue *Lands'End* dont la couverture présente la photo d'alpinistes au sommet du mont Everest. En passant devant l'entreprise Microsoft à Redmond, récemment, j'ai remarqué que tous les employés de la boîte étaient habillés comme s'ils allaient entreprendre l'ascension d'un glacier : pantalons d'épaisse toile kaki, bottes et cartouchières à la ceinture (seuls les téléphones portables qui y étaient accrochés détonnaient sur ces parfaits équipements).

Je me suis alors rendu là où tous ces types de chez Microsoft vont pour se procurer ce type d'accoutrement, dans l'impressionnante (24 000 mètres carrés) succursale REI (Recreational Equipment Incorporated) de Seattle. C'est un magasin qui vend de l'équipement de loisirs à ceux qui choisissent de passer leur temps libre à des activités exténuantes ou qui veulent s'en donner l'air.

Je m'y suis rendu dans mon minivan de location. Je l'ai garé sur le parking de REI, au milieu de 4 × 4 couverts de boue. Je suis passé devant la forêt miniature que REI a installée pour que les clients puissent tester leurs VTT. Après un voyage en plate-forme élévatrice, je suis arrivé sur un large balcon extérieur où se trouvaient d'immenses bancs en bois. Chacun des sièges était doté d'une étiquette nous assurant que le bois provenait d'arbres abattus par la tempête de 1995 ; aucun arbre n'avait été tué pour la construction de cette aire de repos. Sur la façade de l'édifice, des pendules donnaient l'heure du mont Everest et de la face nord de l'Eiger dans les Alpes Suisses pour le cas où on aurait quelqu'un à appeler là-bas.

J'ai franchi la porte principale pour me trouver nez à nez avec des haches à glace. Devant moi s'étalait une incroyable quantité d'articles destinés à affronter toutes sortes d'épreuves, des rayons entiers d'après-skis, de crampons, de kayaks, de tentes et de parkas, une profusion paralysante de choix d'équipement. Je dois avouer que j'ai véritablement eu d'un seul coup l'impression que l'oxygène tendait à se raréfier. Vouloir atteindre la cafétéria située au dernier étage du magasin m'apparut tout à coup comme une absurdité. Je me sentais comme un personnage sorti d'un livre de Jon Krakaeur [1]. Éberlué par cet environnement stupéfiant, je savais seulement qu'il fallait que je rassemble mes forces pour entreprendre la pénible traversée du magasin.

À droite de la porte d'entrée, se trouvait un musée des sports d'extérieur et je pus profiter d'un travail d'approche fort instructif avant de me lancer dans le shopping proprement dit. Au fond du musée, il y avait un mur d'escalade, à vingt mètres près la plus grande structure d'escalade libre du monde.

Ce n'étaient pas les vendeurs qui me donnaient le tournis. Je m'attendais à trouver ces purs produits de machos en shorts de Seattle issus du culte voué à l'escalade. Ils circulaient à travers le magasin, exhibant d'énormes mollets qui les faisaient ressembler à des transfuges de l'Équipe Olympique Norvégienne. Ce n'étaient pas non plus les autres clients qui me mettaient dans cet état-là. J'étais prêt à affronter ces cohortes de designers software super-équipés avec leurs lunettes de ski accrochées autour du cou (on ne sait jamais, il pourrait tout à coup surgir une montagne glaciaire de 1 800 mètres en plein milieu de la ville).

Ce qui me dépassait, c'était la quantité de connaissances nécessaires pour effectuer des achats. Si vous partagez des loisirs avec des membres de l'élite socioculturelle, vous allez devoir prouver que vous

1. Dans son dernier livre paru, *Into Wild Life*, le reporter Jon Krakaeur raconte l'histoire vraie d'un jeune homme de vingt-trois ans issu de la meilleure société américaine qui a choisi d'abandonner ses études universitaires pour voyager à travers l'Amérique dans un dénuement total, et qui est finalement parti en Alaska sans équipement, pensant pouvoir survivre grâce à sa seule intelligence. Il a trouvé la mort au cours de ce voyage.

êtes un pro dans ce que vous allez faire. « Pro » est le plus haut compliment que les Bobos décernent à leurs loisirs. On se doit d'être un skieur pro ou un joueur de tennis pro, un randonneur pro ou même un skate-boarder pro. Les gens qui se consacrent à ces passe-temps n'arrêtent pas de s'évaluer entre eux pour déterminer qui est pro et qui ne l'est pas. Les meilleurs d'entre eux sont tellement pros qu'ils ne s'amusent plus du tout et si vous avez le malheur sur un terrain de sport ou un court de tennis d'avoir l'air heureux et maladroit, vous serez considéré comme un iconoclaste sacrilège vis-à-vis de toute la discipline sportive.

De nos jours, pour être un pro des sports d'extérieur, il faut maîtriser la science complexe de l'équipement, ce qui nécessite au moins un double diplôme de physique-chimie décerné par le MIT [1]. À côté du rayon des haches à glace, par exemple, il y a un évier qui permet aux clients de tester les différences d'une douzaine de filtres et de purificateurs d'eau. Pour cela, il vous faut faire la distinction entre les purificateurs en résine d'iode et de tri-iode, de fibre de verre et de fibre de verre plissée, de porcelaine micro-régulatrice et ceux dont la matrice structurée est micro-régulatrice.

Et les choses ne vont pas en se simplifiant. Chaque article du magasin existe dans une gamme de processus de fabrication chimique à faire tourner la tête et que seuls des dingues assermentés pourraient comprendre. Les épais manuels d'utilisation qui leur sont accolés sont rédigés dans un tel jargon high-tech que le choix de l'unité centrale d'un ordinateur semble par comparaison un acte aussi simple que celui de cueillir une pomme. Si vous voulez un sac à dos, vous préférez un Sun Tooth Tech Pack en toile 500 × 1 000 deniers ou un Bitterroot Tech Pack dont les finitions sont garanties 430 deniers ? Préférez-vous les Charlet Moser à crampons S-12 semi-rigides

1. Massachussets Institute of Technology.

à lacets avec un clip à l'arrière ou les Grivel Rambo avec coutures apparentes et fixations amovibles? Même un article aussi simple que des sandales connaît des variantes délirantes, équipées de courroies d'excursion et de semelles haute performance, pour le cas où vous auriez l'intention d'escalader le mont Pinatubo en allant à un concert d'Alanis Morissette.

Je pris soudainement conscience d'un code réservé aux seuls initiés en matière d'équipement auquel il fallait prêter une attention toute particulière. Pour les vrais pratiquants de sports d'extérieur, certains articles comme les bottes et les véhicules à usage sportif se devaient d'être aussi gros que possible. D'autres, comme les réchauds et les aliments devaient pouvoir se trouver dans des formats aussi réduits que possible. Mais les tentes et les sacs de couchage, eux, devaient pouvoir se replier jusqu'à quasi complète disparition et devenir immenses une fois dépliés.

Mais la véritable raison d'être de REI se situe à l'étage au-dessus. L'étage de l'habillement. Car s'il ne se trouve pas tant de monde que ça pour escalader des glaciers, il y en a des millions qui s'habillent comme s'il s'agissait de leur occupation quotidienne. La majorité des clients se dirigeait donc vers l'étage supérieur. Je décidai donc de me rendre au rayon des vêtements en espérant y trouver un répit après tout ce déballage high-tech. On y trouvait effectivement quelques rangées apaisantes de chemises en coton dans des tons pastels. Mais je n'eus pas besoin de marcher longtemps pour être assailli par un éclair bleu cobalt irradiant d'une profusion de polyester. Il apparut bientôt de façon claire que si les gens qui portaient du polyester dans les années 70 appartenaient aux catégories sociales défavorisées de la faune disco, ce sont à présent ceux qui ont un statut social élevé et qui aiment se dépenser physiquement qui l'affectionnent. Je me trouvais encore séparé de la cafétéria par un immense champ de traîtrise composé de parkas, de gilets, de pantalons, de vestes, d'anoraks et de ponchos en matière synthétique. Sur chacun de ces articles, étaient accrochés d'épais livrets en apportant l'analyse technique détaillée. Je dois avouer que pendant un moment j'ai perdu tout désir de vivre. Je me serais bien assis là jusqu'à ce qu'un jour quelqu'un retrouve mon cadavre au milieu d'une montagne de bavoirs en Gore-Tex.

Mais une voix tout au fond de moi — qui ressemblait à celle de James Earl Jones [1] — m'intima l'ordre de continuer à marcher et je me retrouvai en train d'avancer d'un pas lourd entre des alignements d'équipements de sport fabriqués par les meilleurs laboratoires chimiques du monde : Cordura, Polartec, et tous les textiles en « ex » — Royalex, spandex, Supplex, et Gore-Tex. J'ai vu des parkas à 400 dollars dotées d'un système cinétique dans la fente dorsale et de manches équipées de charnières radiales universelles (je suppose que cela signifie que vous pouvez faire des moulinets avec les bras). J'ai vu des gilets qui s'enfilent par-dessus les parkas, des collants hyper-extensibles en microfibre, des jambières ultra-légères, des peaux lainées, des micro-peaux lainées et des peaux lainées bipolaires (sans doute destinées à donner un sentiment de sécurité aux gens qui sont sous Prozac). Ce que j'ai préféré, c'était une parka en titane Omnitech munie d'une double fermeture en nylon enrichi de particules de céramique et un manteau en polyuréthane à coutures soudées. Je m'imaginais en train de faire du sport dans ce truc en titane Omnitech, me disant à moi-même « Je suis au milieu de la jungle, rien ne peut m'arriver grâce à mon manteau Star Trek ».

Je me dirigeai au hasard, traversant le rayon des « sous-vêtements performants », véritable dédale de

1. Acteur noir américain dont le physique est aussi colossal que sa voix est grave. Il a joué entre autres films dans *Jardins de pierre* de Coppola.

Capilène, de polyester à capteurs d'humidité biface et de slips en Lycra spandex renforcés de polyester MTS2. Finalement, au moment où j'allais me transformer en sous-vêtement de Luddite gueulant pour rencontrer un slip kangourou blanc normal, je réalisai que la cafétéria n'était plus qu'à cinquante mètres. Je m'y rendis en passant devant la salle de lecture et la galerie d'art du magasin qui exposait des photos de paysages majestueux. Je traversai la librairie, dépassai le point d'accueil des gardes forestiers et arrivai finalement en face d'une accorte serveuse qui me servit une boisson chaude et me laissa faire mon choix parmi une ahurissante panoplie multiculturelle de sandwiches. Je pris place au milieu des meubles de style colonial qui étaient disposés là et je me sentis tout à coup très sain.

Autour de moi, je ne voyais que des gens respirant la santé, des naturalistes Bobos qui pratiquaient régulièrement des sports d'extérieur, sélectionnaient soigneusement leur nourriture et ne faisaient la fête qu'avec parcimonie. Ils étaient de toute évidence bien informés sur les choix d'équipement de sport à en juger par leurs bottes et leurs sacs. Assis là, en train de lire *L'Almanach d'un comté de sable* d'Aldo Leopold ou d'autres ouvrages du même genre qu'ils venaient d'acheter à la librairie du magasin, ils irradiaient du vif intérêt qu'ils portent à l'environnement naturel. J'avais en face de moi de dignes représentants de la communauté des gens qui protègent la planète et prennent soin d'eux-mêmes. La Nature était autrefois synonyme de sauvagerie, de laisser-aller, de luxure dionysiaque. Mais ces gens-là prenaient des précautions pour aborder la Nature, ils ne voulaient pas en déranger l'équilibre délicat, ils sélectionnaient soigneusement leurs destinations de voyage, se préparaient, s'entraînaient. Si Norman Rockwell était plus jeune aujourd'hui, il faudrait qu'il vienne dans cette cafétéria pour mettre en peinture tous ces bons sentiments et toute cette bonne santé.

Qu'il s'agisse des sadomasochistes précautionneux d'Arizona Power Exchange ou des excursionnistes soucieux de l'environnement dotés d'une sérieuse culture technologique que l'on peut rencontrer à REI, l'étude de leur comportement permet de cerner un principe de plaisir Bobo. Nous ne sommes pas collet monté, mais nous avons le sens des responsabilités. Nous ne sommes pas des fêtards. Nous cherchons sans cesse à nous dépasser, même pendant nos loisirs. Et le dernier point qui se dégage de cette approche, c'est que toute notre discipline, toute notre maîtrise de soi ne sont basées sur aucun règlement formel. D'autres groupes sociaux, l'élite sociale des époques antérieures ont pu se soumettre ou à tout le moins accorder un certain crédit à des codes de morale d'inspiration divine : la masturbation est un péché, boire est un vice. Mais les Bobos ne sont pas à l'aise avec les lois de la morale universelle visant à réguler les plaisirs. Les Bobos préfèrent un régime d'autodiscipline plus prosaïque. L'interdit s'applique à tout ce qui est préjudiciable à la santé ou dangereux. Ce qui vise à l'épanouissement ou permet de brûler des calories est par contre vivement conseillé. En d'autres termes, nous pouvons dire que nous canalisons nos désirs non plus suivant un code moral, mais suivant un code de santé.

Les Bobos ne dénoncent pas le péché d'alcoolisme, ils mettent en garde des dangers qu'il y a à boire au volant. Nous ne chantons pas les louanges de la chasteté comme s'il s'agissait d'une vertu divine, mais nous parlons sans arrêt d'avoir une attitude sexuelle prudente en mettant l'accent sur le fait que l'abstinence est la meilleure façon d'être prudent. Comme l'a souligné le journaliste Charles Krauthammer, « Le maître-mot du code sexuel moderne, c'est la prévention des MST ». Dans cet ordre d'idées, on ne voit jamais de prêcheur parler du diable tentateur dans les émissions télévisées du matin. Mais des experts de la santé et du sport sont invités pour délivrer un message expliquant la nécessité qu'il y a à pratiquer assidûment un sport, à faire attention à notre alimentation, à faire des nuits de sommeil complètes et à avoir une attitude prudente et productive. Cette hygiène de vie est une façon détournée d'inciter les gens à avoir un comportement moral. Les gens qui suivent ces conseils mènent une vie d'autorestriction disciplinée, mais ils le font au nom de leurs corps, plus au nom de leurs âmes.

Beaucoup de critiques en sociologie vous diront bien sûr que la vie de l'élite socioculturelle se trouve appauvrie si la sexualité et les loisirs doivent correspondre à des impératifs de santé et de sécurité. Quand on vit dans une société comme la nôtre, où les gens trouvent rarement à redire si quelqu'un évoque en vain le nom de Dieu mais poussent les hauts cris à la vue d'une femme enceinte en train de fumer, cela signifie que notre société valorise plus les valeurs terrestres que les valeurs divines. On ne peut pas connaître Dieu si on n'obéit pas à Sa Loi, tout particulièrement celle qui vise à légiférer les aspects les plus intimes de notre vie. Avoir le sens des responsabilités et une bonne hygiène de vie n'empêche pas d'être frivole et inconséquent.

Les Bobos ne sont pas insensibles à la critique. Ils valorisent trop l'autonomie pour pouvoir se soumettre à un cadre régulateur trop formel. Mais ils sont taraudés par des aspirations spirituelles et cherchent la transcendance. Ils ne désirent pas cautionner des plaisirs qui semblent sans danger simplement parce qu'une quelconque autorité religieuse les y incite, mais ils souhaitent faire ressortir le sens des implications spirituelles de la vie de tous les jours. Ces tiraillements — entre autonomie et soumission, matérialisme et spiritualité — seront l'objet du chapitre suivant.

6

LA VIE SPIRITUELLE

Je suis assis sur une pierre au bord de la rivière Big Blackfoot à l'ouest du Montana. La surface de l'eau scintille sous les rayons du soleil et sur les rives, la végétation resplendit de tous les feux de sa somptuosité automnale. L'air est vif et silencieux et je suis totalement seul si on fait exception du faucon qui tournoie dans le ciel et de la truite qui ondoie dans l'eau. Je suis à l'endroit exact que Norman Maclean a décrit dans le livre dont Robert Redford a tiré le film *Et au milieu coule une rivière,* et je reste assis là à attendre un de ces moments parfaits où le temps suspend son vol et j'attends d'établir une communication mystique avec la nature.

Mais il ne se passe rien. Je suis planté sur ce site merveilleux depuis une demi-heure et je n'ai pas ressenti la moindre élévation spirituelle. L'éternel processus de la création se déroule tout autour de moi. L'air vif chuchote. Les branches des arbres sont agitées par le vent. Des canards passent en un vol silencieux. Si John Muir était ici, il serait probablement plongé dans le ravissement. Maclean aurait une conversation intense avec la rivière. Aldo Leopold se roulerait par terre d'extase devant la beauté d'une seule des brindilles qui jonchent le sol. Mais moi, rien. Je me prends à considérer que la saison est peut-être trop avancée pour connaître la transcendance.

Je n'y avais jamais prêté attention, mais on se croirait toujours en été quand ces types hyper-branchés spiritualité viennent expérimenter des vibrations plus intenses au Montana. C'est toujours en été que des films comme *L'homme qui murmurait à l'oreille des chevaux* sont tournés ou que les citadins surmenés viennent au Montana pour s'y restaurer l'âme. Là on est en octobre et la saison doit être spirituellement terminée.

« Il y a un moment où toutes les choses se fondent entre elles et ne forment plus qu'un, et au milieu coule une rivière », écrit Maclean. Quand j'ai lu ça chez moi il y a quelques mois, j'avais trouvé que c'était très profond. Maintenant je me demande vraiment ce que ça pouvait bien vouloir dire. Les seules choses qui fondent pour ne plus former qu'un sont mes doigts qui ressemblent à un bloc de chair gelée. Les climats réfrigérants ont toujours l'air d'être un moteur essentiel pour l'inspiration dans les romans d'aventures, mais pour le moment, cette bise glaciale rend seulement mes extrémités douloureuses. Et au lieu d'être envahi par la profondeur du silence, j'ai tout bonnement la trouille. Les écrivains naturalistes sont friands de ces instants où la création se réduit à une équation aussi simple : moi, l'eau, la truite. Il n'y a probablement pas un être humain à moins de dix kilomètres à la ronde. Quand je pense à toutes les catastrophes qui pourraient arriver ici — se casser une jambe, tomber en panne de voiture, avoir une soudaine crise allergique — je me dis qu'il y a des avantages certains à se mettre en quête de paix intérieure pas trop loin d'une cabine téléphonique et d'une équipe de secours d'urgence. Chaque craquement de brindille me donne l'impression qu'un grizzli va surgir. Je jette un coup d'œil à ma montre et je me dis que je ferais bien de me dépêcher si je veux ne plus faire qu'un avec la création de Dieu. J'ai réservé une table à Missoula pour dix-huit heures.

La ruée vers l'âme

Il doit y avoir des imbéciles prédestinés à arriver systématiquement à la fin des phénomènes de ruée. Les prospecteurs qui sont arrivés en Californie après 1850 étaient en retard s'ils croyaient n'avoir qu'à se baisser pour ramasser des grosses pépites d'or. Ces derniers temps, on a assisté au Montana à une véritable ruée vers l'âme où la lutte pour trouver des pépites de transcendance se livrait de façon tout aussi frénétique. Le Montana s'était mis à représenter le lieu de toutes les convoitises pour les Américains. C'est devenu un de ces lieux « où la vie est honnête et vraie ». En 1948, Leslie Fielder écrivit un essai intitulé *Le Visage du Montana* publié dans *Partisan Review* qui critiquait les habitants du Montana pour leur attachement romantique à la simplicité d'antan. Mais le point de vue a changé par la suite et c'est précisément cette simplicité qui nous attire à présent. Le Montana est devenu l'antidote à nos vies de surmenage, une sorte d'exutoire à l'ambition répugnante qui gangrène nos vies citadines et à la médiocrité préfabriquée des voies de garage banlieusardes. C'est le lieu de la beauté par excellence et par simplicité, un lieu béni où le temps s'écoule au ralenti. Quand les producteurs du film *Au-delà des rêves* [1] ont cherché un lieu de tournage pour les scènes de paradis, ils ont choisi le Montana.

Immédiatement, les plus gros businessmen et les stars d'Hollywood se sont précipités au Montana par avions entiers. Pas seulement Ted Turner, Jane Fonda, Tom Brokaw, David Letterman, Steven Seagal et tout un paquet d'autres célébrités, mais aussi des cardiologues compatissants de Chicago, des requins de l'immobilier d'Atlanta et des hommes de loi homologués naturalistes de San José. Tous y ont trouvé de quoi recharger leurs batteries, ont respiré

1. Film tourné en 1998 par R. Ward dont l'interprète principal est Robin Williams.

l'odeur des pins et se sont sentis solides au milieu de la solitude — en été. Ce sont 2 millions de personnes par an qui accourent ne serait-ce qu'au Parc National du Glacier pour se sentir emplies de spiritualité devant sa grandeur. Des films comme *L'homme qui murmurait* sont de véritables fables pour la classe moyenne : la rédactrice en chef hyper-sophistiquée d'un magazine new-yorkais se rend au Montana, y rencontre un homme simple et honnête qui sait parler avec les chevaux et qui va l'aider à découvrir les vraies valeurs de la vie. Ce tourisme huppé a généré un Montana surpeuplé à temps partiel en parallèle du Montana réel. Ce Montana virtuel se nourrit d'une idée du Montana et de sa beauté dont les réels autochtones du bas de la classe moyenne n'ont pas la moindre idée.

La ruée vers l'âme a débuté quand quelques représentants d'un courant littéraire du Montana ont fait une découverte fatale. Ils ont découvert qu'ils vivaient dans un lieu chargé de sens. Tout le monde vit quelque part, bien sûr, mais tous les lieux ne sont pas « chargés de sens ». Seuls les endroits qui refusent le progrès peuvent se targuer de cela. Cette expression est utilisée pour décrire les localités éloignées des villes qui évoluent lentement, qui sont plus attachées aux valeurs du passé qu'aux courants modernes, où les chances de devenir riche et célèbre sont minces. Avant on appelait ça des trous paumés. Les lycéens ambitieux ne rêvaient que d'aller voir ailleurs. Mais pour l'élite socioculturelle, perpétuellement sollicitée par de nouvelles opportunités professionnelles, les endroits qui ne changent pas sont des havres de paix. Ils ont le sentiment que les gens qui vivent là attendent la mort avec équanimité.

« Le Montana offre un espace particulier », écrit Glenn Law, un auteur local, « le paysage devient une personne; l'espace s'y étend jusqu'à l'horizon pour revenir s'incruster sous votre peau. Il fait son chemin à l'intérieur de vous, s'enroule autour de votre âme, incube et croît ». (Quand certaines personnes essayent de capturer la notion d'espace sur le papier, cela finit par ressembler à la description d'une maladie parasitaire.) Ceux qui ont vraiment découvert ce lieu « chargé de sens » sont les écrivains régionalistes. Bien que d'une faible densité démographique, le Montana regorge de poètes bucoliques. Il n'y a pas que Norman Maclean, Wallace Steegner, Richard Ford, William Kittredge et Ivan Doig à avoir vécu et écrit sur le Montana. Il y a des milliers d'auteurs moins célèbres et d'écrivains à compte d'auteur qui poussent en rangs aussi serrés que les pins sur le sol de cet État. Il est devenu pratiquement impossible de feuilleter un magazine sans tomber sur un article dégoulinant de lyrisme à propos des arbres et des truites, pondu par un artisan du verbe établi à Bozeman ou à Missoula. « Retracer l'histoire d'une rivière ou d'une goutte d'eau comme se serait plu à le faire John Muir », écrit Gretel Erhlich dans *Montana Spaces,* une des nombreuses anthologies du Montana publiées récemment, « c'est aussi retracer l'histoire de l'âme, l'histoire de l'esprit qui descend pour s'épanouir dans le corps. Dans les deux cas, on se trouve confronté au divin, qui, telle la goutte d'eau qui alimente le lac ou la source qui devient cascade, constitue un cycle d'éternel renouvellement ».

Nous préférons ne pas établir ici de parallèle avec le phénomène de la vache folle.

Une fois qu'il fut clairement établi qu'il y avait un véritable creuset de littérature régionaliste au Montana, des équipes d'émissaires de fondation se mirent à affluer vers cet État en vue de stimuler encore plus de Voix Authentiques. Envoyés par les Fondations Rockefeller, Ford ou MacArthur, ils arrivaient par wagons entiers pour dénicher des poètes à l'état brut qui ne se seraient pas encore fait mettre le grappin dessus par des agents littéraires. *TriQuaterly* et d'autres publications pour intellectuels consacrèrent une édition spéciale aux écrivains de l'Ouest. Le Comité du Montana pour les Lettres et la Culture aida plusieurs dizaines de ces Voix Authentiques à se regrouper dans une volumineuse anthologie — de plus de mille pages — intitulée *The Last Best Place,* un témoignage de la taille d'une pierre tombale sur la spiritualité de ces philosophes des montagnes Rocheuses. C'est un gros pavé verbeux entièrement dédié aux habitants de l'Ouest pourtant stoïques et silencieux.

Maintenant, plus personne ne peut s'approcher du Montana sans en revenir avec sa moisson de métaphores. On y rencontre des pêcheurs philosophes qui entrent dans l'eau avec leurs bottes jusqu'aux genoux, leur canne flexible dans une main, leur journal dans l'autre. Des magazines littéraires s'intitulant *Les Lumières du Nord* par exemple, ont surgi comme l'ivraie au mois de mai, en même temps qu'une cohorte de groupes de parole concomitants, d'associations folkloriques, d'ateliers d'écriture ou de céramique. Des ventes au bénéfice de la cause régionale se sont mises à proliférer ainsi que des groupes aux aspirations culturelles élevées. On a l'impression qu'il n'y a pas un seul conducteur de poids lourd dans tout l'État qui ne soit pas en train de mener un combat intérieur avec sa propre autobiographie. La région est envahie par des potiers, des réalisateurs indépendants, des scénaristes de la télévision, et bien sûr les bandes organisées d'agents immobiliers qui arpentent les vallées pour caser tout ce beau monde dans des cabanes en rondins luxueuses ou des multipropriétés.

Les saloons sont remplis de bouddhistes des montagnes Rocheuses et de cow-boys philosophes qui sortent le soir de leurs dix hectares de terrain, arborant des boucles de ceintures flambant neuves pour boire les bières locales et écouter des chanteurs de country bardés de diplômes. Il n'est pas besoin de préciser que des milliards de nouvelles chansons ont vu le jour. Les romanciers du Montana aiment les titres comprenant des mots simples en relation avec les éléments comme ciel, lac, montagne, neige. Aussi, quand un écrivain descend de sa colline pour venir annoncer que son roman va s'intituler *Des torrents de neige sur la montagne de cèdres,* il y a de fortes chances pour qu'il se trouve quelqu'un qui l'ait déjà revendiqué et les conversations risquent de s'envenimer.

Je me rends parfois dans un ranch qui dispose de chambres d'hôtes situé à une centaine de kilomètres au sud de Bozeman. Dans les années 80, si on partait faire une balade à cheval, le régisseur du ranch vous faisait un petit topo d'une dizaine de minutes pour vous expliquer comment ne pas mourir bêtement. Maintenant, en pleine ruée vers l'âme, dans le même ranch, on vous fait asseoir pour assister à un cours de soixante-dix minutes sur la vie spirituelle des chevaux, les techniques pour murmurer à l'oreille des chevaux, les secrets évolutifs de la psychologie du cheval et les possibilités zen qui vous attendent en chemin. Chaque régisseur se doit de mettre au point un baratin à la Hermann Hesse, et si un pompiste de station-service a le malheur de le regarder d'un air absent, il a intérêt de prétendre qu'il était en fait plongé dans une profonde introspection.

Flexidoxie

Il n'y a pas longtemps, j'ai lu dans un journal du Montana l'histoire du rabbin Gershon Winkler qui préside la seule congrégation juive de Missoula. Étant donné le nombre peu élevé de juifs qui s'y retrouvent, le rabbin Winkler ne propose pas un service Orthodoxe, Conservateur, Réformiste ou Reconstructeur. Il appelle son approche hybride « Flexidoxie ».

C'est le terme qu'il convient d'employer pour désigner l'apogée spirituel que connaît le Montana, un mélange de liberté et de flexibilité d'un côté et un désir de rigueur et d'orthodoxie de l'autre. Après tout, la mentalité du Montana a toujours été celle de la liberté, de la flexibilité et de l'indépendance.

Encore récemment, il n'y avait pas de limitation de vitesse sur ses autoroutes, pour illustrer à quel point ses habitants sont soucieux de ne pas se laisser dicter leur conduite. Et il est tout naturel que les membres de l'élite socioculturelle, qui ont eux-mêmes des réflexes anti-autoritaires, viennent y chercher un refuge spirituel.

Mais le Montana n'est pas un paradis New Age pour feignants. Ce n'est pas Marin County avec des arbres en plus. Pour commencer, le climat rigoureux n'encourage pas un mode de vie décontracté et expérimental. Les écrivains du Montana sont sans doute larmoyants quand ils évoquent la richesse d'âme de la truite de rivière, mais au fond, c'est la rigueur et la discipline du pêcheur qu'ils admirent. Ce sont les traditions de ce sport classique, le côté éternellement répétitif, l'obéissance à des formes maîtresses qui provoquent leur admiration. Norman Maclean et Wallace Stegner ne sont pas des évaporés New Age des années 60 ou 70. Les habitants du Montana méprisent superbement les amateurs dilettantes qui viennent faire une communion facile et qui repartent dès que les nuages commencent à s'amonceler. Il n'y a en fait que la moitié des gens qui achètent une maison de campagne là-bas qui y restent plus de quelques années — le temps de constater que la grandeur de la nature se paye par une météorologie réfrigérante. Les natifs du Montana et ceux qui voudraient y être apparentés se définissent par opposition aux gens qui n'ont pas les bottes vraiment crottées, qui n'ont pas été plusieurs fois éjectés de selle par leur cheval, qui ne sont pas restés suffisamment longtemps pour finir par se sentir douloureusement seuls. C'est un État qui convient aux ranchers et aux conducteurs de poids lourds, pas à des groupes de méditation transcendantale. Même les profs d'ateliers d'écriture qui vont là-bas ont tendance à le faire parce qu'ils veulent vivre dans une ambiance tranquille avec des gens dotés de sens pratique.

Et il y a un autre élément dans l'éthique du Montana qui ne cadre pas du tout avec un sentimentalisme du style « tout va pour le mieux dans le meilleur des mondes ». Cela devient évident quand les autochtones se mettent à parler de leur relation à la terre. C'est à ce moment-là qu'on comprend que la spiritualité du Montana a des fondations solides. Quand ils se mettent à parler de ce lieu chargé de sens, on entend les échos d'un nationalisme du sang et du sol qui est plus commun à l'Europe qu'aux États-Unis. C'est un lien conservateur, limite réac, basé sur l'idée que le lien qui existe entre une personne et le paysage est plus fort qu'un choix rationnel. C'est un lien qui s'établit sur de nombreuses années et même des générations de souffrance, de sueur et de sang qui ont nourri la terre. Un lien conservateur, oui, puisque pour eux, tout changement ou quoi que ce soit qui pourrait modifier l'aspect ou le caractère de ce lieu sacré est suspect. Ils mettent un point d'honneur à mentionner depuis combien de temps ils sont là, depuis combien de temps leur famille est là.

Pour eux, ceux qui viennent envahir leur territoire en avion ont tout à perdre s'ils le considèrent comme un montage cinématographique. Ce n'est pas la Californie, ce n'est pas New York. C'est un lieu de lenteur, pétrifié par son climat rude, par son isolement et par ses traditions. Une grande part de la littérature du Montana est élégiaque dans le ton, fidèlement à la tradition de temps reculés.

Symboliquement, le Montana place la profondeur au-dessus de la largeur. Ce qui signifie répéter la même routine année après année sans chercher à passer d'un style de vie à l'autre. C'est s'installer avec quelques rituels plutôt que de tester sans arrêt toute une variété de façons de vivre. Vivre dans un endroit aussi reculé signifie forcément des renoncements. On choisit de ne jamais être riche, de ne pas mener plusieurs vies en une seule. « Il n'y a pas d'échelle sociale à gravir pour un rancher », écrit Scott Hibbard dans l'anthologie *Montana Spaces.* « Le rancher qui se retrouve propriétaire exploitant à l'âge de vingt-cinq ans fera le même boulot et gagnera la même chose quand il aura atteint soixante-quinze ans. » Mais au Montana, on semble prêt à accepter cet échange. On pense que les loisirs et les possibilités offerts par les autres États ne compenseraient pas la perte des liens profonds et durables qu'ils savent posséder dans leur État.

C'est pourquoi le terme de flexidoxie est approprié. Il évoque la nature hybride de l'éthique spirituelle du Montana. Cela commence avec la flexibilité et la liberté, avec le désir de rejeter l'autorité pour vivre de façon autonome. Mais cela va également de pair avec un deuxième réflexe, un réflexe d'orthodoxie, c'est-à-dire un désir d'inscrire la vie spirituelle à l'intérieur d'une réalité tangible, avec des règles préétablies, et des relations basées sur des liens plus profonds que la rationalité ou le choix.

Ce désir d'établir un équilibre entre liberté et enracinement n'est-il pas l'essence même de la quête spirituelle des Bobos ? Cette classe qui arrive chronologiquement après la période de rébellion contre l'autorité de l'élite précédente. Dans les années 50, les livres et les films qui ont le plus influencé l'élite socioculturelle d'alors se mobilisaient contre l'autoritarisme, le conformisme et l'obéissance aveugle. Prônant la liberté et l'égalité, les membres de l'élite socioculturelle ont mis sur pied un code d'individualisme expressif. Ils ont réussi à chambouler les anciennes hiérarchies. Ils cultivaient une éthique qui promeut et même exige une innovation perpétuelle, l'épanouissement personnel et la croissance individuelle. Grâce aux réformes mises en place à cette époque, les gens disposent de choix plus nombreux. Les femmes peuvent choisir parmi des carrières plus nombreuses et décident de leur façon de mener leurs vies. Différents groupes ethniques ont un plus vaste éventail de choix quant aux écoles qu'ils peuvent fréquenter ou aux clubs auxquels ils souhaitent participer. La liberté et la possibilité de choix triomphent partout. Depuis le poulet bio élevé au grain que vous préférez acheter directement à la ferme jusqu'au style de partenaire que vous souhaitez avoir dans votre lit.

Mais si on observe l'élite socioculturelle d'aujourd'hui, on s'aperçoit que la liberté et le choix ne sont pas tout. Une spiritualité libre peut conduire à une spiritualité paresseuse, à de la religiosité qui se fait passer pour de la religion pour aboutir au narcissisme du New Age. La chute des vieux principes autoritaires n'a pas débouché sur une aube nouvelle et glorieuse mais sur une perte alarmante de la foi dans les institutions, sur une confusion spirituelle et sur une crise économique. Cela explique ce besoin Bobo de rétablir des liens. On le voit à Wayne, en Pennsylvanie, où les consommateurs aisés achètent des meubles rustiques évocateurs des rituels traditionnels et d'un style de vie simple. On le voit à Burlington, dans le Vermont, où les plus hauts diplômés ont choisi de s'établir dans des petites villes. On le constate dans les choix de vacances des intellectuels, à la préférence qu'ils manifestent pour des enclaves où la vie paysanne est tranquille et traditionnelle. Et on le voit dans le Montana où la classe cosmopolite essaye de trouver refuge.

Les Bobos pourtant si progressistes par bien des aspects, sont des réactionnaires sur le plan spirituel. Ils passent leur temps à se languir d'une façon de vivre plus simple, regrettant la sagesse que des gens avec des vies bien réglées semblaient avoir mais dont les Bobos en déplacement perpétuel, sans cesse à l'affût d'opportunités nouvelles, semblent être complètement dépourvus.

La question qui se pose pour l'élite socioculturelle est de savoir s'il est possible d'avoir le beurre et l'argent du beurre — la liberté et des racines. Car ils ne donnent pas l'impression d'être prêts à renoncer à la liberté et aux choix personnels. Et ils ne retournent pas à un monde de déférence et d'obéissance. Ils ne sont pas prêts à revenir sur les révolutions culturelles et politiques des décennies précédentes qui ont tellement encouragé la liberté individuelle. Ils vont donc essayer de trouver de nouvelles combinaisons. Le challenge qu'ils se proposent est le suivant : pouvez-vous toujours adorer Dieu si vous avez décidé de considérer que de nombreux enseignements de la Bible sont erronés ? Pouvez-vous vous sentir toujours à l'aise dans votre communauté quand vous savez que vous déménagerez si une meilleure opportunité de travail se présente ? Pouvez-vous établir un rituel et mettre de l'ordre dans votre vie si un instinct vous pousse à expérimenter constamment de nouvelles choses ? J'ai parlé des réconciliations que les Bobos sont en mesure de faire. Mais les réconciliations spirituelles sont les plus problématiques. Les Bobos essayent de construire la maison des obligations sur les fondations du choix.

La vie limitée

Dès lors que l'élite socioculturelle a redécouvert les vertus des liens locaux à petite échelle et le rôle vital que des relations profondes jouent dans la vie spirituelle des gens, on a vu fleurir toute une flopée de livres et d'articles sur la communauté et la société civile, sur les façons de recréer des structures d'échange qui permettent aux gens de s'entraider et de trouver leur place. Un des livres les plus réalistes est celui d'Alan Ehrenhalt paru en 1995, *The Lost City*. Ehrenhalt décrit avec émotion, mais sans nostalgie aucune, les relations de voisinage étroites qui se liaient à Chicago dans les années 50. Les classes moyennes et ouvrières offraient le parfait exemple des valeurs communautaires que beaucoup de gens recherchent aujourd'hui. Dans le quartier de Saint Nick, par exemple, dans le quart sud-ouest de Chicago, les enfants circulaient en toute liberté d'une maison à l'autre et il se trouvait toujours des tas d'adultes pour garder un œil sur eux. En été, les gens passaient leurs soirées dans la rue à discuter et à échanger des plaisanteries avec leurs voisins. On faisait ses courses dans des magasins gérés en famille comme la boucherie Bertucci. Nick Bertucci connaissait par leurs noms les clients qui venaient dans son magasin pour échanger des ragots en faisant la queue. La plupart des gens du quartier connaissaient la sécurité de l'emploi grâce à l'usine Nabisco qui se trouvait là. Deux ou trois générations s'y retrouvaient parfois pour y travailler ensemble. La plupart des gens étaient catholiques et assistaient le dimanche à la messe de la paroisse Saint Nick. Les amitiés qui se nouaient dans le quartier étaient fortes. Quand on leur demandait d'où ils venaient, les gens du quartier ne disaient pas qu'ils étaient de Chicago ou du quart sud-ouest. Ils s'identifiaient en indiquant le nom des angles de rues : « Je viens de la 59e et de Pulaski. » Par bien des aspects, c'était un quartier chaleureux, et les gens qui vivaient là-bas l'évoquent avec tendresse.

Mais, comme Ehrenhalt ne tarde pas à le souligner, il y avait des privations à l'origine de ce regroupement chaleureux. Certaines étaient matérielles. Si les gens passaient leurs soirées d'été dans la rue, c'est parce qu'ils n'avaient pas l'air conditionné. La télévision n'en était qu'à ses premiers balbutiements et il n'y avait donc pas grand-chose à gagner à rester chez soi. De plus, les pavillons qu'occupaient les familles étaient minuscules et ils réservaient une grande partie de leurs maisons pour en faire un salon élégant dont ils s'interdisaient l'accès la plupart du temps. Ils ne disposaient pas d'une grande intimité.

Le premier chapitre du livre d'Ehrenhalt est intitulé « La vie limitée », et il est clair que les gens qui vivaient dans le quartier Saint Nick connaissaient bien des restrictions. La population était homogène du point de vue ethnique ce qui encourageait à un certain repli sur soi, à un esprit de clocher qui n'allait pas sans quelques problèmes. Il y avait peu de chances d'intégrer un jour le courant de l'économie en plein développement de l'Amérique ou de faire partie du monde élégant de State Street et de Michigan Avenue. Si vous n'aviez pas les façons qui convenaient, l'accent qu'il fallait ou les relations sociales nécessaires, comme c'était le cas pour la majeure partie des habitants du sud-ouest de Chicago, les échelons les plus hauts du monde des corporations vous restaient inaccessibles. En fait, le tourbillon cosmopolite du centre de Chicago était un pays lointain pour les gens de Saint Nick. Il fallait prendre trois autobus pour y aller. Les familles s'y rendaient une fois par an, pour regarder les vitrines de Noël.

Il y avait d'autres limitations. Les femmes avaient des choix de carrière limités, ce qui était une bonne chose pour les écoles du quartier, mais sûrement pas pour les femmes douées qui aspiraient à autre chose que l'enseignement. Ehrenhalt inclut dans son livre une photo prise dans une salle de classe à cette époque-là. Elle représente des rangées parfaitement ordonnées d'enfants propres assis à leurs pupitres à intervalles réguliers, vêtus du même uniforme, une expression identique peinte sur leurs visages. C'est l'image même de l'éducation quasi militaire qui allait se voir attaquée de façon si compréhensible au cours des décennies suivantes.

De plus, si les hommes avaient la sécurité de l'emploi, leurs salaires étaient minces. Leurs syndicats étaient corrompus et passaient des arrangements avec la direction. Les ouvriers le savaient mais ils n'avaient pas beaucoup d'autres choix d'embauche. Les politiciens n'offraient pas un très large choix non plus. Le gouvernement local était aux mains de la machine d'État; les responsables locaux lui avaient juré fidélité. Ehrenhalt décrit un politicien de Chicago nommé John G. Fary qui passa sa vie à obéir aux ordres que lui donnait Richard J.

Daley. En récompense de ses bons et loyaux services, Daley le fit nommer au Congrès. Fary déclara à la presse : « Pendant vingt et un ans j'ai représenté le maire au niveau législatif et il a toujours eu raison. » Cette espèce de déférence face à l'autorité est représentative de la mentalité qui régnait dans les communautés locales des années 50. Elle a pratiquement disparu de nos jours. C'est une vision d'un monde où l'obéissance est considérée comme une vertu et où l'autorité, l'ordre et des relations sociales durables sont plus valorisées que la liberté, la créativité et le changement perpétuel.

Ehrenhalt consacre un chapitre à la vie religieuse de la paroisse Saint Nick. L'église comportait 1 100 places assises qui étaient toutes occupées à la messe du dimanche. C'était avant Vatican II, aussi la messe était-elle dite en latin. Les prêtres tournaient le dos à la congrégation, face à l'autel. Monseigneur Michael J. Fennessy rappelait à ses ouailles que le diable est toujours à l'œuvre, que le péché et la tentation sont partout ; « le clergé avait un discours beaucoup plus ouvert sur le rôle de Satan dans les années 50 qu'aujourd'hui », note Ehrenhalt.

La vie spirituelle était tout aussi ordonnée et hiérarchisée que la vie politique ou économique. Il n'y avait qu'une seule voie pour accéder à la vérité, alors que celles conduisant au péché étaient nombreuses, aussi valait-il mieux rester sur la voie étroite et régulière de la vérité. Le Christ vous conduisait sur le droit chemin ; Satan tentait de vous en éloigner. Les péchés étaient recensés et classés, des grâces étaient accordées. La paroisse avait sa place dans le diocèse et le diocèse avait sa place au sein d'une plus grande structure de l'Église. Les questions spirituelles cruciales n'étaient pas celles que les Bobos se posent aujourd'hui — « Qu'est-ce que je cherche ? » — mais beaucoup plus tournées vers l'autorité — « Qui Dieu ordonne-t-il d'aimer ? ». La prière au Seigneur, rappelons-le, s'énonce à la première personne du pluriel — elle est récitée en chœur par la communauté — et les premières lignes nous rappellent l'autorité divine et Son objectif : « Notre Père qui êtes aux cieux, que Votre nom soit sanctifié. Que Votre règne arrive. Que Votre volonté soit faite. Sur la Terre comme au Ciel. » En bref, l'univers spirituel était aussi ordonné et hiérarchisé que l'univers physique.

Et comme le souligne Ehrenhalt, ce type de catholicisme était florissant à Chicago dans les années 50. Il y avait 2 millions de catholiques pratiquants, 400 paroisses, 2 000 prêtres, 9 000 nonnes et près de 300 000 élèves de catéchisme. Entre 1948 et 1958, le diocèse a ouvert une moyenne de six nouvelles paroisses chaque année. Et ce n'était pas qu'au sein de la classe ouvrière que l'attachement à cette vie religieuse organisée était fort. Un des traits dominants de la vie à cette époque était qu'un niveau d'études élevé correspondait à une pratique religieuse rigoureuse. Les bacheliers et les universitaires étaient plus assidus à l'église et à la synagogue que leurs équivalents moins cultivés.

La vie libérée

Mais bien sûr, au cours des années 50, la modernité s'est mise à osciller entre l'éthique déférente et obéissante d'une part et la cosmologie hiérarchique d'autre part. Des écrivains et des critiques sociaux qui observaient ce monde commencèrent à trouver que l'Amérique était trop rangée, trop passive, adhérant trop à une identité de groupe. L'idée globale de la critique sociale des années 50 — qu'il s'agisse de *L'Homme de l'organisation* ou de *La Foule solitaire* — était que le pays commençait à étouffer. Des écrivains de tout poil se mettaient à critiquer le conformisme, la passivité et la déférence. William Whyte se plaignait de l'éthique sociale dominante qui louait « le sentiment d'appartenance à un groupe » et la « croyance dans le groupe comme source de créativité ». Le livre de David Riesman fut massivement interprété comme une critique du conformiste anxieux, horrifié à la simple idée qu'il pourrait offenser et cesser d'appartenir à sa communauté et qui réprime « tout vice et toute qualité pouvant s'apparenter à l'idiosyncrasie » afin de mieux s'identifier au groupe. Le théologien protestant Paul Tillich voyait une Amérique où les gens avaient « un désir de sécurité tellement intense qu'ils étaient prêts à faire partie d'un groupe à n'importe quel prix, au point de dissimuler leurs traits distinctifs et d'endurer un bonheur, certes limité, mais dénué de risque ».

Ces écrivains se basaient sur une distinction que le philosophe John Dewey avait établie — entre morale « de consommation » et morale « réfléchie ». La morale de consommation est celle de la tribu, du groupe, du foyer, les règles imposées par les parents qui ne sont jamais discutées. Elle est basée sur des règles en vigueur depuis longtemps et la déférence à ces maximes éternelles. La morale réfléchie est basée sur des délibérations conscientes. Elle se met en place quand un individu commence à réfléchir aux conséquences de son comportement. Elle est plus délibérative qu'expérimentale, puisque chacun remet en question ses vieilles règles et en tire ses propres conclusions. Dans les années 50, la plupart des écrivains espéraient que les Américains allaient mûrir et passer de la morale de consommation à la morale réfléchie. Ce glissement du foyer et de la religion vers l'autonomie et la psychologie, estimait-on alors, constituait le chemin du progrès.

La plupart des critiques sociaux en appelaient donc à une forme plus individuelle de vie spirituelle. « Nous espérons qu'il se trouvera des non-conformistes parmi vous, pour votre bien, pour le bien de la nation, et pour le bien de l'humanité », prêchait Tillich lors d'une conférence universitaire en 1957. En effet, les écrivains — qu'ils soient sociologistes, freudiens, théologiens ou poètes de la Beat Generation — incitaient les jeunes à se détacher des règles de leurs communautés, de leurs groupes ou de leurs religions. L'accomplissement spirituel se trouve quand on suit son propre chemin.

Au sein de la classe intellectuelle, les mœurs avaient changé. Les écrivains et les intellectuels cherchaient à instiller une éthique plus individualiste à leurs enfants, qui encourageait l'exploration personnelle plutôt que l'obéissance. Il y avait sans doute des enfants à qui on apprenait à respecter l'autorité dans le quart sud-ouest de Chicago, mais dans le quartier de l'université de cette même ville, la culture n'était plus du tout la même. Comme l'écrivit Isaac Rosenfeld en 1957 dans un essai intitulé *La Vie à Chicago* publié dans *Commentary,* « Une méthode infaillible pour savoir si vous mettez les pieds dans un foyer académique ou non-académique, consiste à étudier le comportement des enfants. Déterminez jusqu'à quel point vous êtes tenu de hausser le ton pour parvenir à vous faire entendre par-dessus le bruit qu'ils font. Si la conversation se poursuit dans ces conditions, c'est que vous êtes entré dans un foyer non-académique ».

La tendance dominante de la pensée sociale de ces années-là allait dans le sens de l'expression individuelle, à l'opposé de la loyauté et de la déférence vis-à-vis du groupe qui étaient les idéaux des communautés comme celle de Saint Nick. Les écrivains intellectuels disaient que chacun se devait d'essayer de trouver sa voie vers l'accomplissement spirituel.

Pluralisme

Il ne fallut pas longtemps pour assister au triomphe de leur point de vue. Il apparut de bon ton de se faire traiter d'anticonventionnel, de non-conformiste ou de rebelle plutôt que l'inverse (conventionnel, conformiste, bon petit soldat). Le pluralisme individuel est le fondement de la vie spirituelle Bobo.

Le pluraliste spirituel croit que l'univers ne peut

pas se réduire au schéma simple : ordre naturel d'une part, ordre divin de l'autre. Par conséquent, il ne peut pas y avoir qu'un seul chemin vers le salut. Il y a toute une gamme de plaisirs, plusieurs morales, et différents chemins conduisant à la vertu. De plus, personne n'arrive jamais à une réponse complète concernant les questions métaphysiques ni à trouver la foi. C'est un cheminement. Nous sommes à tout jamais imparfaits, en train de faire des choix, d'explorer, de créer. Nous sommes versatiles.

La position spirituelle appropriée est donc d'être très ouvert d'esprit en ce qui concerne les nouveaux choix de cheminement spirituel, de faire preuve d'empathie vis-à-vis des nouvelles opinions, des tempéraments et des points de vue. Jane Jacobs ouvre *Déclin et survie des grandes villes américaines* par une citation d'Oliver Wendell Holmes qui rend hommage à la diversité spirituelle. « La principale utilité de la civilisation, c'est de compliquer la vie », écrit Holmes. « Plus les efforts intellectuels sont intenses et complexes, plus la vie est riche et pleine. Cela signifie plus de vie. La vie est un but en soi, et la seule question à se poser pour savoir si elle vaut la peine d'être vécue est de se demander si on en a assez de vivre. » Nous voici en présence d'un cadre de valeurs : diversité, complexité, exploration, introspection.

Ces valeurs sont maintenant celles de millions de personnes. Le philosophe Richard Rorty nous en fait la démonstration dans son livre *Achieving Our Country.* « Le but de toute société, écrit-il, est de créer une plus grande diversité d'individus — des individus plus grands, plus comblés, plus imaginatifs et audacieux. Nos efforts, poursuit Rorty, devraient s'orienter vers la création d'un pays où le futur s'étendra à l'infini... Des expériences avec de nouvelles formes d'individus et de vies sociales auront une interaction et se renforceront les unes les autres. La vie individuelle deviendra incroyablement diverse et la vie sociale d'une liberté impensable à l'heure actuelle. »

Voilà un credo bien optimiste. L'accomplissement peut se rechercher à travers une autoexpansion perpétuelle. Plus encore, la liberté peut conduire à diriger. Si on accorde à chacun un maximum de liberté pour qu'il vive la meilleure vie possible, l'interaction de leurs efforts va fusionner pour former une harmonie dynamique et compliquée. (Souvenez-vous de la rue de Jane Jacobs.) Tout ce qu'il faut, c'est que des hommes de bonne foi cherchent leur propre voie de façon ouverte et tolérante, sans essayer d'imposer leur chemin aux autres.

La liberté spirituelle

Dotée de cette opportunité d'explorer sa liberté spirituelle nouvellement acquise, l'élite socioculturelle ne se l'est pas fait dire deux fois. Certains ont tourné le dos aux cérémonies et aux rituels de la religion institutionnalisée et se sont mis en quête de leur propre spiritualité. Jerry Rubin, dont la vie est devenue une véritable caricature des changements spirituels de son époque, se souvient dans ses mémoires, *Growing (Up) at Thirty-Seven :* « En cinq ans, de 1971 à 1975, j'ai personnellement expérimenté l'EST [1], la thérapie gestalt, la bioénergie, le rolfing [2], les massages, le jogging, la nourriture saine, le tai-chi, l'Esalen [3], l'hypnose, la modern dance, la méditation, le contrôle de l'esprit, la Méthode Silva [4], l'acupuncture, la thérapie sexuelle, la thérapie

1. Sigle : Erhard Seminars Training.

2. Rolfing : Technique qui consiste à étirer les tissus qui enveloppent les muscles par des mouvements appropriés de façon à rééquilibrer le corps par rapport à son axe vertical. Un traitement de rolfing complet est composé de dix séances.

3. Esalen : Centre de développement du potentiel humain qui se définit comme « la convergence de la montagne et de la mer, du corps et de l'esprit, de l'Est et de l'Ouest, de la méditation et de l'action ».

4. Méthode Silva : Programme de développement de l'esprit mis au point par José Silva qui a étudié l'esprit humain pendant 22 ans avant de lancer son programme d'enseignement en 1966. À

reichienne et le More House[1] — bref, j'ai goûté à toutes les méthodes d'approche de la Nouvelle Conscience. »

Les gourous New Age ordonnaient à leurs disciples de s'aimer eux-mêmes et déversaient des flots d'égocentrisme spirituel que toutes sortes d'écrivains appelaient « l'approbation du plaisir personnel », « la volupté vertueuse », ou « l'hédonisme égoïste ». Les gens ne se sont pas tous livrés à ces pratiques, bien sûr. L'Amérique est un pays complexe. Mais à un moment donné, vers la fin des années 70 et au début des années 80, les gens parlaient sans arrêt et avec grand sérieux de leur « ego », c'était l'époque de l'éveil thérapeutique triomphant. C'était l'apogée de l'individualisme spirituel, le point culminant — du moins pour l'élite socioculturelle — du mouvement du Potentiel Humain, d'une mentalité qui défendait le droit pour chacun d'être lui-même, bref de toute la panoplie New Age qui peut se résumer à une spiritualité dénuée d'obligation.

En publiant *Habits of the Heart* en 1985, Robert Bellah et son équipe de chercheurs faisaient le portrait d'une nation ou à tout le moins de son élite socioculturelle plongée dans l'introspection et plus du tout disposée à obéir à une quelconque autorité spirituelle. Bellah et son équipe avaient par exemple rencontré une jeune infirmière nommée Sheila Larson qui décrivait sa foi comme le « Sheilaïsme ». Elle s'était inventé sa religion à elle, avec un Dieu disposé à répondre à tous ses besoins. « J'essaie simplement

ceux qui choisissent de pratiquer la Méthode Silva, on promet qu'ils seront en mesure « d'arrêter de fumer, de trouver le sommeil sans recourir aux médicaments, de se réveiller sans réveille-matin, de ne plus s'énerver, d'arrêter les abus d'alcool, d'avoir une excellente mémoire et d'améliorer leur potentiel de créativité à tel point qu'ils seront en mesure de trouver les solutions à leurs problèmes dans leurs rêves »...

1. More House : Du nom de Thomas More (1478-1535), le Saint Thomas More House s'inspire des principes de l'auteur de *L'Utopie* pour mettre en place un monde meilleur.

de m'aimer moi-même et de me faire du bien », disait-elle. « De m'aimer et d'aimer les autres, quoi. »

Habits of the Heart est un livre important parce qu'il était un signe annonciateur du mouvement de recul que l'élite socioculturelle allait amorcer face à un individualisme spirituel extrémiste. Ses auteurs disent :

« Nous pensons qu'une large part de la réflexion sur l'ego des intellectuels américains, réflexion qui est devenue prépondérante dans nos universités et dans une large portion de la classe moyenne, est basée sur une science sociale inadaptée, une philosophie appauvrie et un vide théologique. Il y a des vérités qui ne sont plus accessibles si on adopte le langage individualiste radical. Nous ne sommes pas indépendants vis-à-vis des autres et des institutions, nous en faisons partie. Nous n'atteignons jamais notre ego tout seuls. Nous découvrons qui nous sommes en nous confrontant aux autres dans des relations de travail, d'amour et d'apprentissage. Tout ce que nous entreprenons s'effectue à l'intérieur d'un cadre de relations, d'un groupe, d'une association ou d'une communauté régis par des structures institutionnelles et interprétés par elles. »

Bellah et ses collègues tentaient de souligner les problèmes qui se font jour quand la liberté spirituelle individuelle arrive à un point extrême. Et ces critiques, pourtant basiques, sont devenues la sagesse conventionnelle des cercles Bobos. Pour commencer, il n'existe pas forcément de « vrai moi » qui puisse se séparer d'une façon ou d'une autre de tous les liens extérieurs dont nos vies sont constituées. Peut-être que les gens qui s'enfoncent de plus en plus profondément dans cette quête du « moi » n'effectuent qu'un voyage dans le vide. Ensuite, un individualiste aura du mal à construire un modèle de rituels et d'obligations qui donnent une structure à la vie et donnent un sens aux événements transitoires d'une vie : la naissance, le mariage, la mort. Enfin, le manque de rituels ancestraux rend difficile la transmission d'un système de croyance à ses enfants. Les religions organisées ont un cadre fixe de cérémonies pour guider et cultiver la vie spirituelle des enfants. Ce n'est pas le cas des religions individuelles. Et c'est pourquoi beaucoup de ceux qui s'étaient montrés les plus enthousiastes pendant la phase d'introspection New Age, en sont finalement revenus, parfois à contrecœur, aux fois institutionnalisées qu'ils avaient rejetées — pour le bien de leurs enfants.

Mais le principal problème lié à la liberté spirituelle, c'est qu'elle ne connaît pas de terme. Comme le souligne Rorty, elle débouche sur un vide infini. La liberté implique de faire des choix ouverts, ce qui fait qu'on n'atteint jamais une vérité unique, on n'arrive jamais à rien, on ne connaît pas de repos. L'accumulation d'un maximum d'expériences spirituelles peut en venir à ressembler à l'avarice des gens qui ne cessent d'accumuler de l'argent. Plus on en a, plus on a envie d'en avoir. Une vie de choix perpétuels est une vie d'attente permanente comme le prouve le désir inextinguible d'expérimenter la dernière nouveauté. Mais peut-être que les assoiffés de l'âme ne sont pas à la recherche de tout un tas de mouvements internes intéressants, mais plutôt bien d'une vérité universelle. Dostoïevski fait dire au Grand Inquisiteur : « Car le secret de la vie humaine ne réside pas dans le fait de vivre, mais dans le fait de posséder quelque chose qui vaille la peine d'être vécu. S'il était dépourvu du concept solide de sa raison de vivre, l'homme ne consentirait pas à continuer de vivre. »

L'Inquisiteur dirait aujourd'hui aux Bobos qu'ils se sont rendus esclaves de leur insatiable besoin de liberté et de diversité. Il pourrait les mettre en garde contre leurs diverses expériences qui pourraient bien se dissoudre dans le néant s'ils refusent de se soumettre à quelque chose de supérieur à eux. La fin est le résultat du pluralisme, leur dirait-il, c'est un perpétuel mouvement à la recherche d'idées de plus en plus éclairées dont aucune ne résout les questions essentielles. L'éthique pluraliste est excellente pour la recherche, mais elle rend difficile l'accès à un lieu de paix qu'offrent les credo moins souples, cette paix qui est promise dans le Livre de Samuel, par exemple : « De plus, je vais désigner un lieu pour mon peuple d'Israël, et je vais lui montrer qu'il doit demeurer dans un endroit qui lui appartient, et ne plus jamais le quitter. »

Le retour à l'ordre

Les Bobos n'ont abandonné ni leur amour des choix personnels, ni leur état d'esprit pluraliste. Mais un contre-courant s'est fait jour et il n'a jamais été aussi flagrant qu'aujourd'hui. Les écrivains et les critiques sociaux ne chantent plus les louanges du nonconformisme avec l'ardeur qu'ils y mettaient entre 1955 et 1965. Ils ne sont plus aussi optimistes à l'idée qu'un maximum de liberté individuelle va automatiquement produire un ordre dynamique ou tout simplement sain. Il y en a aujourd'hui qui disent que les Américains ont un esprit de groupe trop développé ou bien qu'ils sont trop rangés. Personne ne critique plus « l'homme de l'organisation » ou ceux qui adhèrent au courant normatif. Tout au contraire, on en appelle à plus de sens de la communauté, à une société plus civilisée, à plus de cohésion sociale. On a tendance à refréner la mentalité individualiste que les critiques d'il y a quarante ans voulaient débrider. Globalement, les intellectuels d'aujourd'hui essayent de rétablir les rituels et les structures institutionnelles qui s'étaient trouvés affaiblis par la ruée émancipatrice de l'élite socioculturelle.

Au cours de la dernière décennie, on a vu fleurir tout un tas de bouquins sur le sens de la communauté, sur l'importance des « institutions médiatrices » ou celle d'entretenir des relations avec ses voisins. Hillary Clinton a écrit un livre intitulé *Il faut tout un village pour élever un enfant,* qui vante les mérites des relations solides qui se nouent dans les petites villes. Colin Powell a déclenché une croisade en faveur du volontariat pour que les gens s'impliquent plus dans la communauté à laquelle ils appartiennent. Robert Putnam, sociologue à Harvard, a fait un tabac avec un essai intitulé *Jouer seul au bowling* dans lequel il démontre que le déclin des équipes de bowling était un symbole de l'état de solitude dans lequel se trouvaient les Américains à force de rompre les liens avec leur entourage, de fréquenter moins assidûment les églises, les clubs et les autres organisations communautaires. Pensez-vous qu'un écrivain des années 60 aurait choisi le bowling comme symbole d'une implication saine à la vie de la communauté ? De nos jours, les équipes de bowling sont considérées comme ringardes et réactionnaires par l'élite socioculturelle. Et si elles avaient disparu dans les années 60, pas un intellectuel n'aurait versé une larme.

Les défenseurs d'une société et de communautés plus civilisées ont entrepris de contrecarrer ce qu'ils considèrent comme l'individualisme radical qui a gangrené l'Amérique. Michael Joyce et William Schambra de la Fondation Bradley qui ont encouragé les efforts en vue d'établir une société plus civilisée écrivent : « Les Américains sont très préoccupés de constater que les communautés organisées, cohérentes et dépendantes d'une autorité morale qu'ils étaient autrefois capables de construire autour d'eux grâce à des institutions locales solides sont en train de partir à vau-l'eau. » Les libéraux ont tendance à mettre l'accent sur le fait que les phénomènes boursiers sont venus saper les mécanismes organisés et cohérents des communautés. Les conservateurs prétendent que c'est la chute du traditionalisme moral qui en est la cause. Mais les deux parties visent à avancer dans la même direction, vers un retour à des liens solides dans les communautés et vers une autorité représentative à l'échelle locale, à l'inverse d'un système qui permet à des choix personnels de prendre le pas sur toutes les autres valeurs.

Renouveau, reconstruction, retour

Un des traits les plus caractéristiques de la spiritualité Bobo, c'est cette façon qu'il a de toujours regarder en arrière. Il y a des gens qui cherchent l'accomplissement spirituel dans une utopie futuriste qui n'a pas encore vu le jour, mais nous autres Bobos ne cherchons pas la transcendance dans le futur. Nous sommes tournés vers le passé, vers les traditions, les rites et les rituels du passé. Nous avons le sentiment que nous avons tellement de choses à accomplir, tellement de films à voir et de livres à lire, que dans les efforts que nous faisons pour nous améliorer, nous avons oublié quelque chose en route. Nous sommes tellement pris par le temps que nous ne savons plus apprécier les choses essentielles. Nous sommes devenus si opulents, nous avons rempli nos vies de tellement de choses superficielles, qu'il nous faut revenir en arrière pour rétablir le contact avec des façons plus simples et plus naturelles de communiquer avec le monde qui nous entoure. C'est peut-être le moment, se dit le Bobo, de redécouvrir des vieilles valeurs, celles d'un monde de patience, d'enracinement et de simplicité.

Ce désir s'illustre clairement dans la façon que nous avons de décorer les endroits où nous vivons. Les Bobos s'entourent des reliquats de la vie des petites communautés qui ronronnaient de stabilité et de satisfaction spirituelle. Nous avons vu à quoi cela pouvait ressembler dans le chapitre 2 : les tables qu'affectionnaient les Shakers, les bancs en bois rustique, les meubles en mauvais état, les instruments agricoles anciens, les baignoires à pieds, les outils préhistoriques, les objets manufacturés du début de la période industrielle, les paniers de pêche, etc. Bref, des objets plus réactionnaires les uns que les autres. Faites l'effort de retourner dans une de ces boutiques spécialement conçues pour les Bobos, du style Pottery Barn ou Crate & Barrel. Les magasins de ce genre essayent de rendre l'atmosphère d'un monde du temps passé où tout n'était qu'ordre et stabilité. Une chaîne de quincaillerie à l'ancienne appelée Restoration Hardware, s'est répandue à la vitesse d'une chaîne de fast-food dans les galeries marchandes de luxe et fournit à sa clientèle huppée des lampes tempête (du style de celles qu'on emmenait en colo quand on était petits) ou des ciseaux forgés à la main, des biscuits Moon Pies, des bons vieux taille-crayons de la marque Boston Ranger, des plateaux-repas compartimentés comme à la cantine de l'école et des gobelets en Pyrex comme ceux que les docteurs utilisaient pour ranger les abaisseurs de langue. Tous ces objets véhiculent des souvenirs du bon vieux temps que nous avons laissé derrière nous, des petites villes qui ont disparu avec l'arrivée des grandes surfaces, des bleds que nous avons quittés pour aller à la fac et dans les grandes villes pour trouver du boulot.

L'impasse spirituelle dans laquelle se trouve l'élite est merveilleusement illustrée par la vidéo que Restoration Hardware a concoctée en vue d'intéresser des investisseurs potentiels avant de lancer son augmentation de capital en 1998. La voix off qui commente cette vidéo fournit des explications sur la technologie qui sous-tend l'entreprise : « Dans notre inconscient collectif, au milieu des images de Donna Reed, Ike ou George Bailey, émerge clairement l'idée que les objets étaient fabriqués avec plus de soin et qu'ils revêtaient une plus grande signification. » Apparaissent sur l'écran des images des années 40 et 50. « Et puis que s'est-il passé ? Lentement mais sûrement, notre pays est devenu obsédé par la production et la consommation. » Cette fois, ce sont des images du phénoménal développement des banlieues et des grandes surfaces qui apparaissent. « C'était bon et enivrant. Nous avons réussi un tel profit en produisant en masse que les choix de denrées et de produits manufacturés étaient infinis. » On voit la scène du plastique du *Lauréat*. « Les magasins de revente au détail se sont mis à refléter cette mentalité — toujours de plus en plus grands pour n'être plus que des "hyper", partout. Et puis, un jour, est apparue une génération qui a amorcé un mouvement de recul par rapport à ce phénomène. C'est devenu la génération de ceux qui sont à la recherche de quelque chose. »

Nous y voilà. La génération qui s'était donné des « choix illimités » a fait machine arrière et s'est mise à penser qu'il lui manquait « quelque chose ». Nous donnons l'impression de vouloir retourner à un âge d'or de cohérence et de structure (ou du moins que nous supposons tel) par bien des aspects. Nous semblons penser que le prix à payer pour notre toute nouvelle liberté est la perte de contact avec les autres et la communauté qui nous entoure. Nous souhaitons recréer ces liens significatifs. Et pourtant, le plus souvent, nous ne souhaitons pas non plus revenir à cette époque de limitations, ce qui reviendrait à renoncer à nos choix.

Le grand pastiche

Au bout du compte, on assiste à l'heure actuelle à un grand pastiche spirituel. Un mélange d'autonomie et de communauté. On peut voir les plus jeunes Bobos s'investir dans des églises et des synagogues sans pour autant chercher à ce qu'une autorité extérieure — pope, prêtre ou rabbin — leur dise comment mener leur vie. Le militantisme laïc n'est plus en marche. Les gens se tournent à nouveau vers la religion, mais bien souvent ils ne se contentent plus d'une seule religion; ils piochent dans plusieurs à la fois. Robert Wuthnow, un sociologiste de Princeton parle du cas d'une conseillère pour handicapés de vingt-six ans, fille d'un prêtre méthodiste, qui se décrit elle-même comme une « Méthodiste Taoïste Quaker Russe Orthodoxe Bouddhiste Juive ».

Tout le monde ne se sert peut-être pas aussi largement au buffet du Spirituel. Mais même dans des cercles plus traditionalistes, quand on voit des gens effectuer un retour à la pratique religieuse, on a parfois le sentiment que c'est tout autant la pratique que la religion qu'ils recherchent. Le *New York Times Magazine* a récemment publié un numéro spécial sur la religion dans lequel on rencontrait ce titre d'article amusant : « Le come-back religieux (une croyance à suivre). » Francis Fukuyama a bien saisi l'éthique de la religiosité Bobo dans son livre paru en 1999, *The Great Disruption :*

« Au lieu d'une communauté qui émerge comme un dérivé d'une croyance rigide, les gens effectuent un retour vers une croyance religieuse du fait de leur désir de communauté. En d'autres termes, les gens se dirigent vers une tradition religieuse pas nécessairement parce qu'ils acceptent la vérité d'une révélation, mais précisément à cause de l'absence de communauté et de l'aspect transitoire des liens sociaux du monde séculier qui les rend avides de tradition rituelle et culturelle. Ils aideront leur prochain, non pas parce qu'une quelconque doctrine leur dit de le faire, mais pour être utiles à leurs communautés et estiment qu'une organisation basée sur la foi est le moyen le plus efficace d'y parvenir. Ils diront des prières et renoueront avec les vieux rituels, non pas parce qu'ils pensent que Dieu les a créés à son image, mais parce qu'ils souhaitent inculquer des valeurs solides à leurs enfants et aussi pour pouvoir bénéficier du confort du rituel et du sentiment d'expérience partagée qu'il procure. D'une certaine façon, ils ne vont pas prendre la religion au pied de la lettre. La religion devient une source de rituel dans une société qui s'est trouvée dépouillée de cérémonie et le prolongement logique du désir naturel de liens sociaux qu'éprouvent tous les êtres humains depuis la naissance. »

Cela ne revient pas à dire que les Bobos d'une congrégation ne sont pas rigoureux. Ils adhèrent même souvent à des restrictions alimentaires avec une rigueur extraordinaire. Mais cette rigueur ne s'apparente pas à la soumission. Alors que les croyants des générations antérieures trouvaient, paradoxalement, que la liberté s'atteignait par une totale soumission à la volonté de Dieu, ce genre d'obéissance aveugle n'appartient pas au répertoire mental Bobo. Chez les juifs, par exemple, on assiste à l'essor d'un mouvement de jeunes orthodoxes modernes qui connaissent l'hébreu, étudient la Torah et respectent les lois kasher. Il y en a qui observent rigoureusement le rituel, mais il y en a aussi qui font un tri et sélectionnent seulement certaines lois et rejettent des vieilles règles qui ne s'accordent pas avec la sensibilité moderne — principalement celles qui limitent le rôle des femmes. De plus, ils rejettent certains enseignements de la Bible s'ils sont en inadéquation avec le pluralisme et tout enseignement qui implique que le judaïsme est la seule vraie foi ou que toute autre est inférieure ou fausse. C'est l'orthodoxie sans obéissance — en bref, la flexidoxie.

La religion organisée autrefois considérée comme désespérément archaïque ou comme un soutien pour faibles d'esprit a redoré son blason. Les Bobos ressentent une petite pointe de satisfaction morale quand ils parviennent à glisser au cours d'un dîner qu'ils participent à la vie de leur église ou de leur synagogue. Cela montre qu'ils ne sont pas des narcissiques uniquement préoccupés d'eux-mêmes, mais bien les membres à part entière d'une communauté morale. De son côté, le discours religieux a également évolué. Les disputes sectaires qui occupaient tellement les théologiens d'avant, sont considérées comme de la pure bêtise à l'heure actuelle. « Je ne suis certainement pas expert en matière de religion », écrit Vaclav Havel dans la revue *Civilisation,* « mais il me semble que les fois les plus importantes ont bien plus en commun qu'elles ne veulent l'admettre. Elles partagent le même point de départ — le fait que notre monde et nos existences ne sont pas le fruit du hasard, mais partie intégrante d'un acte mystérieux dont la source, le sens et l'objectif nous sont difficiles à percevoir entièrement. Elles partagent également un large complexe d'impératifs moraux impliqués par cet acte mystérieux. De mon point de vue, quelles que soient les différences existant entre ces religions, elles sont bien moins importantes que ces similitudes fondamentales. » En d'autres termes, l'instinct religieux est une chose flexible qui peut revêtir plusieurs formes suivant les cultures dans lesquelles il se développe. Ce qui est important et bon est précisément cet instinct religieux essentiel et non pas les critiques à une secte ou une confession en particulier. Il n'y a donc aucun mal à expérimenter plusieurs religions avant de s'engager dans l'une ou l'autre ou même à conserver une attitude floue entre plusieurs confessions. Et voilà le choix réconcilié avec l'engagement.

La réconciliation intégrale

La majorité des gens pensent que cette réconciliation peut fonctionner ou ont au moins envie d'essayer. Et c'est peut-être vrai. Le livre de Robert Nibset intitulé *The Quest for Community,* publié en 1953, constituait le signe avant-coureur de l'intérêt actuel que suscite une société civilisée. L'auteur pensait que la meilleure des vies possible ne pouvait se situer qu'au sein d'une communauté, mais que nul n'était tenu à se limiter à une seule communauté. Il conseillait même d'en expérimenter plusieurs. « La liberté peut se trouver dans les interstices de l'autorité, elle se nourrit de la compétition entre plusieurs autorités. De cette façon, il est possible d'expérimenter un sentiment d'appartenance, mais aussi de flexibilité et de liberté. » Et de citer l'écrivain français Pierre-Joseph Proudhon : « Multipliez les associations et vous serez libres. »

Mais il s'en trouve qui ne pensent pas que ce maximum de liberté puisse se concilier aussi facilement avec l'accomplissement spirituel. Ils soutiennent que la synthèse que les individualistes coopératifs ont mise sur pied est bidon. Qu'ils parlent de tradition, de racines, et de communauté mais ne rendent qu'un hommage peu sincère à toutes ces vertus. Si on les pousse dans leurs retranchements, ils font toujours prévaloir leurs choix personnels sur leurs autres engagements. Ils quittent leur communauté dès qu'une possibilité de promotion professionnelle se fait jour. Ils divorcent dès que les liens du mariage se font trop pesants. Ils laissent tomber les rituels et les règles qu'ils estiment trop fastidieux. Ils quittent la compagnie pour laquelle ils travaillent quand ils considèrent qu'ils n'ont plus rien à en tirer personnellement. Ils fuient leur église ou leur synagogue quand ils les trouvent trop ennuyeuses ou qu'ils n'en tirent plus d'avantages. Et cela conduit à l'effet inverse de celui qui était recherché, à savoir qu'à la fin de tout ce mouvement de liberté et d'exploration personnelle, ils se rendent compte qu'ils n'ont rien de profond ou de durable à quoi se raccrocher.

Quand il comparait nos vies à celles des communautés étroitement liées de Chicago, Ehrenhalt écrivait que nous sommes comme ce type assis devant sa télé qui n'arrête pas de zapper avec sa télécommande, « dernière arme du choix personnel, et qui passe une heure à sélectionner et à rejeter des dizaines de distractions visuelles dont la capacité à nous distraire plus de quelques minutes est infirmée par le doute qu'il risque d'y avoir quelque chose de mieux quelques canaux hertziens plus loin ». Ehrenhalt enchaîne :

« Trop de choses dans nos vies, grandes ou petites, ont fini par ressembler à ce zapping, marquées par une progression d'un choix à l'autre apparemment infinie et finalement paralysante, sans qu'il y ait le moindre guide, logistique ou moral, parce qu'il y a tout simplement trop de choix et personne pour nous aider à faire le tri. Nous ne disposons d'aucun moyen pour nous prémunir contre la tentation permanente d'essayer encore une fois quelque chose de nouveau, plutôt que de continuer à vivre avec ce qui est devant nos yeux sur l'écran. »

Ehrenhalt met là le doigt sur quelque chose d'important. Ce que nous mettons en péril avec nos modes de vies variables, c'est un sentiment d'appartenance. Si on se limite à une seule communauté ou à un seul conjoint, on va entretenir des liens plus profonds avec ceux-ci que n'entretiendra pas celui qui n'arrête pas d'expérimenter tout au long de sa vie. Celui qui ne se soumet qu'à une seule foi s'engagera plus profondément vis-à-vis d'elle que l'agnostique qui zigzague perpétuellement entre plusieurs états. Le moine qui vit dans un monastère ne vit pas une vie expérimentale, mais il est peut-être en mesure d'avoir une vie profonde.

Nous voilà donc dans le monde Bobo où tous les choix sont ouverts, une vie où les engagements style « marche ou crève » ne sont pas de mise, une vie qui ne donne pas toujours accès aux vérités les plus profondes, aux émotions les plus intenses ni aux plus hautes aspirations. Peut-être que le problème de cette tentative pour réconcilier la liberté et l'engagement, la vertu et l'opulence, l'autonomie et la communauté ne vient finalement pas de ce qu'il débouche sur un effondrement catastrophique ou quelque glissement pittoresque vers l'immoralité et la décadence mais plutôt sur trop de compromis et sur une impasse spirituelle. Beaucoup de ceux qui ont essayé une infinie variété de choix s'en sont tirés avec des demi-libertés et des demi-engagements. Ils finissent peut-être par avoir une vie modérée mais aussi sans relief. Leurs âmes sont teintées de gris, rien n'est héroïque à leurs yeux, rien ne provoque l'inspiration, rien ne donne de sens à leurs vies. Parfois, je regarde autour de moi, et j'ai l'impression que nous ne sommes parvenus à ces réconciliations qu'en nous rendant plus superficiels, en ignorant purement et simplement les pensées les plus profondes et les idéaux les plus hauts qui nous mettraient forcément à la torture si nous étions dans l'obligation de nous arrêter cinq minutes et devions nous mesurer à leur aune. J'ai parfois l'impression que nous sommes trop indulgents avec nous-mêmes.

L'ironie de la vie spirituelle des Bobos réside dans le fait qu'elle a démarré avec tant d'éclat — le moment de la libération où on a envoyé valdinguer les vieilles contraintes, les premières expériences délicieuses de la liberté sans entrave — pour finir de façon aussi morose. Les bohèmes trouvaient répugnante la vie fadasse des bourgeois, leurs satisfactions frivoles et leur amour du confort. Aussi en appelaient-ils à la classe moyenne pour qu'elle sorte des chemins tout tracés qu'on avait mis sous ses pas depuis des temps immémoriaux. La vie devait se vivre comme une aventure! Cependant, si nous sommes libres de choisir le sens que nous donnons à nos vies, que devons-nous faire de ceux qui choisissent d'autres directions? La vie comporte une incommensurable diversité de valeurs, chaque religion a son joyau de vertu et chaque choix correspond à un besoin humain. Aussi le bohème qui fonce tête baissée vers une nouvelle conscience remplie de rêves héroïques est obligé de s'arrêter net et d'apprendre à être tolérant avec ceux qui l'entourent. Les bohèmes apprennent à modérer leur zèle quant à leur vision personnelle pour ne pas déranger leurs voisins, et eux-mêmes. Le feu de joie de la rage émancipatrice a tôt fait de se transformer en une veilleuse de tolérance et de modération.

L'élite socioculturelle se montre suspicieuse et craintive face à la véhémence de ceux qui font rageusement part de leur point de vue, sans volonté de compromis. Ils se méfient de ceux qui gomment les certitudes et qui sont intolérants vis-à-vis de ceux qui ne partagent pas leur opinion. Les Bobos préfèrent se tenir à distance du soufre et du feu. Ils ont un mouvement de recul face à ceux qui essayent d'imposer leurs vues ou leurs styles de vies aux autres. Ils préfèrent la tolérance et la politesse. Les Bobos sont modestes au sens épistémologique, ils pensent que personne n'est détenteur de la vérité absolue et qu'il est préférable de communiquer en dépit des désaccords pour trouver un terrain d'entente, d'être modéré dans sa foi car elle n'apportera probablement pas toutes les réponses et de ne pas essayer de l'imposer aux autres.

Cette mentalité a quelque chose d'extrêmement humain. Les Bobos sont des gens dont le commerce est très agréable. Mais cela implique forcément des contreparties. Nietzsche écrivait : « Personne ne considère de prime abord qu'une doctrine est vraie pour la simple raison qu'elle rend les gens heureux ou vertueux. » Il est vrai que les saints et les prophètes ne croyaient pas à ce qu'ils croyaient parce que cela les rendait heureux. Beaucoup d'entre eux sont justement devenus des martyrs parce qu'ils s'accrochaient à leur vérité sans penser aux conséquences terrestres. Mais les Bobos ont un peu plus de sens pratique. Peut-être que ce genre d'abnégation et d'héroïsme sont au-dessus du seuil de la spiritualité Bobo.

Le sociologue Alan Wolfe intitule la morale bourgeoise « la morale à petite échelle ». Pour écrire son livre *One Nation, After All,* publié en 1998, il a interrogé 200 personnes issues de la classe moyenne et de la bourgeoisie dans des banlieues résidentielles de toute l'Amérique, un échantillonnage qui correspond à peu près à celui de l'élite socioculturelle. Dans le groupe des personnes interrogées par Wolfe, on trouvait aussi bien des croyants traditionnels que des croyants en une divinité très personnelle, parmi lesquels une femme qui disait avoir trouvé son propre Dieu intérieur dans les mêmes termes que ceux utilisés par Sheila citée par Robert Bellah dans *Habits of the Heart* treize ans plus tôt. La principale découverte de Wolfe était que la bourgeoisie américaine accorde de l'importance à la religion, mais ne souhaite pas la faire passer avant le pluralisme. « Les Américains prennent la religion au sérieux », écrit-il, « mais peu d'entre eux la prennent au sérieux au point de croire que leur religion devrait être la seule ou même le guide le plus important pour établir des lois suivant lesquelles *les autres* devraient vivre ». Les italiques sont de Wolfe. 160 des personnes interrogées ont dit qu'elles étaient d'accord ou tout à fait d'accord avec la phrase « Il y a quelque chose d'incroyable dans le fait d'être trop religieux », ce qui peut apparaître comme une critique de ceux qui utilisent le credo de leur religion pour juger ou évangéliser les autres.

Cette tolérance et ce respect pour la diversité, en conclut Wolfe, conduisent à un style de foi sans litige. Les gens à qui il a parlé rejetaient toute forme de jugement péremptoire des autres. Ces Américains préfèrent une morale « modeste dans ses ambitions et calme dans ses affirmations, qui ne cherche pas à transformer le monde entier mais à faire une différence là où c'est possible ». Ce qui signifie, écrit-il, que la bourgeoisie pense à la morale en termes personnels. Ils pensent établir des relations morales avec ceux qui leur sont proches mais ne se soucient pas de règles de morale formelles pour tout le genre humain. Ils essayent d'offrir un point de vue moral. Ils ont « soit abandonné l'idée de trouver une morale éternelle, soit ne désirent pas en répandre les principes sur toute la surface du globe s'il leur arrivait jamais de la trouver ». Ils esquissent un guide moral à partir de sources multiples, depuis la Bible jusqu'au cinéma et improvisent un cadre flexible de points de repère. Ils sont capables d'établir des distinctions morales mais sont prompts à s'accorder le pardon à eux-mêmes au gré des événements. Confrontés à des affirmations morales qui ne peuvent que s'opposer, ils tentent aussi de les gommer : « Le choix — appelez ça la confusion si vous voulez — peut se décrire comme le point faible de la classe moyenne américaine ; puisque au fond tout se vaut, ils sont incapables de se décider. »

Il s'agit donc d'une morale qui n'essaye pas d'aller se percher au-dessus de la révélation divine. Elle n'essaye pas non plus de se hisser jusqu'aux sommets de la transcendance romantique. Non, elle se contente des oasis tranquilles qu'elle trouve au ras du sol. Elle suit le chemin le plus facile entre deux collines.

Essayons d'évaluer les pour et les contre de la spiritualité Bobo. C'est plus un tempérament qu'un credo. Les moralistes Bobos ne sont pas des héros, mais ils ont le sens des responsabilités. Ils préfèrent ce qui est familier à ce qui est inconnu, le concret à l'abstrait, le modeste à l'ardent, le civisme et la modération plutôt que le conflit et le tumulte. Ils apprécient le confort des rituels religieux mais pas les codes de morale inflexibles. Ils aiment la participation spirituelle mais restent pleins de prudence vis-à-vis des croisades morales et des enthousiasmes religieux. Ils apprécient les sentiments spirituels, tant qu'ils demeurent flexibles, et les discussions théologiques, tant qu'elles sont pleines de louanges et non chargées de reproches.

Ils sont très doués pour ne pas réagir ; pour accepter ce qui ne les concerne pas directement. Ils tolèrent un style de vie expérimental, tant qu'il s'inscrit dans un cadre de sécurité et de modération. Ils sont choqués par des erreurs grossières comme la cruauté ou l'injustice raciale, mais ne s'émeuvent pas outre mesure quand il s'agit de mensonges ou de transgressions qui ne font apparemment de mal à personne. Ils respectent les intentions louables et sont prêts à tolérer beaucoup de choses de la part des gens qui ont un cœur juste. Ils aspirent à la décence, pas à la sainteté, à une bonté prosaïque, pas à la grandeur héroïque, à la justice, pas à la profondeur. En bref, ils préfèrent un style moral qui ne remette pas tout en question, mais qui protège le statu quo là où tout va bien, et qui essaye gentiment de pardonner et d'arranger les choses qui ne sont pas si bien que ça. C'est une bonne morale pour construire une société correcte, mais peut-être insuffisante pour ceux qui s'intéressent aux choses de l'autre monde comme le salut éternel par exemple.

Le paradis Bobo

Une fois plantée cette morale modérée à petite échelle, il est difficile d'imaginer ce qui va advenir de nous autres Bobos quand le monde arrivera à son terme. Il est difficile d'imaginer un ardent Jugement Dernier, un moment terrible où le Dieu de l'élite socioculturelle séparera les élus — ceux qui mettaient de côté leurs journaux pour les faire recycler — des damnés, ceux qui ne le faisaient pas. La morale Bobo est douce et prompte au pardon. Se débattant comme elle le fait dans une zone morale tempérée, la morale Bobo ne semble pas compatible avec l'implacable horreur de l'enfer. D'un autre côté, la morale Bobo ne semble pas non plus compatible avec quelque chose d'aussi définitif et parfait que le paradis. Peut-être qu'en guise de Jugement Dernier nous assisterons simplement à une Dernière Discussion.

Ou alors, comme dans ce film avec Robin Williams, *Au-delà des rêves,* le Montana est-il l'endroit le plus proche du paradis. Peut-être que notre paradis n'est pas un espace immense, loin au-dessus de la Terre et de ses réalités. Après tout, nous sommes un groupe qui semble se charger spirituellement à partir de choses tangibles, à partir de lieux spirituels et d'objets évocateurs. Peut-être que si nous nous promenions avec un ordre moral cohérent clairement présent dans nos têtes nous sentirions-nous à l'aise dans un monde surnaturel. Mais sans cette croyance dans l'au-delà, nous avons tendance à expérimenter nos bonheurs spirituels en communiant avec l'environnement physique ici-bas. Nous autres Bobos sommes plus disposés à découvrir de grandes vérités dans des petits détails comme la merveille d'une feuille d'arbre ou la forme de l'oreille d'un enfant, plutôt que dans une vision divine. Avec notre tendance à rechercher la paix dans des endroits tranquilles, peut-être qu'une résidence secondaire nichée sur le versant d'une jolie montagne constitue vraiment ce qui se rapproche le plus d'une expérience paradisiaque. Notre paradis se situe peut-être dans un cadre de réalité.

Représentez-vous une sainte femme Bobo en train de faire une pause au sommet de sa colline du Montana au crépuscule, toute pensée concernant son boulot de juriste ou ses fonds mutuels ou ses tracas d'enseignante loin de son esprit. L'air est immobile et chargé d'odeurs, et même ses chiens, Caleb et George, se sont assis pour savourer le silence. Comme une brise légère se met à souffler, elle resserre le col de sa chemise FoxFibre autour de son cou. Les lumières des maisons, au loin dans la vallée se mettent à briller. Elles sont occupées par d'anciens habitants de grandes villes qui sont venus s'installer là pour démarrer leurs compagnies de spécialités alimentaires — le Pesto d'Uncle Dave est tout là-bas au nord, les Sauces de Sally de l'autre côté à l'ouest, et le Chutney à l'ancienne s'en trouve éloigné de quelques hectares un peu plus au sud. Son regard se porte au-delà du fouillis de fleurs sauvages qui n'était qu'un terrain jonché d'ordures quand elle a acheté ce « ranch » avec son compagnon, pour contempler amoureusement le pin dont le sauvetage a nécessité les soins d'un chirurgien horticole.

Quelqu'un a dit un jour que l'essence de l'histoire américaine, c'est la conversion de l'Éden en dollars. Mais avec un peu d'argent, quelques efforts et les entrepreneurs adéquats, l'élite socioculturelle se montre tout à fait capable de dépenser de l'argent pour construire l'Éden. Car sur des centaines d'hectares alentour, des couples satisfaits s'installent confortablement sur leurs canapés qui grincent et font craquer les couvertures de livres écrits par des écrivains partis s'installer en Provence, des romans qui ont sur eux l'effet qu'a la pornographie sur des gens surmenés. Notre sainte femme Bobo décide de descendre le chemin qui mène à sa résidence secondaire. Elle fait attention de ne pas tasser la terre autour des racines de l'arbre et une merveilleuse citation de Steinbeck lui revient en mémoire, le portrait d'un homme inoffensif qui « marchait en veillant à ne pas écraser les insectes ». Elle passe sous la tonnelle qu'elle a entrepris de faire pousser au cours de la saison précédente et contourne le bassin qu'elle a installé avec son compagnon pour pouvoir se baigner — il y a de bien plus jolies baignades un peu plus loin, mais ils ne voudraient pas perturber le rythme de vie des faucons. Tandis qu'elle se rapproche de la maison, elle entend la bande originale d'un film de Merchant-Ivory qui s'élève pour lui souhaiter la bienvenue; la mélodie se répercute contre les murs de la grange qu'ils ont aménagée pour en faire une maison d'amis.

La première chose qu'ils ont faite quand ils se sont installés ici a été de tripler la taille de toutes les fenêtres. Ils voulaient faire communiquer les éléments intérieurs et extérieurs de la maison pour avoir la sensation de vivre en pleine nature. C'est tellement agréable de se réveiller dans une chambre dotée d'une immense baie vitrée, et de se prélasser une heure durant dans la contemplation du soleil qui se lève (posséder les 75 hectares alentour évite l'inconvénient des voisins qui vous observent pendant que vous assistez au lever du soleil). Elle ralentit pour admirer les variétés rares de mousses le long de l'allée qui mène à la porte principale. Elle respire profondément le parfum des plantes qu'ils ont semées tout autour de la maison avant de poser délicatement le pied sur le porche couvert et de tapoter affectueusement la pile de bûches nettement empilée qu'ils ont placée à côté de la porte. Ils ne font pas brûler ce bois. Mais ils adorent l'aspect esthétique d'un tas de bûches, ils ont le sentiment que ce matériau et cette forme s'intègrent parfaitement dans un endroit comme celui-là. En poussant la porte d'érable qu'ils ont fait venir par avion de Nouvelle-Angleterre, elle entend son compagnon qui est en train de travailler dans son studio. Cette maison lui a permis d'entreprendre des activités pour lesquelles il ne trouvait jamais le temps auparavant. En plus de son nouveau hobby de commentateur de documentaires sur l'environnement, il s'est remis à jouer du violon, à lire des romans écrits par des femmes asiatiques et à s'impliquer directement dans la vie de la communauté — il est maintenant le trésorier de l'association pour la préservation de l'environnement.

Le salon est vaste mais sobrement décoré. Les larges lattes du plancher brillent et se combinent impeccablement avec le dessus de la cheminée en séquoia placé sur l'immense âtre de pierre. Le séquoia a été déraciné par la tempête quelques années auparavant et les pierres sont celles qu'ils ont ramassées au cours d'une randonnée d'escalade au Colorado. Les meubles sont rustiques mais confortables. Il y a trois de ces énormes chaises à bascule de la taille d'un minibus Volkswagen qui sont tellement mieux que les rocking-chairs de la génération de ses parents qui obligeaient à s'asseoir le dos droit. Dans ces immenses sièges qui ne payent pas de mine, mais qui sont d'un chic garanti, on peut s'affaler n'importe comment.

Notre Bobo jette un coup d'œil à sa collection de cuillers en bois. Leurs courbes douces l'émeuvent profondément, elle leur accorde plus de prix qu'à n'importe quel autre objet qu'elle a ramassé au cours de ses chines d'amateur éclairé. Au mur, elle a accroché des vieilles carapaces de tortues et des statuettes cambodgiennes. Sa préférée est celle qui représente

Bodhisattva, l'entité spirituelle qui atteint l'illumination mais qui retarde son entrée au nirvana pour aider les autres à y accéder.

Et alors qu'elle se sent gagnée par une délicieuse paix intérieure, elle remarque que l'Ange de la Mort, celui qui est envoyé pour s'occuper des Bobos, se tient sur le seuil de la cuisine. Il est superbe dans sa veste de tweed élimée, et il semble qu'il soit resté à l'attendre là depuis un moment puisqu'il s'est servi à boire dans une des chopes de céramique géantes qu'elle a dénichées à la foire de l'artisanat de Santa Fe au printemps dernier. L'Ange de la Mort a tout un tas de questions à lui poser sur les rénovations qu'ils ont entrepris l'année dernière. Elle lui explique qu'ils ont décidé de refaire la cuisine en utilisant une technique nordique appelée construction en ballot de paille qui évite de participer au défrichement des forêts. Ils ont donc garni les murs de terre compactée qui leur donne un aspect solide et une jolie nuance caramel tout en exhalant une senteur boisée. Les nouvelles portes ont été faites avec du bois de récupération d'une vieille maison d'Arizona et c'est exprès qu'elles grincent quand on les ouvre. Les circuits qui contrôlent le chauffage et l'air conditionné sont encastrés pour demeurer invisibles et les lumières s'éteignent automatiquement quand il n'y a personne dans la pièce. L'Ange de la Mort est émerveillé de l'art qu'ils ont déployé pour tripler la taille du ranch sans le départir de son cachet d'origine. Il l'informe qu'elle vient de mourir mais qu'il n'a pas prévu de l'emmener ailleurs. Elle mérite de rester là, parmi toute cette glorieuse matérialité. La seule condition à cela, c'est qu'elle s'engage à refaire le carrelage de l'entrée qui n'avait pas donné l'effet qu'elle escomptait de toute façon. Cet ultime lieu de repos n'offre pas la félicité du salut. Mais il constitue une éternité New Age sensible, et on peut capter les ondes nationales à la radio. Elle remercie l'Ange de la Mort, et après une dernière gorgée de lait à la noisette, il disparaît au volant de la Range Rover qui ne lui sera plus d'aucune utilité désormais.

7

LA POLITIQUE ET LE DÉPASSEMENT

Si vous prenez le temps de consulter des piles de livres et d'essais avec des titres du genre *L'Air du temps,* vous vous rendrez vite compte que quelle que soit l'époque à laquelle ils ont été écrits, ils contiendront tous une formule du genre : « Nous vivons une époque de transition. » Que ce soit en 1780 ou en 1850, les gens ont toujours l'impression d'être entourés par un courant. Les vieilles étiquettes et les façons de faire antérieures ont toujours l'air obsolètes. Les modes et les idées nouvelles n'ont pas encore vu le jour.

Situons-nous différemment. Nous ne vivons pas une époque de transition. Nous venons après une profonde période de transition. Nous vivons immédiatement après une guerre culturelle qui a bouleversé toute une génération d'Américains. Entre 1960 et 1980, les forces bohèmes et les forces bourgeoises ont livré leur ultime combat. Les tenants de la contre-culture bohème attaquaient les classes dirigeantes, les banlieues résidentielles, puis l'ère du reaganisme. Les écrivains et les politiciens conservateurs attaquaient les années 60 et incriminaient cette décennie de tous les maux de l'Amérique. Chaque force du camp bohème — depuis les étudiants radicaux jusqu'aux activistes féministes — provoquait une réaction dans le camp bourgeois — depuis la Majorité Morale jusqu'aux partisans d'une politique de réduction des impôts visant à intensifier la production et donc la consommation. Le dernier spasme de ce long conflit s'illustra par une période agitée de protestations, d'émeutes, de manifestations et de réel bouleversement de l'ordre social.

Mais une fois passées ces perturbations, une nouvelle réconciliation s'était instituée. Un ordre nouveau et des classes dirigeantes nouvelles s'étaient mis en place comme j'ai déjà tenté de le décrire. Et les membres de cette nouvelle classe dirigeante encore informelle ont absorbé des éléments issus des deux camps de la guerre culturelle. Ils avaient tiré les leçons des années 60 et 80. Ils ont créé un nouvel équilibre de valeurs tout à la fois bohème et bourgeois. Cet équilibre a permis de rétablir un peu la paix sociale qui avait complètement disparu pendant les périodes de destruction et de transition.

La politique du dépassement

Les politiciens qui ont réussi au cours de cette nouvelle ère sont ceux qui ont réussi à opérer le métissage des systèmes de valeurs bourgeois et bohème. Ils ont su éviter la vieille rhétorique de la guerre culturelle. Ils ne sont pas du genre à claironner leurs « convictions politiques » dans le style qui faisait fureur à l'époque des conflits. Ils préfèrent jongler avec plusieurs types d'approche. Ils savent qu'il leur faut plaire à des groupes différents. Ils cherchent à se frayer un chemin sur la voie du milieu, entre la gauche et la droite traditionnelles. Ils trouvent des étiquettes conciliatrices comme le conservatisme compatissant, l'idéalisme pratique, le développement tolérable, la croissance intelligente et la prospérité objective.

Quelles que soient ses autres caractéristiques, l'administration Clinton/Gore a donné corps à cet esprit de compromis qui est au cœur de l'entreprise Bobo. Pour commencer, les Clinton faisaient partie des pacifistes des années 60 et des fanatiques des échanges boursiers des années 80. Ils sont arrivés à la Maison-Blanche chargés à bloc d'idéaux bohèmes et d'ambitions bourgeoises. Ils ont fait campagne en critiquant « les vieux poncifs » de la droite et de la gauche. En 1997, Bill Clinton a effectivement résumé sa politique d'approche dans un discours prononcé devant le Conseil des Dirigeants Démocrates : « Il nous a fallu petit à petit abandonner cette fausse idée de choix qui avait fait long feu, ce débat stérile sur les prises de position républicaines ou démocrates qui ne pouvait fonctionner qu'au sein d'une Amérique divisée et qui nous empêchait d'avancer. »

Confrontée à une guerre culturelle où les valeurs traditionnelles s'opposaient aux valeurs libérales, l'administration Clinton les a mélangées pour en estomper les contours et parvenir ainsi à les réconcilier. Trois mots clés — « Opportunité, Responsabilité et Communauté » — ont été soigneusement sélectionnés pour servir de thème récurrent à sa campagne électorale. Elle a veillé à cautionner des signes extérieurs de respect des traditions comme le port de l'uniforme à l'école et à prendre des mesures libérales comme la distribution de préservatifs dans ces mêmes écoles. Clinton a su élargir la vieille dualité droite-gauche pour en faire un triangle au sommet duquel il se situait pour proposer la commode synthèse adoucie de la base. Il était en mesure, déclarait-il, d'équilibrer le budget du gouvernement sans être obligé d'appliquer des restrictions, de réformer l'aide sociale sans porter préjudice à quiconque, de modifier la loi sur l'intégration des minorités [1] sans

1. Mise en place dans les années 70, cette loi avait pour but de rehausser la proportion des minorités (les Noirs ou les femmes, entre autres) au sein des universités et des administrations de façon à favoriser leur intégration. Cette démarche, certes louable, n'a fait qu'aggraver les problèmes préexistants quand des étudiants blancs se voyaient refuser l'accès à une université au profit d'étudiants noirs qui avaient obtenu des résultats moins brillants ou quand un fonctionnaire devait patienter plusieurs années

qu'il soit nécessaire de l'abroger, de renforcer la lutte contre la drogue en proposant plus de crédits aux centres de réinsertion, de préserver l'école publique tout en se faisant le champion de la cause de l'école privée. Ayant à se débattre au tout début de son administration avec une échauffourée entre homosexuels et militaires, il s'en tira avec un « Ne demandez rien. Ne dites rien ». S'il y a jamais eu un slogan capable de rendre les efforts de la voie du milieu pour trouver un terrain d'entente pacifiste, c'est bien celui-là.

Bien des tentatives qu'entreprit Clinton pour réconcilier des politiques opposées étaient vouées à l'échec. Il n'en demeure pas moins que l'administration Clinton laissera derrière elle une approche de la politique qui en influencera plus d'un et qui est en parfaite adéquation avec l'époque Bobo. Cette approche du troisième type qui n'est ni franchement libérale, ni conservatrice, ni une croisade de la contre-culture, ni un statut bourgeois, tient véritablement de l'équilibrisme permanent. Et si vous jetez aujourd'hui un coup d'œil sur le monde industrialisé, vous verrez des équilibristes du troisième type perchés un peu partout à la tête des gouvernements. Il y a quelques dizaines d'années, des théoriciens prédisaient que les membres de la Nouvelle Classe seraient plus idéologiques que ceux des classes précédentes, plus prompts à se laisser guider par des visions utopistes que par des concepts abstraits. En fait, quand les enfants des années 60 sont arrivés au pouvoir, ils ont produit un style de gouvernement centriste, embrouillé, et surtout anti-idéologique.

Ils ont mis en place une politique de ce genre parce que c'est ce qui attire les habitants des banlieues résidentielles et les gens qui ont le contrôle de l'argent, des médias et de la culture de la société

avant de gravir des échelons au sein de son administration alors que des fonctionnaires femmes qui avaient moins d'ancienneté qu'eux progressaient plus rapidement, par exemple.

américaine contemporaine. L'Amérique compte aujourd'hui 9 millions de foyers dont le revenu annuel dépasse 100 000 $, c'est la tranche de la population la plus active. Et cette nouvelle classe dirigeante qui exerce son hégémonie sur les deux partis politiques américains a fait en sorte d'arrondir les angles de l'idéologie et de tempérer la ferveur doctrinale. Les Démocrates Bobos travaillent parfois dans des entreprises d'investissement comme Lazard frères. Les Républicains Bobos écoutent parfois les Grateful Dead. Ils ne veulent pas de confrontations profondes du type guerre culturelle sur des principes de base ou qui se polarisent sur des campagnes électorales présidentielles.

Alors que l'ancienne classe dirigeante protestante était largement républicaine et conservatrice, la nouvelle classe dirigeante Bobo aurait beaucoup plus tendance à être centriste et indépendante. En 1998, le *National Journal* publiait une étude sur la répartition des voix des 261 villes les plus riches des États-Unis et découvrait qu'elles s'étaient déplacées vers le centre. Le vote démocrate de ces communautés avait augmenté à chaque nouvelle élection au cours des vingt dernières années car les membres de l'élite socioculturelle s'étaient installés massivement dans des endroits reculés du style Wayne en Pennsylvanie. Les Démocrates avaient 25 % du vote des riches en 1980 et 41 % en 1996. Cette année-là, Bill Clinton a gagné les élections dans 13 des 17 districts les plus traditionnellement républicains.

Les banlieues résidentielles ont envoyé des Républicains modérés et des Démocrates modérés siéger au Congrès. La plupart du temps, ces politiciens se plaignent du radicalisme de leurs collègues issus de districts moins huppés. Ils ne comprennent pas pourquoi leurs pairs libéraux et conservateurs se complaisent tellement dans les conflits. Les polarisateurs les moins opulents tempêtent et critiquent furieusement dans *Crossfire.* Ils émettent en permanence des idées radicales et farfelues — abandonner définitivement tout système d'impôts, nationaliser la sécurité sociale. C'est à croire qu'ils se sentent mieux avec eux-mêmes en aliénant les autres. Tout ceci est totalement étranger des politiciens issus des districts aisés. Tout comme leurs électeurs Bobos, ils sont beaucoup plus motivés par le consensus que par la contestation, par le civisme que par le conflit.

C'est un fait qu'à l'époque Bobo, les bagarres à l'intérieur des partis sont beaucoup plus vives et nombreuses que celles qui ont lieu entre les partis. Mark Lila, un philosophe de l'Université de Chicago a remarqué que le désaccord central n'était plus aujourd'hui celui qui opposait les tenants des années 60 et ceux des années 80. C'est celui qui s'est créé entre ceux qui ont réussi la fusion de ces deux périodes et ceux qui la rejettent absolument. Au sein du Parti Républicain, les modérés et les conservateurs modernes se bagarrent avec les conservateurs qui veulent repartir en guerre contre les méfaits des années 60. Dans le camp démocrate, les Nouveaux Démocrates se bagarrent avec ceux qui n'ont pas su mettre un terme à leur rejet des réformes de l'ère Thatcher-Reagan.

La politique tiède des Bobos agace prodigieusement les gens de la droite et de la gauche qui attendent une politique radicale et héroïque. Ils constatent de graves problèmes de société et réclament un changement radical à cor et à cri. Cette nouvelle classe dirigeante centriste frustre ou étouffe leurs idées radicales, mais il leur est difficile de s'opposer de front à cette nouvelle et puissante élite. Ils ne savent pas par quel bout les prendre. Ils ne présentent jamais d'opposition cohérente. Ils ne présentent jamais d'adversaires avec des idées consistantes qui peuvent se discuter ou se réfuter. Ils sont passés maîtres dans la cooption et l'amalgame. Que vous soyez libéral ou conservateur, les politiciens Bobos adopteront votre rhétorique et votre politique de suggestions en s'arrangeant pour en gommer toute trace de radicalisme. Leur cœur balance un coup à droite, un coup à gauche. Ils ne sont jamais partants pour le combat. Ils se contentent de faire leur petit bonhomme de chemin, arrondissant les angles, réconciliant, unifiant, tout en s'arrangeant pour rester heureux. Quand les tenants de la droite et de la gauche sont affamés de confrontation et de changement, les Bobos semblent suivre le conseil que leur dicte le mol oreiller du confort : « Bien vivre est bien la meilleure des vengeances. »

Le projet

Cela ne signifie pas que la politique Bobo soit dénuée d'objectifs. Ils disposent tout au contraire d'un projet qui est en passe de donner sa forme à la politique des années à venir. Il s'agit de corriger les excès des deux révolutions sociales qui les ont amenés au pouvoir.

Les bohèmes des années 60 et les bourgeois des années 80 se situaient à des pôles complètement opposés sur bien des points. Mais ils partageaient deux valeurs fondamentales : l'individualisme et la liberté. Au cours de ces deux décennies, les écrivains n'ont rendu que des hommages peu sincères à l'action communautaire et aux institutions de voisinage, mais il s'agissait avant toute chose de libérer les individus. La révolte bohème des années 60 était axée sur la liberté culturelle. On parlait sans arrêt d'expression libre, de liberté de pensée, de liberté sexuelle. C'était un effort en vue de se dégager du carcan social et des attitudes conformistes, d'échapper à l'absurdité démocratique et de renverser les modèles d'autorité. La résurgence bourgeoise des années 80, d'un autre côté, se faisait l'apôtre des libertés économiques et politiques. On libérait et on privatisait l'économie de façon à laisser libre cours à l'esprit d'entreprise. L'État providence se voyait vivement critiqué, parfois même refoulé. On mit un terme aux arrangements de faveur corporatistes. On rogna les ailes de l'écrasante bureaucratie. En 1994, des Républicains s'immisçaient encore dans les rangs du pouvoir en se revendiquant toujours comme une coalition dont le mot d'ordre était « Laissez-nous livrés à nous-mêmes ». Ils voulaient que le gouvernement cesse de peser sur le dos des gens pour donner plus de poids à la liberté d'entreprise.

Beaucoup des leaders des mouvements sociaux et politiques des années 60 à 80 pensaient naïvement qu'une fois qu'ils seraient débarrassés des vieilles limitations et que les individus seraient libérés, de meilleures conditions de vie se feraient automatiquement jour. Mais la vie n'est pas si simple. Si vous commencez par mettre fin à des normes sociales obsolètes, vous allez vite vous rendre compte que d'autres normes positives comme la politesse s'en trouvent du même coup affaiblies. Si vous vous mettez à dissoudre les liens sociaux pour lâcher la bride à l'expression personnelle, vous allez vite constater que les liens de la communauté s'effilochent. Les tentatives d'affaiblissement de l'autorité d'oppression finissent par saper toute autorité. L'importance des enseignants, des parents et des institutions démocratiques finissent par se diluer en même temps que celle des tyrans de la bureaucratie et des censeurs moraux. Le dynamisme économique qui a engendré la relance, a également perturbé les petites communautés et la stabilité sociale à laquelle beaucoup de gens étaient attachés. Dans les années 90, les Américains ont de plus en plus ressenti la nécessité de rectifier le tir. Les Bobos en sont rendus à se trouver confrontés à une liberté et un individualisme excessifs.

Il y a donc deux termes cruciaux dans le projet politique des Bobos : communauté et contrôle. Les efforts qui sont faits dans toute la société américaine pour restaurer la cohésion sociale, rasseoir l'autorité et juguler les énergies auxquelles on a laissé libre cours pendant ce dernier quart de siècle sont visibles à l'œil nu. Dans certaines universités, le couvre-feu est de nouveau en vigueur, la cohabitation, la consommation d'alcool, les fêtes, les amitiés louches et le comportement sexuel sont soumis à un règlement strict. Colin Powell a initié un sursaut de volontariat chez des millions de gens qui ont bien voulu prendre sur leur temps pour aider les enfants à faire leurs devoirs, pour mettre sur pied des activités encadrées par des adultes et pour nettoyer et remettre par conséquent un peu d'ordre dans les quartiers où il n'était plus question de voisinage mais d'hostilité ou d'indifférence. Sur le plan législatif, les efforts se sont multipliés pour contrôler les sites qui se développaient sur Internet, réviser la législation sur les armes, interdire la publicité pour le tabac, et pour signaler par un logo les jeux vidéo ou les programmes de télévision particulièrement violents. Le pays a assisté à une vague de réforme de l'aide sociale sans précédent au sein de laquelle les agences locales, gouvernementales et fédérales ont imposé de nouvelles règles et de nouvelles restrictions concernant les bénéficiaires de ces aides. Les municipalités de tout le pays ont rétabli le contrôle de la mendicité, du vagabondage, de l'ivresse et même du déversement des ordures sur la voie publique. Des programmes de politique communautaire ont accordé plus de droits d'intervention à la police dans les zones à risques.

Et, bien sûr, les politiciens ont appris à manipuler un nouveau langage. Les Républicains évitent dorénavant de réclamer sur le mode agressif un relâchement de l'intervention gouvernementale. Pour annoncer sa candidature à la présidence, George W. Bush a employé ces termes : « Mon premier objectif est d'inaugurer une ère de responsabilité. » Quelques mois plus tard, Bush s'en prenait à « l'état d'esprit destructeur » : l'idée que si le gouvernement se contentait de ne plus se mettre en travers de votre chemin, tous les problèmes seraient résolus. C'est là une approche qui n'a pas d'objectif plus élevé, de but plus noble que « laissez-nous tranquilles ». Dans le même temps, Al Gore cherchait lui aussi à prendre de la distance par rapport aux instincts antiautoritaires qui avaient jusqu'alors influencé son parti. « Ce sont nos vies que nous devons maîtriser si nous voulons être en mesure d'avoir l'autorité morale nécessaire pour guider nos enfants », disait-il en annonçant sa candidature. « Le résultat définitif ne sera pas le fait d'un président, quel qu'il soit, mais celui de tout notre peuple — qui aura pris ses responsabilités tant par rapport à lui-même que par rapport aux autres. »

Les efforts les plus spectaculaires pour rasseoir l'autorité se sont produits à l'intérieur des foyers et au niveau des quartiers. Dans les années 60, A.S. Neill dirigeait en Angleterre une école qui s'appelait Summerhill. Cette école n'observait aucun règlement à l'exception de celui qu'établissaient les élèves eux-mêmes. Le livre de Neill décrivant la méthode pédagogique de Summerhill s'est vendu à plus de 2 millions d'exemplaires aux États-Unis, ce qui s'explique pour une part par la très forte tendance à l'époque visant à accorder un maximum de liberté aux enfants pour qu'ils explorent, créent et se développent « naturellement ». Ceux d'entre nous qui fréquentaient encore l'école dans ces années-là peuvent citer les programmes et les réformes progressistes qui furent mis en place pour favoriser la liberté des étudiants et encourager de la sorte un plus grand individualisme — des écoles sans murs, des classes ouvertes, des campus ouverts. Il y a même eu des salles pour fumer dans des lycées publics, alors que la plupart des lycéens n'avaient pas l'âge légal de fumer.

Cette éthique a totalement disparu de nos jours. Les responsables politiques des deux bords militent en faveur du retour de l'uniforme dans les écoles publiques. Les enfants sont encadrés et surveillés en permanence, ils croulent sous les règlements et les obligations. On observe à présent un souci sans précédent de la sécurité des enfants, part intégrante de nos efforts maladroits pour les protéger et les discipliner. Les fabricants de bicyclettes ont noté un fléchissement des ventes qui illustre la réticence des parents à laisser leurs enfants vagabonder à vélo. Les enfants d'aujourd'hui reçoivent une instruction morale plus présente encore qu'à l'époque victorienne : les émissions de télévision pour enfants prêchent perpétuellement sur des thèmes comme le racisme ou le recyclage; on demande autant aux enseignants de réciter des homélies sur des sujets aussi variés que la drogue ou le sens civique, que de donner de l'instruction. La tuerie de Littleton au Colorado en 1999, déclencha un raz de marée de commentaires. L'unanimité se fit sur un point : les parents devaient exercer une autorité plus forte sur leurs enfants. Les beaux jours de l'éducation permissive prônée par Rousseau sont révolus.

Les efforts en vue de contrôler la croissance et le développement des quartiers représentent un phénomène d'égale importance, tout particulièrement dans les villes résidentielles. Les partisans de Reagan prêchaient peut-être les vertus d'un certain laisser-aller, mais cette attitude est complètement dépassée dans les banlieues Bobos d'aujourd'hui. Si vous allez dans un quartier Bobo, vous y trouverez forcément une puissante association de citoyens qui milite en faveur de zones où ne résident que des personnes répondant à des critères socio-économiques très élevés et dont l'accès est surveillé jour et nuit. Ce type d'association s'oppose aussi au développement de nouveaux commerces et lutte contre les démolitions (si d'aventure un propriétaire s'avise de démolir sa maison pour en construire une plus grande à la place) et autres « transformations ». Plutôt que progressistes et tournés vers le futur, les quartiers chics donnent l'impression de regarder en arrière, cherchant à préserver leur passé stable et organisé ou tout au moins à créer des communautés qui adhèrent aux modèles de ce qui a été stable et organisé. Les Bobos passent plus de temps à sauver des trésors d'architecture enfouis, à rénover de vieilles structures ou à préserver de vieux bâtiments qu'à créer des institutions nouvelles et expérimentales. Un Bobo sur trois va coller sur la vitre arrière de sa voiture un autocollant réclamant la sauvegarde de quelque chose. Les Bobos sauvent les vieux théâtres, les vieux quartiers, les vieilles usines et les vieux entrepôts ou même les dîners qui ont eu une signification historique. Quand ils autorisent la construction de quelque chose de nouveau, ces activistes friqués vont insister pour qu'elle corresponde aux modèles du passé. Ils évoqueront la nécessité de préserver l'identité locale, de lutter contre l'étalement tentaculaire des villes, de combattre la croissance sauvage. Ils mettront en avant la « viabilité » et la « qualité de vie ». Encore une fois, ils essayent de préserver l'ordre et la stabilité et de rétablir le contrôle de la communauté.

L'autorité intime

L'idée maîtresse de la politique Bobo réside dans la volonté de retrouver des liens d'autorité intime. Les Bobos ne sont pas tellement intéressés par les efforts déployés en vue d'établir une autorité à grande échelle. Il y a cent ans, Herbert Croly s'est fait le porte-parole d'une époque progressiste désireuse de créer une communauté nationale avec un gouvernement national puissant guidé par des experts en technocratie qui organiseraient et rationaliseraient la vie américaine. C'était une époque de consolidation où les petites structures se fondaient inéluctablement les unes dans les autres pour en former de plus grandes — des grands trusts, des grandes bureaucraties, des grandes villes. Mais nous n'avons plus l'impression de vivre une époque de consolidation ; tout au contraire la déconsolidation semble être à l'ordre du jour. Aussi les Américains de la classe dominante, à l'instar de tous les Américains d'ailleurs, se montrent-ils peu enclins à entreprendre une politique massive de nouvelles mesures, qu'il s'agisse d'une nouvelle croisade libérale contre la pauvreté ou d'une grande guerre conservatrice contre la décadence culturelle. Ils ont tendance à se méfier des hiérarchies formelles imposées par le sommet et des législateurs qui se targuent de gouverner depuis l'Olympe. Ils ont été déçus par la politique nationale. Ils ne la voient plus comme le champ glorieux et Romantique (avec un grand R) de l'investissement politique, comme tant de gens la considéraient antérieurement. Des utopies de ce genre sont arrivées au terme de leur voie d'extinction. Les Bobos ont plutôt tendance à considérer la politique comme une série d'improvisations modestes inspirées par des espoirs délicats et une bonne dose d'anxiété.

Aussi pensent-ils le plus grand bien d'une action politique conduite au niveau local, où la communication est un véritable face-à-face et où le débat devient moins idéologique. Confrontés à des problèmes nationaux aussi épineux que la pauvreté ou l'éducation, les Bobos voudraient décentraliser le pouvoir jusqu'au plus petit niveau possible. De cette façon, chacun ou chaque communauté pourrait proposer sa propre solution pragmatique sans qu'il soit besoin de s'engager dans des débats apparemment futiles sur des principes élémentaires.

L'autorité intime est impartie, pas imposée. C'est le genre de pression constante et douce exercée par des parents aimants ou par l'entourage : sois poli quand on te présente quelqu'un, ne jette pas de papiers par terre, ne dis pas de gros mots, aide les gens à porter des paquets, réconforte-les s'ils sont dans la peine et rassure-les quand ils sont assaillis par le doute. L'autorité intime n'a rien à voir avec le fait de noter par écrit des règlements et des lois ; c'est plutôt le fait de montrer l'exemple, de créer des habitudes et de mettre en place des contextes de façon à inciter les gens à exercer leur responsabilité individuelle. Cela peut s'illustrer par la mise en place d'un comité d'accueil quand de nouveaux arrivants arrivent dans une ville de façon à ce qu'ils aient le sentiment d'appartenir à une communauté interdépendante. Ou bien par du bénévolat dans une maison de jeunes pour que les adolescents aient un endroit à eux où ils se sentent pris au sérieux. Ou même par quelque chose d'aussi simple que de poser une tirelire à côté de la caisse enregistreuse d'un magasin. Ou encore par des projets résidentiels dans la lignée du mouvement pour un Nouvel Urbanisme, qui sont conçus pour que les gens puissent toujours se surveiller entre eux dans la rue, une façon subtile de faire respecter les standards de comportement et de bienséance au sein d'une communauté.

Sur un mode réellement conciliateur, l'autorité intime constitue une véritable voie du milieu à mi-chemin entre l'individualisme excessif et l'autorité formelle imposée. Ce n'est pas une autorité au sens physique — un corps puissant qui exerce une pression sur un corps plus petit —, mais une autorité qui se situe sur un plan biologique : tous les membres d'un écosystème exercent une pression graduelle et subtile sur les autres de manière à ce que toute la chaîne puisse fonctionner.

C'est exactement le genre de pression que les bohèmes trouvaient tellement étouffante. C'est pour ce genre de raisons qu'ils fuyaient les petites villes et se réfugiaient dans l'anonymat des grandes métropoles. Mais aujourd'hui, la majorité des Bobos recherchent plus le contrôle et la communauté que la libération et la décontraction. Ils sont devenus conservateurs.

Les conservateurs en blue jeans

Je ne soutiens pas par là l'idée que l'élite socioculturelle est massivement conservatrice dans le sens que le Parti Républicain donne à ce terme pour désigner ceux qui sont en faveur des réductions d'impôts, d'un gouvernement moins interventionniste et d'un budget de la défense plus important (bien qu'il se trouve sûrement un certain nombre de Bobos d'accord sur tous ces points). Ce que j'entends par conservateur, c'est que l'éthique qui lie les Bobos correspond au sens premier du mot conservateur qui décrit un tempérament et non pas une idéologie.

Edmund Burke appelait les grands propriétaires terriens de son époque le « lest du navire du Commonwealth ». Et à plus d'un titre, cela reste une définition juste pour la classe des propriétaires terriens de la haute bourgeoisie d'aujourd'hui. Les Bobos cherchent à conserver le monde qu'ils ont créé, un monde qui réconcilie les bohèmes et les bourgeois. Par conséquent, ils chérissent le civisme et ils détestent l'esprit partisan. Ils tentent de préserver les choses simples qui ont résisté à l'usure du temps. Ils essayent de rétablir une autorité douce. Ils apprécient vivement la religion tant qu'elle est conduite dans un esprit de modération et non de fanatisme. Ils aiment les bonnes manières, les coutumes et les traditions. Ils valorisent ce que Burke appelait la « petite section », les petites institutions médiatrices qui donnent leur cohésion à un quartier et à une ville. Ils souhaitent rétablir l'ordre et non pas fomenter un changement radical.

Un conservateur du XIXe siècle, Walter Bagehot, écrivait : « Il est de la plus haute importance qu'il se trouve parmi les classes les plus aisées un grand nombre d'esprits entraînés de bonne heure à la discipline rigoureuse de la mesure et de la sobriété. » Et on peut dire à juste titre que les Bobos ont appris à rester sobres et mesurés, même si le code Bobo de la sobriété a plus emprunté à l'Association Médicale Américaine qu'à la rigueur victorienne.

Conservateurs de tempérament, les Bobos rejettent presque toujours les grandes projections rationnelles car ils ont le sentiment que le monde est bien trop compliqué pour se trouver modifié par le projet d'un individu visant à redonner forme à la réalité. Bien qu'ils constituent une élite dont les bases reposent avant tout sur l'éducation, la compétence ne fait pas partie des choses qui les impressionnent. Ils semblent plutôt vivement conscients de la faible quantité de savoir dont disposent les plus grands cerveaux de la planète et de la complexité de la réalité face à notre entendement. Ils savent, grâce à des événements comme la guerre du Vietnam qu'une décision technocratique peut produire des résultats terribles si elle ne prend pas en compte la relativité d'un contexte particulier. Ils sont conscients, grâce à l'échec des économies planifiées d'Europe de l'Est que des systèmes complexes ne peuvent pas être dirigés à partir du centre. En d'autres termes, ils sont modestes au sens épistémologique du terme, d'une manière que des conservateurs comme Burke et Oakeshott auraient vivement approuvée. Ils montrent plus d'intérêt à préserver des institutions imparfaites ayant déjà prouvé quelque utilité qu'à s'embarquer dans une vision du futur incertaine. Ils ont appris que les révolutions finissent généralement par échouer et qu'en matière de changement social, il n'y a rien de mieux qu'une solide réforme. Beaucoup de Bobos pousseraient les hauts cris s'ils se savaient taxés de conservatisme. Mais ce sont souvent ceux qui arborent l'uniforme baba cool composé d'un catogan et d'une paire de sabots qui ont le tempérament le plus conservateur. Si vous allez dans des endroits comme Berkeley ou Burlington dans le Vermont, vous vous apercevrez que ce genre de conservatisme découle parfois directement du libéralisme.

La réussite Bobo

Si nous vivons une époque de relative paix sociale, c'est essentiellement grâce à l'influence de la classe dominante Bobo. Les partis politiques, du moins au sommet, se sont orientés vers le centre. Pour la première fois depuis les années 50, on peut dire qu'il n'y a plus de fossé idéologique entre les deux partis. On voit resurgir la blague de cette époque, à savoir que la lutte pour la présidence ressemble à un duel entre bonnet blanc et bonnet plus blanc que blanc. Les campus des universités ne sont plus agités par la moindre manifestation. La vie intellectuelle est variée, mais pas autant qu'à l'époque où le radicalisme de la droite et de la gauche étaient en marche. Les passions sont assourdies. La vie à Washington est un peu terne. (Je sais de quoi je parle : c'est là que je vis.) Les trente dernières années ont apporté de véritables bouleversements sociaux. Le pays ressent peut-être à présent un besoin de tranquillité pour que les nouvelles normes sociales aient le temps de s'établir et de se fortifier, pour que le nouveau consensus Bobo puisse se mettre en place.

Jusqu'à présent, les choses ont l'air de fonctionner. Beaucoup des problèmes économiques qui surgissaient avec la violence d'une véritable épidémie au cours des années 60 et 70 semblent en voie de guérison, même si les progrès sont irréguliers. Le taux de criminalité a baissé, tout comme celui des divorces, des avortements, de l'usage de cocaïne ou de la consommation d'alcool chez les adolescents. Dans le même temps, l'économie du pays qui n'est pas sans relation avec la culture du pays, s'est de plus en plus renforcée.

Les Bobos ont des raisons de se sentir fiers de la contribution qu'ils ont apportée à leur pays. Où qu'ils décident de s'installer, ils savent rendre la vie plus agréable (pour ceux qui ont les moyens d'en profiter). Les boutiques sont plus sympas. La nourriture qu'on peut trouver dans les épiceries et les restaurants est plus variée et de bien meilleure qualité. Leurs communes se voient dotées de lieux de rencontre et de réunions. Les maisons ont des apparences moins formelles et sont plus confortables. De plus, les Bobos ont accompli un prodigieux travail dans le monde du capitalisme américain. Les hommes et les femmes d'affaires Bobos ont su créer un style corporatif en accord avec l'ère de l'information, en mettant l'accent sur la créativité, la flexibilité et le dialogue ouvert dans un cadre hiérarchique simplifié. La réussite sans équivalent des industries américaines de l'ère de l'information au cours des dix dernières années est tout simplement indiscutable.

La vie intellectuelle a également connu des améliorations. Il est vrai qu'une part de l'intensité intellectuelle a disparu. On rencontre moins de gens prêts à consacrer leur vie à des idées, à la manière des adeptes de *Partisan Review,* par exemple. Mais cela n'est jamais resté le fait que d'un groupe isolé (même si leurs membres avaient l'impression de lutter pour toute la classe ouvrière). Ils étaient coupés des réalités sociales et politiques quotidiennes. Les carriéristes intellectuels d'aujourd'hui vivent de plain-pied dans un monde de mobilité sociale et ont de ce fait une expérience plus immédiate de la vie que mènent les autres Américains. Cette connaissance du terrain fait que les intellectuels ont moins d'idées bizarroïdes que les intellectuels du passé. Peu d'entre eux s'éprennent de visions d'utopies marxistes, pour ne citer qu'un exemple. Ils sont moins nombreux à idolâtrer des révolutionnaires du style de Che Guevara. Si on doit établir une comparaison, il est préférable d'avoir une classe intellectuelle raisonnable et réaliste qu'une classe intellectuelle intense mais destructive.

Les loisirs aussi ont évolué. Si on faisait une enquête pour savoir ce que les gens pensent de ceux qui font des voyages écologiques dans la forêt amazonienne ou décident de partir en immersion totale dans une maison délabrée de la campagne toscane, on récolterait des critiques pour le moins ironiques. Mais l'instinct qui pousse ceux qui entreprennent ces voyages à rechercher des expériences édifiantes n'en reste pas moins admirable. D'autre part, les Bobos ont réussi à établir un équilibre raisonnable entre une sexualité débridée et un puritanisme coincé. Ils ont domestiqué beaucoup d'activités sensuelles afin de pouvoir en tirer profit sans nuire à l'ordre social. Et ce n'est pas un mince exploit.

Si on se penche sur la morale et les façons de vivre des Bobos, on peut les trouver ridicules et risibles, mais on peut aussi les trouver merveilleuses. Les Bobos ont amorcé la mise en place d'une norme et de nouvelles mœurs qui fonctionnent en ce début de siècle. Il fait bon vivre dans un monde Bobo.

Une nouvelle ère d'autosatisfaction

Je ne voudrais pas conclure par un hymne à la gloire des Bobos. Ils n'ont pas tout bon dans tous les domaines. Leur vie spirituelle est tiède et sans exigence. (On peut tout à fait imaginer que la génération à venir trouvera ennuyeuses toutes nos réconciliations, notre ambivalence pragmatique et notre tendance à mener des vies mi-chou mi-chèvre. Elle éprouvera peut-être un besoin de pureté, un certain fanatisme au lieu de notre matérialisme ou exigera l'orthodoxie à la place de notre morale à petite échelle.)

Et puis même si la relative tranquillité que nous avons réussi à trouver n'est pas à dénigrer, étant donné les alternatives, le fait de rester bien tranquille peut parfois conduire à faire des erreurs. À force de choisir une synthèse politique affadie des deux tendances et de se tenir soigneusement à l'écart de tous les grands débats idéologiques du pays au nom d'un pragmatisme local, nous risquons de perdre de vue les idéaux élevés et les grandes ambitions qui ont toujours singularisé l'Amérique. J'ai évoqué dans l'introduction de ce livre le fait que j'ai passé quatre ans et demi en Europe au début des années 90. Je suis revenu pour mettre en garde mes amis, en ne plaisantant qu'à moitié, contre le péril de l'hégémonie culturelle belge. J'essayais de la sorte de décrire les tentations qui accompagnent l'abondance. Nous risquons de devenir un pays qui apprécie le confort de la vie privée et locale mais qui perd du même coup le sens de l'union nationale et celui d'une mission historique unique. Notre pays pourrait connaître son déclin, pas à cause de sa tendance à s'étendre toujours plus loin, mais parce qu'il est débilitant de voir ses concitoyens préférer les plaisirs d'une cuisine spacieuse plutôt que de s'intéresser aux conflits et aux services de notre pays. C'est peut-être quelque chose dans ce goût-là qui inquiétait Tocqueville quand il spéculait sur l'avenir de l'Amérique. « Ce qui me préoccupe le plus », écrivait-il dans *De la Démocratie en Amérique,* « au milieu de toutes ces préoccupations triviales concernant la vie privée, c'est que l'ambition perde tout à la fois sa force et sa grandeur, que les passions humaines se fassent plus mesurées et du même coup plus viles, avec pour tout résultat une progression du corps social de plus en plus tranquille pour donner de moins en moins d'inspiration ».

Il ne s'agit plus désormais d'une prédiction. Le scénario imaginé par Tocqueville est devenu réalité. Aujourd'hui, la majorité d'entre nous ne souhaitent pas s'investir dans la politique nationale parce que c'est une attitude jugée partisane et laide. Et cela a pour effet que la plupart des citoyens américains se sont désintéressés de la vie publique et se sont mis à considérer tout ce qui ne les touchait pas directement avec une indifférence mêlée de mépris. Nous avons laissé nos points de vue politiques se corroder avec un pseudo-cynisme facile à force de répéter que tous les politiciens sont des escrocs et que leurs efforts sont feints. Comme le démontre le vote de l'opinion publique avec une aveuglante clarté, nous ne croyons plus aux institutions publiques ni même à beaucoup d'institutions privées. Nous avons transformé notre sain scepticisme vis-à-vis de l'action gouvernementale en un négativisme corrosif qui nous a rendus passifs, même si nous sommes témoins de pratiques politiques ou de prises de position qui nous font honte. En bref, notre vie nationale est devenue comprimée, notre esprit public corrodé par le cynisme, notre faculté d'accomplir de grandes choses affaiblie par l'inaction. Nous sommes menacés par une nouvelle ère d'autosatisfaction, qui peut se révéler tout aussi dangereuse vis-à-vis de nos rêves que l'étendue impérialiste ou qu'une défaite à l'issue d'une guerre.

Le devoir du Bobo consiste donc à reconstruire une politique unie et un sens de la cohésion nationale sans écraser les libertés individuelles que les générations précédentes nous ont léguées ni les liens d'autorité intime qui se trouvent à présent rétablis. Il s'agit donc de consolider les acquis individuels et communautaires, tout en insufflant une nouvelle énergie à la politique nationale. Quand Burke vantait les mérites des « petites sections » de la famille et de la vie communautaire, il poursuivait son analyse par une observation tout aussi importante et cependant moins fréquemment citée. L'affection que nous portons à notre entourage, disait-il, « est le premier de toute une série de liens qui nous conduit à aimer notre pays et le genre humain dans son ensemble ». Des familles et des communautés saines sont inutiles si le pays décline. Un intérêt personnel sain équivaut à un narcissisme stérile s'il ne se rattache pas à des idéaux nationaux et universels.

Cela suppose toute une série de réformes. Réforme de ces institutions et de ces pratiques dont nous ne saurions nous montrer fiers : le système de financement des campagnes électorales qui n'est plus qu'un marécage nauséabond de corruption, le système des impôts qui est devenu trop compliqué et aliénant, l'aide sociale qui aurait besoin de se débureaucratiser. Et en même temps, sur le plan international, cela implique de sélectionner les obligations qui incombent à notre pays : promouvoir la démocratie et les droits de l'homme partout et exercer la puissance américaine d'une façon qui reflète ses idéaux.

Si les hommes et les femmes s'engagent à nouveau dans la vie publique et redeviennent fiers de leurs institutions publiques, quelque chose d'autre va se passer pour les Bobos. Ils vont devoir assumer leur rôle de dirigeants. Ils représentent la tranche la plus instruite de la société, et surtout la plus aisée, et pourtant, globalement, ils n'ont pas consacré leur énergie à la vie nationale. Il est évident qu'ils travaillent pour une partie d'entre eux au sein du gouvernement et de la vie politique, mais l'arène publique n'est pas un centre d'intérêt majeur pour l'élite socioculturelle dans son ensemble. Cela a creusé un fossé dans la vie publique. Combler ce fossé va impliquer de faire la même chose que ce qu'a fait la classe dirigeante après-guerre : développer une éthique du service public et conclure comme Dean Acheson, John McCloy, George C. Marshall et Dwight Eisenhower l'avaient fait, à savoir que c'est de ceux qui ont reçu le plus qu'on est en droit d'attendre le plus et que le service public est le plus haut service laïque qui puisse s'accomplir. Si nous considérons les résultats obtenus par la classe dirigeante d'après-guerre, nous pouvons voir leurs erreurs, mais nous pouvons aussi nous rengorger de fierté. Nous pouvons contempler un groupe d'hommes et de femmes qui se sont engagés pour leur pays dans une mesure qui dépassait bien souvent celle des intérêts personnels. Qui d'entre nous ne souhaiterait pas voir revivre ce sens du service, ce patriotisme modeste ? Et qui d'entre nous doute que les Bobos avec tout leur savoir et toutes leurs bonnes intentions ne soient pas capables d'une contribution de ce genre s'ils dirigent leur énergie dans la bonne direction ?

Les Bobos constituent une élite jeune, qui a encore à peine conscience de sa position d'élite et totalement inconsciente de ses capacités. C'est la classe de ceux qui ont grandi avec le mot *potentiel* accroché autour du cou, et par bien des aspects, leur potentiel est bien plus remarquable que ce qu'ils ont accompli.

Ils se sont entraînés, nourris, formés. Ils se sont trouvés dégagés des vieilles restrictions et ont forgé de nouveaux liens. Ils n'ont pas particulièrement peur de la crise économique et de la guerre. Ils sont bien souvent futiles. Mais s'ils décident de s'élever et de poser les vraies grandes questions, ils sont tout à fait en mesure de rester dans l'Histoire comme la classe qui a su conduire son pays à un nouvel âge d'or.

REMERCIEMENTS

J'ai écrit plusieurs articles de presse sur l'élite socioculturelle avant de réaliser qu'ils recouvraient tous un même thème et qu'il y avait là matière à écrire un livre. J'ai écrit à propos du déséquilibre des revenus, des capitalistes de la contre-culture, des Latte Towns et des naturalistes utilisateurs de téléphone portable pour le *Weekly Standard,* et des fragments de ces articles ont été utilisés pour écrire ces pages. Je suis reconnaissant à Bill Kristol, Fred Barnes et John Podhoretz de m'avoir encouragé à écrire ces articles. Le moment est bien choisi pour leur dire à quel point je leur suis reconnaissant d'avoir lancé le *Standard* et de m'avoir demandé ainsi qu'à plusieurs de mes amis d'y collaborer. Les heures passées chaque semaine à bosser avec eux comptent parmi les plus grands plaisirs de ma vie.

Il y a d'autres directeurs de revues que je tiens à remercier. La partie consacrée à la rubrique des mariages du *New York Times* est directement adaptée d'un essai que j'avais écrit pour *City Journal,* et je suis reconnaissant à Myron Magnet de m'avoir apporté son aide à cette occasion. J'ai mené ma première enquête dans le monde des riches pour le compte de Brian Kelly et Steve Luxenberg qui s'occupent de la rubrique « Point de vue » du *Washington Post.* J'aimerais aussi remercier Henri Finder et Susan Morrison du *New Yorker.* C'est relativement tard dans l'histoire que j'ai commencé à écrire pour eux des articles sur la culture commerciale, à une époque où j'avais l'impression de maîtriser mon sujet. Mais leurs remarques pertinentes me firent perdre cette belle confiance en moi. Ils connaissaient un tas de choses dont je n'avais jamais entendu parler et avaient étudié des types de comportement auxquels je n'avais jamais prêté attention. Les paragraphes concernant Restoration Hardware découlent directement du travail que j'ai mené pour eux.

Beaucoup d'autres personnes m'ont aidé tout au long du chemin. Ceux que je dois citer en tout premier lieu sont Eric Eichman, Dan Casse et John Podhoretz qui ont bien voulu lire mon manuscrit et m'ont donné leurs précieux avis. Michael Kinsley et Jack Shafer m'ont aidé à comprendre la culture de Seattle, où Mike m'a même emmené faire du camping. John Baden m'a fait des suggestions de visites et de promenades intéressantes à faire au Montana. Irving Kristol m'a fait connaître le livre *Bourgeois contre Bohèmes* de César Graña, qui m'a aidé à cristalliser ma pensée. Tori Ritchie de *San Francisco Magazine* m'a aidé à apprécier tout l'apport culturel de la cuisine. Mes agents, Glen Hartley et Lynn Chu sont mes amis depuis dix ans ; leurs efforts à mon égard se situent au-delà du mot tâche. Marion Maneker est l'éditeur qui a négocié les droits de ce livre pour Simon et Schuster ; ses talents sont exceptionnels. Après que Marion fut partie travailler pour HarperCollins, j'ai eu l'honneur de voir Alice Mayhew prendre la suite de ce projet. Un écrivain ne peut pas souhaiter qu'un éditeur soit plus réceptif. Elle m'a donné l'impression de soupeser chaque mot du manuscrit, et ses commentaires l'ont amélioré de bien des façons.

Et puis il y a ma famille. Mes parents sont allés vivre à Wayne en Pennsylvanie parce que Lewis Mumford disait que les banlieues construites avant la Première Guerre mondiale sont les endroits où il fait le meilleur vivre aux États-Unis. Quand j'allais au lycée là-bas, je trouvais que c'était une ville bourgeoise et réactionnaire, et c'était le cas. Mais les choses ont changé, et j'ai changé, et je réalise maintenant que c'est une merveilleuse communauté. Je remercie mes parents et mon frère Daniel pour les années heureuses que nous avons passées là-bas. Et il n'y a pas de mots pour exprimer la reconnaissance que je dois à ma femme, Jane, et à nos enfants, Joshua, Naomi et Aaron pour tous les sacrifices qu'ils ont faits afin de me laisser écrire ce livre en m'agitant comme un écureuil dans sa cage au sous-sol de notre maison.

INDEX

I

J

K

L

M

N

O

P

R

S

T

V

W

Y

Z

Table

Composition réalisée par EURONUMÉRIQUE

IMPRIMÉ EN ALLEMAGNE PAR ELSNERDRUCK
Dépôt légal Édit. : 18295-03/2002
LIBRAIRIE GÉNÉRALE FRANÇAISE - 43, quai de Grenelle - 75015 Paris.
ISBN : 2-253-15126-2

A R.C.L. 2004